dtv

D1188577

Die Lage in Israel ist offen und explosiv. Der Frieden mit den Palästinensern, mit dem Abkommen von Oslo zum Greifen nahe, scheint in weite Ferne gerückt. Fanatismus, falsch verstandenes Heldentum, Eigennutz und unbezähmbare Ungeduld gewinnen immer wieder die Oberhand über die Stimmen der Vernunft in diesem Dauerkonflikt, der tief in der Geschichte wurzelt. Henryk M. Broder zeigt in seinen Reportagen, Interviews, Anekdoten und Essays den ganz normalen Wahnsinn im Heiligen Land – pointiert, witzig und engagiert.

»Broders Talent ist es, erkenntnisstiftend zu vereinfachen, ohne zu langweilen. Er kann den Dauerkrieg zwischen Israelis und Palästinensern wie einen Streit zwischen Dick und Doof vorführen, ohne auf analytische Schärfe und stilistische Eleganz zu verzichten.« (Mitteldeutsche Zeitung)

Henryk M. Broder, geboren 1946 in Katowice/Polen, ist Journalist beim »Spiegel« und lebt in Berlin und Jerusalem. Buchveröffentlichungen u. a.: »Der ewige Antisemit. Über Sinn und Funktion eines beständigen Gefühls« (1986); »Erbarmen mit den Deutschen« (1993); »Schöne Bescherung. Unterwegs im Neuen Deutschland« (1994); »Volk und Wahn« (1996); »Kein Krieg, nirgends: Die Deutschen und der Terror« (2002).

Henryk M. Broder

Die Irren von Zion

Deutscher Taschenbuch Verlag

Technische Vorbemerkung: Jüdische Namen und Begriffe wurden weitgehend vereinheitlicht und eingedeutscht, soweit nicht ausdrücklich andere Schreibweisen gewünscht wurden (z. B. Rabbi Moshe Hirsch) oder international üblich sind. Bei Transkriptionen aus dem Arabischen steht –j– für weiches –dsch– (z. B. Jamil, Jibril, Al-Fajr), während unser Jot-Laut mit –y– wiedergegeben wird (z. B. Yassir, Yassin, Khan Yunis).

Oktober 1999
2. Auflage November 2002
Deutscher Taschenbuch Verlag GmbH & Co. KG, München
www.dtv.de
Das Werk ist urheberrechtlich geschützt.
Sämtliche, auch auszugsweise Verwertungen bleiben vorbehalten.
© 1998 Hoffmann & Campe Verlag, Hamburg
Umschlagkonzept: Balk & Brumshagen
Umschlagfoto: Wolfgang Balk
Satz: Dörlemann Satz, Lemförde
Druck und Bindung: Druckerei C. H. Beck, Nördlingen
Gedruckt auf säurefreiem, chlorfrei gebleichtem Papier
Printed in Germany · ISBN 3-423-30738-2

Inhalt

»Der Wahnsinn,
  wenn er epidemisch wird,
  heißt Vernunft.«

Oskar Panizza

Die Israelis – allein im Raum

*E*ine Reise nach Israel ist noch immer ein kleines Abenteuer. Es fängt mit einer Gepäckkontrolle beim Abflug an, bei der alle Schamschranken aufgehoben sind. Die Koffer und Taschen werden von wildfremden Menschen durchwühlt, deren Aufgabe es ist, versteckte Bomben zu finden, und die bei jedem Haarfön, Vibrator oder Taschenrechner ein triumphierendes Grinsen aufsetzen, bis sich herausstellt, daß es tatsächlich nur ein Haarfön, Vibrator oder Taschenrechner ist. Für diesen Eingriff in die Privatsphäre der Reisenden gibt es natürlich gute Gründe. Es soll vorgekommen sein, daß harmlos scheinende Elektrogeräte so präpariert waren, daß sie in einer bestimmten Höhe explodierten, ohne daß der An-/Aus-Knopf gedrückt wurde. Das leuchtet den Reisenden ein, weswegen viele von sich aus ihr ganzes Gepäck vor dem Kontrolleur ausbreiten. Rentner, die zu feige wären, eine Packung Kukident zu klauen, geraten vor Begeisterung außer sich, weil sie endlich mal ernst genommen werden.

Hat der Reisende einen Flug bei El Al gebucht, geht das Abenteuer gleich an Bord weiter. Riesenwindelpakete, originalverpackte Stereoanlagen und größere Küchengeräte fliegen als Handgepäck mit und wollen in den Fächern über oder unter den Sitzen verstaut sein. Bereits zu diesem frühen Zeitpunkt der Reise kann man heimkehrende Israelis von normalen Touristen unterscheiden. Die Israelis laufen erst einmal das ganze Flugzeug auf und ab, um zu sehen, ob Bekannte und Nachbarn an Bord sind, bevor sie sich auf Plätze setzen, für die sie keine Bordkarten haben. Anschließend beschweren sie sich darüber, daß sie nicht die Sitze bekommen haben, die sie eigentlich haben wollten. Das El-Al-Personal schaut dem wilden Treiben untätig zu, als wollte es sich an den Passagieren dafür rächen, daß diese einen El-Al-Flug gebucht haben. »Selber schuld!« steht in ihren Gesichtern, eine Mischung aus Verachtung und Schadenfreude. Sobald das Flugzeug in der Luft ist, werden sie sich an den Fluggästen schadlos halten. Wer Huhn essen möchte, bekommt Rind; Vegetarier werden mit geräuchertem Fisch bestraft; jedes Getränk muß erbettelt oder in der Bordküche geholt werden. Flanierende Raucher sorgen dafür, daß der Rauch sich gleichmäßig im Raum ausbreitet. Beschwerden von Nichtrauchern werden wie Briefe an den Nikolaus behandelt.

Völkerkundler, die sich ein Bild über den Zustand der israelischen Gesellschaft machen möchten, könnten ihre Recherchen jetzt schon abschließen. Allerdings würden sie das Beste verpassen. Die Ankunft im Land: Die Paßkontrolle ist problemlos, der Zoll macht nur Stichproben im Gepäck der eigenen Bürger und läßt die Touristen in Ruhe. Doch gleich darauf lernt der Besucher die Israelis kennen, wie sie wirklich sind. Zuerst wird er Zeuge herzzerreißender Szenen. Erwachsene Männer fallen schreiend und schluchzend übereinander her, Frauen führen hysterische Anfälle vor, Kinder wälzen sich auf dem Boden. Dabei handelt es sich nicht um Menschen, die seit 1945 als vermißt galten und nun endlich in ihrer Heimat angekommen sind.

Es handelt sich in der Mehrzahl um Urlauber, die zwei, drei Wochen im Ausland waren und nun von ihren Angehörigen abgeholt werden. Zuerst ist der Besucher ob der überquellenden Herzlichkeit maßlos beeindruckt. So etwas hat er in Köln-Wahn oder Berlin-Tegel nicht erlebt. Doch dann merkt er, daß die Freude ihren Preis hat: Der Ausgang ist blockiert. Völlig mit sich selbst beschäftigt, kommen die Heimgekehrten und ihre Angehörigen gar nicht auf den Gedanken, daß es außer ihnen noch ein paar Menschen gibt, die nachdrängen und gern das Gelände verlassen möchten. Die Begrüßung *muß* mitten im Weg stattfinden, sonst gilt sie nicht.

Die gleiche Beobachtung kann man in Israel täglich und überall machen. Wenn ein israelischer Autofahrer seinen Wagen anhält, um jemanden aus- oder einsteigen zu lassen, dann tut er dies entweder in der Mitte einer Kreuzung oder an einer Straßenecke, also an einer Stelle, an der er den Verkehr optimal behindert, auch wenn ein paar Meter weiter genug Platz wäre, um die Aktion einfach und gefahrlos vorzunehmen.

In jedem Supermarkt spielt sich dieselbe Szene x-mal täglich ab: Trotz modernster Ausrüstung gibt es an den Kassen einen Stau, weil die Menschen den Scannern nicht trauen und die Kassenstreifen Position um Position überprüfen. Dies wäre damit zu erklären, daß es weder in den Ghettos von Galizien noch in den nordafrikanischen Basars automatische Waagen und Preisablesegeräte gegeben hat und daß es zwei bis drei Generationen dauert, bis sich die Menschen an solche Produkte des Fortschritts gewöhnt haben. Auffällig ist nur, daß diejenigen, die in der Schlange warten und über den »Tembel« (Idioten) vor der Kasse schimpfen, sich genauso verhalten, sobald sie an der Kasse stehen, und keinen Gedanken an diejenigen verschwenden, die nach ihnen kommen.

Auf den israelischen Straßen geht es wie beim großen Wagenrennen in »Ben Hur« zu. Doch braucht ein Israeli seinen Wagen nicht einmal zu fahren, wenn er Stärke demonstrieren will. Am letzten Hanukka-Tag des Jahres 1997 kurvte ich auf der Suche nach einem Parkplatz durch die Innenstadt von Jerusalem. Das Hanukka-Fest dauert acht Tage, es wird jeden Tag ein Licht angezündet, erst eins, dann zwei, dann drei, dann vier, bis schließlich alle acht Lichter der Hanukkia, des achtarmigen Leuchters, brennen und vom Sieg der Makkabäer über die alten Griechen vor über zweitausend Jahren künden.

So weit, so gut. Nur geben sich manche frommen Juden nicht damit zufrieden, ihre Hanukkia daheim im Kreise ihrer Lieben anzuzünden; in den letzten Jahren sieht man immer mehr Autos mit einer großen batteriebetriebenen Hanukkia auf dem Dach durch die Gegend fahren. Ich hatte Glück. Genau da, wo ich hinwollte, gegenüber von »Foto-Flash« in der Schamaistraße, machte ein anderer Autofahrer Anstalten, eine Parklücke zu räumen. Zuerst allerdings mußte er seine fünf Kinder im Auto verstauen, jedes einzeln, dazu eine vielfache Menge Tüten und Pakete im Kofferraum. Das allein dauerte eine Weile, und der Mann schien nicht im geringsten irritiert, daß ich auf seinen Platz wartete und hinter mir sich der Verkehr staute. Und als endlich alle Kinder und Tüten im Auto waren, da konnte er immer noch nicht losfahren. Denn er mußte in die Hanukkia auf dem Dach seines Kombi die acht Glühbirnen einschrauben, jede einzeln – sehr langsam.

Ohne die brennende Hanukkia loszufahren kam für ihn nicht in Frage, das wäre einer späten Kapitulation der Makkabäer vor den Griechen gleichgekommen. Inzwischen staute sich der Verkehr über mehrere Kreuzungen, vor mir drehte der Makkabäer an den Glühbirnen, hinter mir tobten die Hupen. Dann kam der erlösende Moment, ich sah nicht nur die Hanukkia, sondern auch die Rücklichter des Kombi leuchten; tatsächlich, der Mann setzte zurück, ebenso bedächtig, wie er die Birnen eingeschraubt hatte. Und ich wußte nicht, was ich mehr bewundern sollte: seine Ruhe, seine Religiosität oder seine Rücksichtslosigkeit. Im Heiligen Land, dachte ich, könnten das alles Synonyme sein.

Das Klischee, die Israelis wären rauh, aber herzlich, wenn es darauf ankommt, ist eine freundliche Umschreibung des eigentlichen Tatbestands: Die Israelis sind einfach überwiegend autistisch, sowohl einzeln wie als Kollektiv. Sie nehmen ihre Umwelt nur beschränkt wahr; daß es außerhalb des eigenen Erlebnisraumes noch andere Räume gibt, in denen ebenfalls Menschen leben, übersteigt oft ihre Vorstellungskraft. Es gibt nur einen Maßstab: die eigene Erfahrung. »New York ist ungefähr so wie Tel Aviv«, berichtete im israelischen Fernsehen ein junger Israeli, der gerade aus den USA heimgekehrt war.

Diese Haltung, die das individuelle Verhalten bestimmt, führt auch in der Politik zu Verzerrungen der Wahrnehmung. Golda Meir hat behauptet, es gäbe kein palästinensisches Volk, obwohl ein Blick über die »Grüne Linie« sie vom Gegenteil hätte überzeugen können. Menachem Begin hat die Existenz eines palästinensischen Volkes anerkannt, zugleich aber erklärt, es gäbe keine Besatzung. Wie die Palästinenser »in den befreiten Gebieten« die israelische Präsenz empfanden, war ihm so egal wie die Frage, ob man auf dem Mond gefillte Fisch kaufen könne. Jitzhak Rabin hat zwar anerkannt, daß es ein palästinensisches Volk und eine israelische Besatzung gibt, dafür klammerte er sich lange an die Fiktion, er könne sich die Palästinenser aussuchen, mit denen er verhandeln wollte. Und Benjamin Netanjahu schwört, daß es nie einen palästinensischen Staat geben werde, obwohl er eigentlich wissen könnte, daß Yassir Arafat nicht der Vorsitzende einer landwirtschaftlichen Kooperative ist, dem es nur darum geht, seine Farm um ein paar Hektar Land zu erweitern. Der nächste israelische Ministerpräsident wird einsehen müssen, daß es neben Israel einen palästinensischen Staat gibt, ihn aber anders nennen: »entity« oder vielleicht »Arafat limited«.

Dies alles ist keine Frage der politischen Taktik oder Strategie, es ist Autismus als Fortsetzung der Politik mit anderen Mitteln. Während in Deutschland die Furcht vor negativen Reaktionen aus dem Ausland eigene Maßstäbe ersetzt, verhält es sich in Israel genau umgekehrt: Je empörter das Ausland reagiert, um so mehr werden solche Reaktionen als Bestätigung für die Richtigkeit des eigenen Tuns aufgefaßt. Wir wissen, was wir tun; was die anderen über uns denken, ist deren Problem, mit dem sie allein fertig werden müssen. Ob vierhundert Hamas-Leute in den Libanon deportiert oder Häuser von Terroristen gesprengt werden, es gelingt den Israelis immer wieder, sich selbst davon zu überzeugen, daß sie im Recht sind.

Für eine solche Einstellung gibt es eine Reihe historischer Gründe, und einige sind nicht mal schlecht. Nach Auschwitz sieht die Welt, durch jüdische Augen betrachtet, anders aus. Man schlägt lieber einmal zuviel als zuwenig zu, statt sich darauf zu verlassen, daß die anderen nicht übermütig werden. Was für das Verhältnis Israels zu den Palästinensern gilt, bestimmt auch das Verhalten untereinander.

Als gegen Arye Deri, den Innenminister im Kabinett von Jitzhak Rabin, wegen Korruption und anderer Kleinigkeiten ermittelt wurde, erklärte Rabbiner Ovadia Josef, das geistige Oberhaupt der Schas-Partei, der Minister Deri angehört und deren Abgeordnete nicht ihrem Gewissen, sondern den Weisungen des geistigen Oberhaupts verpflichtet sind, Deri und Schas würden verfolgt, »weil wir sephardische Juden und weil wir religiös sind«. Minister Deri hatte seine Klientel mit öffentlichen Mitteln bedient, was auch in Israel nicht zulässig ist. Die anschließende Untersuchung des Vorgangs konnte sich Deris Mentor nur als eine Verschwörung aschkenasischer, nicht-religiöser Juden gegen religiöse Sephardim erklären.

Ansonsten gibt Ovadia Josef regelmäßig halachische (religionsgesetzliche) Erklärungen zu Fragen des Alltags ab, die von grundsätzlicher Bedeutung sind: Mal verfügt er, am Schabbat müsse die Körperpflege auf ein Minimum reduziert werden, bald darauf will er das Bohren in der Nase am Schabbat verbieten. Und muß nicht befürchten, sich lächerlich zu machen.

Wäre Autismus ein Exportartikel, hätte Israel keine Probleme mit seiner Außenhandelsbilanz. Der ehemalige Direktor von Netanjahus Büro, Avigdor Lieberman, erklärte Anfang 1997, Israels wichtigste Aufgabe sei es, »weitere drei Millionen Juden nach Israel zu bringen, vor allem aus westlichen Ländern«. Sogar Schweizer Juden würden ihre Koffer packen und nach Israel ziehen, »sobald der Lebensstandard in Israel höher wäre als in der Schweiz«. Ein paar Monate später mußte Lieberman sein Amt aufgeben. Er wurde von Netanjahu als Sündenbock geopfert, so daß niemand da ist, der die Juden aus der Schweiz am Tel Aviver Flughafen in Empfang nehmen könnte.

Jenseits der landesüblichen Vetternwirtschaft und eines naiven Wunschdenkens geht es immer wieder auch um fundamentale Dinge, wie die Beziehung zwischen Religion und Wissenschaft, Glauben und Geschichte.

Die »Agudat Israel«, eine aschkenasische orthodoxe Partei, unterhält eine eigene Kaschrut-Abteilung, das heißt, sie prüft Lebensmittel darauf hin, ob ihre Zusammensetzung und Herstellung den rituellen Reinheitsgeboten entsprechen. Kein Anhänger der »Agudat Israel« würde eine Tüte Milch oder eine Packung Kekse ohne eine Kaschrut-Bestätigung der »Agudat« kaufen. Eines Tages gab die »Agudat Israel« bekannt, sie würde die Kaschrut-Bestätigung für die Milchprodukte der Marke Tara widerrufen, weil auf den Verpackungen Dinosaurier abgebildet seien. Ein Sprecher der Partei erklärte, Dinosaurier wären »angeblich hundert Millionen Jahre alt, während Gott die Welt vor 5753 Jahren erschaffen hat«. Deswegen seien Bilder von Dinosauriern und Kaschrut-Bestätigungen als Zeichen des Glaubens »miteinander nicht vereinbar«.

Die Firma Tara mochte auf die Dinos nicht verzichten, aufgeklärte Israelis solidarisierten sich mit den Sauriern, und Komiker hatten Stoff für neue Witze. Am Ende gaben die Kaschrut-Aufseher der »Agudat Israel« zähneknirschend nach.

Das schönste Beispiel für angewandten Autismus aber stammt nicht aus der Tiefe der Geschichte, sondern aus großer Höhe, wo die Luft dünn ist und der Mensch keinen festen Boden mehr unter den Füßen hat. Auf einem Flug der Tower Air von New York nach Tel Aviv verlangte eine israelische Mutter, deren Sohn soeben in den USA geheiratet hatte, daß statt des fälligen Unterhaltungsfilms das Video der Hochzeit gezeigt werde, damit alle Mitreisenden sehen könnten, wie wunderbar die Feier gewesen sei. Der Steward weigerte sich, das Hochzeitsvideo kam nicht zum Einsatz, und eine autistische Spitzenleistung verpuffte in zehn Kilometer Höhe.

»Schabbat Schalom!«

*F*reitagabend bei den Festländers. Der Hausherr trägt ein weißes Hemd ohne Kragen und auf dem Kopf eine dunkle Kippa aus Seide, die Dame des Hauses hat ein langes schwarzes Kleid angezogen, mit dem sie auch in die Oper gehen könnte. In dem frisch renovierten Haus mit nachgebauten Biedermeiersesseln und supercoolen Designer-Stahlregalen riecht es nach geschmolzenem Käse. Zum Abendbrot gab es »original Schweizer Raclette«, zubereitet auf einer »original Schweizer Raclette-Maschine«. Die Kinder machen sich auf den Weg in die Disko. »Denkt an die Kondome!« ruft der Vater seinen Söhnen nach.

Er fliegt jede Woche zwischen Deutschland und Israel hin und her, wie andere Pendler täglich von Plettenberg nach Wuppertal und zurück fahren. Montag bis Mittwoch kümmert er sich um seine Firma in Frankfurt, am Donnerstag fliegt er nach Tel Aviv, eilt nach Jerusalem, zieht sich eine Polizeiuniform an und geht auf Streife, meistens am Donnerstagabend und Freitagmorgen. Pro Schicht gibt es sieben Schekel Entlohnung, das reicht gerade für eine Tasse Kaffee zwischendurch. Als 68er hat sich Festländer mit der Polizei geprügelt, nun hat er sich einen Traum erfüllt und ist selber Polizist geworden. Zwar nur ehrenhalber, aber er darf eine echte Uzi tragen und, wenn es darauf ankommt, auch benutzen. Neulich war er mit dabei, als ein mutmaßlicher palästinensischer Terrorist gestellt wurde. Festländer stand an einer Straßensperre und überprüfte Autofahrer, als einer durchbrach und davonraste. Da habe er sich gleich in einen Kleinbus geworfen und mit quietschenden Reifen an die Verfolgung gemacht. Festländer nimmt die Kippa vom Kopf, setzt seine Polizeimütze auf und spielt die Verfolgungsjagd zwischen den Biedermeiersesseln nach. Auf Streife zu gehen ist für ihn »das Größte«.

Seine Frau hat vor kurzem ein besseres Restaurant eröffnet. »So etwas hat es in Jerusalem noch nicht gegeben, koscheres Essen für Feinschmecker.« Das Problem ist nur, daß Feinschmecker koscheres Essen nicht mögen und Menschen, die koscher essen, meistens keine praktizierenden Feinschmecker sind. Der Laden läuft nicht so, wie er sollte, aber Frau Festländer will durchhalten. »Es ist eine Herausforderung.« Das Lokal wird vom Rabbinat beaufsichtigt, jeden Tag kommt ein »Maschgiach« vorbei, um zu prüfen, ob alle Gebote der koscheren Küche eingehalten werden. Dazu gehört auch, daß das Küchenfeuer von einem Juden angezündet wird. »Wer hat den Herd angemacht?« fragt der »Maschgiach«. Worauf der arabische Koch, der jeden Morgen als erster kommt und die ganze Küche aktiviert, antwortet: »Esra!« Esra ist Festländers ältester Sohn. So wird der »Maschgiach« ein wenig belogen und der liebe Gott ein bißchen hinters Licht geführt, aber alle haben etwas davon.

Neben der Tür zu Festländers Haus steht ein Holzgefäß, das mit verschiedenfarbigen »Kippot« gefüllt ist. Sie warten auf Gäste, die beim Essen, wie es frommer Brauch ist, ihr Haupt bedecken wollen. Das Holzgefäß war mal ein Weihwasserbecken. »Wir haben es als Geschenk bekommen«, sagt Frau Festländer.

Ihr Mann wird am Sonntag wieder nach Deutschland fliegen, um sich um seine Firma zu kümmern. Sie wird für das Restaurant eine neue Speisekarte konzipieren.

Der Geruch von geschmolzenem Käse hat sich verflüchtigt und dem Gefühl Platz gemacht, daß man auch unter schwierigen Umständen ein erfülltes Leben haben kann, wenn man sich ein wenig Mühe gibt. Und nächsten Freitagabend wird es erneut ein Familien-Fondue geben. Von Käse oder Fleisch, in jedem Fall aber ganz bestimmt hundertprozentig koscher.

Problem, Schock und Trauma

*B*estellt man in einem israelischen Lokal ein Essen –
sagen wir: eine Vorspeise, eine Suppe oder ein Haupt-
gericht – wird der Kellner, sobald er die Bestellung aufgenommen hat, nicht »Danke!«, »War's das?« oder »Möchten
Sie Reis anstelle der Kartoffeln?« sagen, nein, er wird die
Augenbrauen hochziehen und den Vorgang mit zwei Worten abschließen: »Ejn baja«, kein Problem.

Dieselben zwei Wörter hört man, wenn man den Tank-
wart bittet, den Wagen vollzutanken, wenn man auf der
Bank Geld tauschen oder auf einem Postamt ein Fax ab-
schicken möchte. »Ejn baja«, kein Problem.

Natürlich gibt es genug Lebensmittel im Land, man
braucht für Benzin keine Bezugsscheine, und die Postbeam-
ten, die früher nur Briefmarken verkauften, können inzwischen auch ein Fax-Gerät bedienen. Die allgegenwärtige
Versicherung, dies oder das wäre kein Problem, zeugt von
der unbewußten Annahme des Gegenteils. Ginge es mit
rechten Dingen zu, müßte es ein Problem sein, ein Essen
zu bekommen, den Autotank aufzufüllen oder Traveller
Checks in Bargeld zu tauschen. Denn nur, wenn er es mit
einem Problem zu tun hat, kann ein Israeli sich und der
Welt beweisen, daß er in der Lage ist, die Tücken des Lebens zu meistern. Ein Dasein ohne Schwierigkeiten, die be-
wältigt, ohne Hindernisse, die überwunden werden müs-

sen, wäre nach zweitausend Jahren Überlebenskampf keine angemessene Form der Existenz.

»Jesch lanu baja«, da haben wir ein Problem, ist der Standardsatz eines echten Israeli, egal ob ihm auf der Autobahn der Keilriemen gerissen, seine Frau mit seinem besten Freund davongelaufen oder das Hausdach weggeflogen ist. Die drei Wörter werden in einem Tonfall gesprochen, als wäre mit ihrer Verkündung die natürliche Ordnung der Dinge wiederhergestellt. Der Italiener singt, der Franzose trinkt, der Deutsche arbeitet, und der Israeli hat ein Problem, das er lösen muß. Und wenn es einmal ausnahmsweise kurzfristig kein Problem gibt, weil die Busfahrer nicht streiken, die Lehrer unterrichten und Sarah Netanjahu ihren Friseur und die Nanny bezahlt hat, dann dauert es höchstens ein paar Tage, bis ein Problem kreiert wird, an dem sich die Nation abarbeiten kann. Entweder drohen die religiösen Parteien die Koalition zu verlassen, wenn sie für ihre Institutionen nicht mehr staatliche Subventionen bekommen, oder die Orthodoxen liefern sich Schlachten mit der Polizei, weil irgendwo im Land eine Straße über alten Gräbern gebaut werden soll. Ein Dauerhit, der immer wieder aktiviert wird, ist der Streit über die Frage: »Wer ist Jude?« Wer von einer jüdischen Mutter abstammt? Einer, der genau weiß, wo es gerade Sonderangebote gibt? Genügt es vielleicht, eine Wohnung in Jerusalem zu besitzen oder mit der El Al statt mit einer ordentlichen Linie von New York nach Tel Aviv zu fliegen?

Doch macht ein Problem um so mehr Spaß, je individueller es erlebt wird. Der Einbruch der Kurse an der Tel Aviver Börse ist eine Bagatelle, gemessen an einem Autobus, der einem vor der Nase wegfährt. In einem solchen Fall sagt der authentische Israeli nicht »Jesch li baja«, ich habe ein Problem, sondern »Kibalti schock«, ich habe einen Schock bekommen. Und hat er, weil ihm der Bus vor der Nase weggefahren ist, außerdem den Beginn der TV-Nachrichten daheim verpaßt, dann geht er noch einen Schritt weiter und sagt: »Jesch li trauma«, ich habe ein Trauma erlitten. Der Israeli neigt also zu subtilen Übertreibungen, um seine momentane Befindlichkeit zu beschreiben.

Erstaunlicherweise gilt aber auch das Gegenteil. Als Kollektiv zeichnen sich die Israelis durch eine Gelassenheit aus, die man nirgendwo sonst in der Welt findet. In keinem anderen Land wäre die Bevölkerung wochenlang mit griffbereiten Gasmasken herumgelaufen, wären die Menschen Nacht für Nacht in Schutzräumen gesessen, von denen alle wußten, daß sie im Ernstfall keinen Schutz bieten würden, ohne irgendwann gemeinsam durchzudrehen. Es scheint, als würde eine unmittelbare Gefahr eine beruhigende, disziplinierende Wirkung haben, während Alltagssituationen, die Besonnenheit und Rücksichtnahme voraussetzen, die Menschen vollkommen überfordern.

»The war is imminent, we are becoming nice to each other«, titelte die »Jerusalem Post« unmittelbar vor dem Ausbruch des Golfkriegs: »Der Krieg steht unmittelbar bevor, wir werden nett zueinander.« Und wenn ein Postamt geräumt werden muß, weil irgend jemand eine Einkaufstüte stehenließ, in der auch eine Bombe stecken könnte, warten alle ruhig und geduldig draußen vor der Tür, bis der herbeigerufene Bombenexperte die Tüte untersucht und »entschärft« hat. Doch kaum hat sich der Inhalt als harmlos erwiesen, ist es mit der Ruhe und der Gelassenheit vorbei. Jeder kämpft darum, den Platz in der Reihe zu erwischen, den er vor dem Alarm gehabt hat. Wehe, jemand versucht, seine Position zu verbessern, die ganze Wut, die dem vermeintlichen Bombenleger gegolten hätte, entlädt sich über seinem Haupt.

Der eigentliche Krieg findet in Israel auf der Straße statt. Monat um Monat kommen mehr Menschen bei Verkehrsunfällen um, als von arabischen Terroristen ermordet werden. Die eine Todesursache ist so sinnlos wie die andere, doch können die Autofahrer im Gegensatz zu den Terroristen mit einer gewissen Nachsicht rechnen. »Jesch lanu baja?« Nicht unbedingt, denn der israelische Autofahrer glaubt, daß er zu den besten der Welt gehört. Diese Fehleinschätzung wäre nur halb so schlimm, wenn er nicht alles unternehmen würde, sie unter Beweis zu stellen, was wiederum zu fatalen Folgen führt. Daß Praxis und Selbsteinschätzung weit auseinanderklaffen, hat einen natürlichen Grund. Kein Mensch kann ein vernünftiges Verhältnis zu einer Maschine unter seinem Hintern entwickeln, wenn dessen Eltern beziehungsweise Großeltern noch mit einem Leiterwagen in der Ukraine unterwegs waren oder auf einem Esel durch Casablanca geritten sind. Zivilisation braucht Zeit, um sich zu etablieren. Auch die Briten mußten lange üben, bis ihnen das Sich-Anstellen in Fleisch und Blut übergegangen ist.

So kommt es, daß jeder Israeli, der sich an einem Lenkrad festhalten kann, jede Störung im Verkehr, die ihn dazu zwingt, von seinem Kurs abzuweichen, nicht als etwas völlig Normales hinnimmt, sondern als eine persönliche Kränkung, eine Verletzung seiner Ehre erlebt. Mit dem letzten Rest an verbliebener Energie schafft er es grade noch, einem anderen Fahrer Prügel für den Fall anzudrohen, daß dieser es noch einmal wagen sollte, ihm zu nahe zu kommen. So etwas gibt es auch in anderen Gesellschaften, aber in keinem zivilisierten Gemeinwesen wird schlechtes Benehmen dermaßen verbissen als Grundrecht verteidigt wie in Israel. Da versucht ein Mann, von einem öffentlichen Telefon ein Gespräch zu führen. Das Telefon ist defekt, was überall vorkommen kann. Doch der Mann nimmt es persönlich, als hätte der letzte Benutzer das Ding absichtlich kaputtgemacht, um ihn zu ärgern. Er wird böse, haut mit dem Hörer auf das Gehäuse, als wollte er aus dem Kasten den Dybuk austreiben. »Was machst du da?« fragt ein Passant, der eben vorbeikommt, »willst du das Ding zerschlagen?« Nun hat der erste Mann einen gefunden, an dem er sich richtig abreagieren kann. »Was geht es dich an? Ist es dein Telefon? Hast du es bezahlt?« brüllt er. »Hast du nichts Besseres zu tun, als hier rumzulaufen und mir Ratschläge zu geben?« Das wäre an sich schon genug, um die Situation zu klären, aber er muß noch eins draufsetzen: »Geh doch nach Hause und fick dich selbst, du Hurensohn!« Nun sind alle zufrieden. Der erste Mann hat einen Schock, weil er nicht telefonieren konnte, der zweite hat ein Trauma, weil er niedergemacht wurde. Und beide haben ein Problem, »jesch lanu baja«. Gelobt sei der Herr, weil wir doch eigentlich »am echad« sind, ein Volk von Brüdern und Schwestern, die einander lieben und achten sollen.

Die Israelis beschreiben ihre eigene kollektive Befindlichkeit als eine Form der »hysterischen Gelassenheit«, wobei der Zustand ein instabiler ist und mal mehr zur Hysterie und mal mehr zur Gelassenheit tendiert. »One day festival, one day carneval«, sagt die Sängerin Naomi Shemer. Nach dem Anschlag in der Ben-Jehuda-Straße in Jerusalem Anfang September 1997, bei dem vier Passanten getötet und Dutzende verletzt wurden, dauerte es genau vierundzwanzig Stunden, bis der Normalbetrieb in der Fußgängerzone wiederaufgenommen wurde. Während die »barmherzigen Männer« der »Hevra kadischa« noch kleine und kleinste Körperteile von den Häuserwänden kratzten, wurde gleich daneben im Café Atara, Café Chagall und Café Rimon schon wieder bestellt und bedient. »Ejn baja«, kein Problem, man muß eben sich selber und der ganzen Welt zeigen, daß es gegen Terrorismus nur ein Mittel gibt: weitermachen, als wäre nichts passiert.

Im Laufe der Zeit haben die Israelis gelernt, mit Katastrophen zu leben. Im Sommer gibt es Wassermangel, im Winter Überschwemmungen, das ganze Jahr über Inkompetenz von innen und Terror von draußen. »Never a dull moment!«, keine Sekunde Langeweile, lautet der Spruch, mit dem Einheimische gegenüber Besuchern prahlen. Dabei wäre ein anderes Motto viel passender: »Always more of the same«, alles auf Anfang und wie gehabt, denn die Geschichten, Affären und Skandale wiederholen sich, als wäre eine Endlosschleife in Betrieb. Und zwischendurch wird proletarische Revolution gespielt: Die Gewerkschaft ruft einen Generalstreik aus, das Land wird stillgelegt; Tausende von Touristen, für deren Los sich niemand verantwortlich fühlt, stranden am Flughafen; im Fernsehen fällt der Wetterbericht aus, weil auch die Wetterfrösche gewerkschaftlich organisiert sind.

Aus einer gewissen Entfernung betrachtet, wirkt solche Umtriebigkeit faszinierend. Israel produziert mehr News, als es allein verbrauchen kann. Weswegen das deutsche Fernsehen nicht nur über die Wahl zur Knesset live berichtet, als wäre der Judenstaat ein Bundesland am südlichen Rand der Republik; es kommt sogar vor, daß die »Tagesschau« das Ergebnis einer Regierungssitzung unter Benjamin Netanjahu als Top-Meldung bringt, als wäre in der ganzen Welt sonst nichts Bedeutendes passiert. Dabei wurde nur mit sechzehn zu null Stimmen beschlossen, keinen Beschluß über die zweite Phase der Räumung der West Bank zu fassen.

Wer nicht in Israel großgeworden ist, wird vermutlich nie begreifen, wann ein Problem wirklich eines ist. In Tel Aviv streiken die Müllarbeiter, nach zwei Wochen leben die Einwohner auf einer riesigen Müllhalde, Geschäfte und Restaurants schließen, weil sich die Abfälle meterhoch auf den Bürgersteigen türmen, die Menschen tragen Gasmasken, um atmen zu können, die Stadt wird zum Rattenparadies. Kein Problem, der Bürgermeister wird's schon richten. Zur selben Zeit wird ein Komitee von sieben Richtern des Obersten Gerichts eingesetzt, die darüber befinden sollen, ob nicht bezahlte Verwarnungen wegen falschen Parkens schon nach drei oder erst nach zehn Jahren verjähren sollen – endlich ein Problem, das zum Himmel schreit und behandelt werden muß.

Und wenn eines Tages der Messias doch noch erscheinen sollte, werden die Israelis wie immer geteilter Meinung sein. »Ejn baja«, werden die einen sagen, »damit werden wir auch noch fertig«, und »Jesch lanu baja« die anderen, »ausgerechnet der hat uns noch gefehlt«.

Die Eingekesselten von Netzarim

*E*sther Lilienthal sieht aus, als wäre sie mit der May-
flower ins Land gekommen. Das strenge Kopftuch, der lange
Rock und die weite Bluse stehen für Tugenden, die längst
aus der Mode gekommen sind: Anstand, Demut und die
Überzeugung, daß äußere Reize nicht entscheidend sind.
Nur die weißen Turnschuhe, die sie über den dunklen Woll-
strümpfen trägt, und das Handy, das sie im Auto hat, zeigen an, daß die vierfache Mutter und 24fache Großmutter
praktische Neuerungen durchaus zu schätzen weiß.

Esther Lilienthal wurde »in den dreißiger Jahren« in Stet-
tin geboren; kurz vor dem Ausbruch des Krieges wander-
ten ihre Eltern über England in die USA aus. 1971 zog sie
mit ihrem Mann, drei Söhnen und einer Tochter nach Israel. Sie lernte Hebräisch und wurde Biologielehrerin an
einer höheren Schule im Städtchen Pardess Hana auf halbem Weg zwischen Haifa und Tel Aviv, wo sie 1982 für
fünf Jahre zur Stellvertreterin des Bürgermeisters gewählt
wurde. 1992 gab sie ihren Job und ihr 300-Quadratmeter-
Haus mit Swimmingpool und Klimaanlage auf und machte
sich noch einmal auf den Weg.

Seitdem macht ihr das Leben, ohne Swimmingpool und
Klimaanlage, wieder richtig Spaß. Esther Lilienthal lebt
und arbeitet in der Siedlung Neve Dekalim (Palmenoase)
im sogenannten Gusch Khatif (Land der Ernte) im Süden

des Gaza-Streifens und ist bei der »Moatza«, der Gemeindeverwaltung, für die Aufnahme und Betreuung von neu zugezogenen Familien zuständig. Zwölf Familien bewerben sich jeden Monat, doch nur sechs bis sieben werden angenommen. Die besten Chancen haben junge Ehepaare mit kleinen Kindern und nützlichen Berufen: Lehrer, Farmer und Ingenieure. Vor allem aber: Wer in Neve Dekalim leben möchte, sollte nicht an Platzangst leiden, sich aber an die Gebote der Thora halten. Der Ort ist, wie alle jüdischen Siedlungen im Gaza-Streifen, von einem elektrisch geladenen Zaun umgeben. Das einzige Tor, durch das man Neve Dekalim betreten und verlassen kann, wird am Freitagnachmittag geschlossen und erst am Samstagabend, nach dem Ende des Schabbat, wieder aufgemacht. Ein paar »Hilonim«, säkulare Juden, die aus beruflichen Gründen unter den Frommen leben, verlassen rechtzeitig die Siedlung, um das Wochenende bei Freunden oder Verwandten im Landesinneren zu verbringen.

Doch auch unter der Woche hat Neve Dekalim nicht viel an Abwechslung zu bieten. Am Schwarzen Brett der »Moatza« werden Schießkurse angeboten, ab und zu gibt es ein Konzert oder ein Basketballspiel in der Mehrzweckhalle, einem Neubau mitten in den Dünen, der aussieht wie ein Bahnhof ohne Gleisanschluß. Neve Dekalim hat eine Polizeistation, eine »Jeschiwa« (Talmud-Thora-Schule) für Armeeangehörige und ein High-Tech-Zentrum, in dem innovative Projekte entwickelt werden. Außerdem gibt es eine Bank, einen Supermarkt und eine Bücherei, aber keine Disko, kein Café und kein Restaurant. Man lebt nicht zum Vergnügen in der Palmenoase. Der einzige Punkt, an dem sich vormittags die Hausfrauen mit ihren Kinderwagen und nachmittags die Jugendlichen mit ihren Walkmen treffen, ist ein Imbiß mit dem Namen Bonjour auf der Beton-Piazza zwischen der Gemeindeverwaltung und dem Supermarkt. Man kann Schakschuka (ein pikantes Gemüsegericht), Houmus (Kichererbsenbrei), Burekas und gebackenen Fisch bestellen. Das Angebot bleibt täglich gleich, die dazugehörige Tristesse ebenso.

»Die Qualität des Lebens in Neve Dekalim ist großartig«, sagt Esther Lilienthal und meint das Klima, die Luft und die Nähe zum Meer. »Es ist genug Platz für alle da.« Der Zaun stört sie nicht, auch nicht die Mauer, die zwischen Neve Dekalim und Khan Yunis, der angrenzenden palästinensischen Stadt, gebaut wurde. Früher sei sie öfter nach Khan Yunis zum Einkaufen gefahren und habe auch Palästinenser in ihrem Wagen mitgenommen. Mit dem Einzug der PLO und der Einführung der Autonomie in Gaza sei das alles zu gefährlich geworden. Aber innerhalb von Neve Dekalim habe sich nichts geändert. Sie fahre auch »ganz allein und unbewaffnet« zwischen den Siedlungen im Gusch Khatif hin und her. »Wenn ich Angst hätte, daß mir etwas passiert, könnte ich nicht hier leben.« Esther Lilienthals Schwester Anita lebt seit 22 Jahren gleich nebenan in der Siedlung Netzer Hazani, ihr Sohn Elkana in Kfar Darom und ihr Sohn Mosche in Bnei Atzmon. Elkana verdient sich seinen Lebensunterhalt als Schreiber von Thorarollen, Mosche züchtet Bonsai-Bäume, die nach Europa exportiert werden.

Kein Witz. Mosche, 36 Jahre alt, Vater von sieben Kindern, betreibt eine Bonsai-Plantage in der Wüste, ein paar Kilometer nördlich der Grenze zu Ägypten. Er und seine Freunde, die bis 1982 im Sinai siedelten, haben eine Methode entwickelt, die Zierbäume in Rekordzeit aufzuziehen. »Die Japaner brauchen zehn bis zwanzig Jahre für einen Bonsai, wir höchstens zwei«, sagt er mit dem Stolz eines Autodidakten, dem es gelungen ist, erfahrene Profis zu überrunden. Kein Wunder, daß die Japaner sauer und die Preise für Bonsais in Europa gefallen sind.

»Das ist ein sehr wichtiger Moment in der Geschichte Israels«, sagt Esther Lilienthal auf der Fahrt zurück nach Neve Dekalim, »deswegen sind wir hier, deswegen bleiben wir hier.« Nein, es mache ihr nichts aus, unter lauter Palästinensern zu siedeln, die mit den Zähnen knirschen und die Fäuste ballen, sobald ein Israeli an ihnen vorbeifährt. »Wir sind hier sicherer als an vielen anderen Orten.«

Wäre in der »Lindenstraße« die Rolle einer patenten jüdischen Oma zu besetzen, käme nur Esther Lilienthal in Frage. Sie macht ihren Job in der »Moatza«, führt Besucher durch Neve Dekalim und die anderen Siedlungen im Gusch Khatif, paßt auf die Kinder ihrer Söhne auf und weiß auf jede Antwort die passende Frage. »Niemand würde es mir verbieten, in Bethlehem/Pennsylvania zu leben. Warum sollte mich jemand daran hindern, in Bethlehem bei Jerusalem zu leben? Oder in Neve Dekalim?«

Auch Roberta und Alan Bienenfeld finden es vollkommen normal, im Gusch Khatif zu leben. Sie wurde 1952 geboren, wuchs in Brooklyn auf und arbeitete als Reporterin für eine Immobilienzeitschrift. Er ist ein Jahr jünger, verbrachte seine Jugend in Brighton Beach und hatte einen »Lingerie-Shop« in Nassau County, bevor beide 1980 nach Israel auswanderten. Die Bienenfelds gehörten zu den ersten Siedlern, die sich im Gusch Khatif niederließen. »Das war für uns das wirkliche Israel«, sagt Alan, »das Meer, die Dünen, die Araber auf den Kamelen, ich kam mir vor wie

Lawrence von Arabien.« Tel Aviv sei dagegen damals schon »eine billige Kopie von New York« gewesen. Gusch Khatif, sagt Roberta, sei noch immer ein wunderbarer Platz zum Leben, die Kinder könnten barfuß herumlaufen, man brauche die Türen nicht abzuschließen, es gebe keine Kriminalität und ein enormes Gefühl der Zusammengehörigkeit unter den Einwohnern. Daran habe sich auch nach Einführung der Autonomie nichts geändert. Es habe, ergänzt Alan, »im Laufe der Jahre hier und da ein paar Zwischenfälle, auch ein paar Tote« gegeben, »aber auf Dauer gesehen ist es immer ruhig und sicher gewesen, Gott sei Dank«. Und im übrigen, wo in Israel sei man schon vor Terror sicher? »Die Leute im Norden werden dauernd mit Katjuschas beschossen, und während des Golfkriegs brannte es in Tel Aviv, nicht bei uns.« Damals wären sogar Bekannte aus Tel Aviv, die vorher noch nie in Gaza waren, nach Gusch Khatif gekommen, um vor den irakischen Raketen sicher zu sein, das Palm Beach Hotel am Strand sei wochenlang ausgebucht gewesen.

Und der Zaun, der Neve Dekalim umgibt und dem Traum von Lawrence in Arabien enge Grenzen zieht? »Wir sehen ihn nicht«, sagt Roberta, »es ist, als wäre er nicht da.« Und zum Beweis, wie sehr man sich an den Zaun gewöhnt hat, erzählt sie eine »lustige Geschichte«. Sie sei vor Jahren mit ihrer Tochter Schoschi in die USA geflogen. Kurz vor der Landung in New York habe Schoschi aus dem Fenster geschaut und gefragt: »Mutti, wo ist der Zaun rund um New York?« Da sei ihr doch bewußt geworden, »wie unfair es ist, daß wir uns mit einem Zaun umgeben müssen, während die Palästinenser auf der anderen Seite sich frei bewegen können«. Davon abgesehen, stellt Alan das Gleichgewicht wieder her, sei das Leben in Neve Dekalim »völlig normal, wie in einer Bungalow-Siedlung am Rande einer Großstadt«. Jobs gebe es genug, man dürfe nur nicht wählerisch sein. Er habe »in Tomaten« gearbeitet, Gemüse angebaut, seit kurzem sei er »für die Straßenreinigung zuständig«, man habe in der »Moatza« entschieden, er sei der richtige Mann für diese Arbeit. »Einer muß es machen.«

Roberta dagegen hat es mit High-Tech zu tun. Sie ist Public Relation Director beim Western Negev Initiative Center in Neve Dekalim, einem Zusammenschluß von fünfzehn Firmen, die neue Projekte entwickeln. In einem Raum arbeiten zwei Techniker an einem »Liquid Heater«, einem Gerät zum Homogenisieren von Milch, Wein und Fruchtsäften. Nebenan wird ein »Sea Generator« gebaut, der »aus der natürlichen Bewegung der Wellen« Strom gewinnen soll; zwei Türen weiter entsteht »Out-Omatic«, eine Vorrichtung zur Rettung von Passagieren aus defekten Aufzügen; ein »Pneumatic Massage Device« zum Einbau in Krankenhausbetten und Autositzen soll Wundliegen und Müdigkeit verhindern, eine »revolutionäre Erfindung« mit dem Namen »The Spoken Page« gesprochene Worte in geschriebene Zeichen verwandeln.

Alle Projekte des Western Negev Initiative Center werden vom Ministerium für Handel und Industrie gefördert und suchen zudem Investoren, um Produktion und Vermarktung zu finanzieren. Die Labors, in denen die neuen Produkte und Technologien entwickelt werden, sehen aus wie Bastelstuben; einige der Erfinder könnten auch Verwandte von Daniel Düsentrieb sein. Dennoch ist das Center mit über fünfzig Mitarbeitern, darunter Einwanderer aus Rußland, der zweitgrößte Betrieb in Neve Dekalim, gleich nach einer Fabrik, in der ganz konventionell Metall-rahmen hergestellt werden. Wenn Roberta am Nachmittag nach Hause kommt, dann ist ihr Mann Alan meist schon da und hält einen Schwatz mit seinem Freund Jossi Schomron, der 1954 in New Jersey geboren wurde und 1992 aus Phoenix/Arizona nach Israel ausgewandert ist.

In den USA hieß Jossi noch Jed Kraemer und lehrte Mathematik und Naturwissenschaften an einer Mittelschule. Jetzt lebt er mit seiner Frau Sarah, die Kriminologie studiert, aber nie in dem Beruf gearbeitet hat, und sechs Kindern in Neve Dekalim in einem geräumigen Doppelhaus, für das er monatlich fünfzig Dollar Miete zahlt. Allerdings verdient Jossi auch nicht sehr viel: Er kehrt die Straßen und paßt auf leerstehende Häuser auf. Dafür hat er viel Zeit, sich mit seinen Kindern zu beschäftigen, vor allem mit seinem jüngsten Sohn Meir, drei, den er nach dem in den USA ermordeten Rabbiner Meir Kahane genannt hat, einem ultrarechten Nationalisten, der den Konflikt zwischen den Israelis und den Palästinensern durch einen »Transfer« der Palästinenser in die umliegenden arabischen Staaten lösen wollte. Jossi Schomron ist davon überzeugt, daß Kahanes Programm eine vernünftige Option war. »Es gibt keine Möglichkeit des friedlichen Zusammenlebens zwischen uns und den sogenannten Palästinensern, dazu sind die Unterschiede zu groß.« Der Friedensprozeß sei zum Scheitern verurteilt und ein neuer Krieg sehr wahrscheinlich. Trotzdem fühlt sich Jossi wohl in Neve Dekalim. »Das Leben hier ist aufregend. Die ganze Welt schaut auf uns. Unser Hiersein hat einen Sinn. Wir wollen die israelische Regierung zwingen, das Gebiet zu annektieren.« Dafür müsse man Opfer bringen und Risiken eingehen. Und dazu seien nur wenige Menschen in der Lage.

Allerdings, gibt Jossi Schomron zu, sei es »nicht normal, innerhalb eines Zaunes zu leben«, das sei auch »nicht der zionistische Traum, den Herzl hatte«, doch es müsse sein, man habe keine andere Wahl. Es gehe um nicht mehr und nicht weniger als das Überleben Israels als souveräner Nation.

Wo sonst bekommt ein ausgestiegener Lehrer die Gelegenheit, sich persönlich und direkt an einem historischen Projekt von solcher Größe zu beteiligen? Die Araber, das steht für ihn fest, wollten keinen Frieden. »Sie nehmen Hebron, sie nehmen Gaza, sie nehmen Jerusalem. Und dann machen sie Krieg gegen das, was von Israel übrig geblieben ist. Also, wozu sollte man ihnen überhaupt etwas geben?« So betrachtet, entscheidet sich das Schicksal Israels im Gusch Khatif, sind die Siedler weder Abenteurer, die sich politisch rückversichern, noch Aussteiger, die vom Staat alimentiert werden, sondern Garanten für den Bestand Israels, auch wenn es die Armee ist, die für ihre tägliche Sicherheit sorgen muß.

Wer die Siedlung Netzarim besuchen möchte, muß sich vorher eine Erlaubnis bei der Armee holen. Und die wird nur erteilt, wenn ein Einwohner von Netzarim den Besucher kennt und für ihn »bürgt«. »Wir haben keine Lust, wie exotische Tiere im Zoo bestaunt zu werden«, sagt Schlomo Costina, Sprecher der etwa vierzig Familien. Sie werden rund um die Uhr von einer Kompanie der Armee bewacht. Rechnet man nur die Erwachsenen, die in Netzarim leben, kommt auf jeden Einwohner ein Soldat. »Wenn Netzarim eine Siedlung ist, dann bin ich ein Kugellager«, soll Jitzhak Rabin mal gesagt haben. Trotzdem wurde Netzarim bei der Übergabe des Gaza-Streifens an die PLO nicht geräumt, es sollte kein Präzedenzfall geschaffen werden.

Netzarim, 1972 aus einem Außenposten der Armee entstanden und zuerst von Jugendlichen der sozialistischen Kibbuz-Bewegung »Haschomer Hatzair« besiedelt, liegt auf einem Hügel südlich von Gaza-Stadt. Man kann mit bloßem Auge die neuen Hochhäuser in Gaza sehen. Die Nord-Süd-Arterie von Gaza nach Khan Yunis geht direkt an Netzarim vorbei, dennoch ist die zweieinhalb Quadratkilometer große, vollständig eingezäunte Siedlung weder von Süden noch von Norden zu erreichen. Die einzige Verbindungsstraße führt zum Grenzübergang Karni im Osten. Hier muß der Besucher seinen Wagen auf der israelischen Seite der Grenze abstellen und auf einen mit Panzerglas gesicherten Minibus warten, der zwischen Netzarim und Karni hin und her fährt. Er wird von zwei Armee-Autos eskortiert, eines vorn, eines hinten. Die Fahrt dauert keine zehn Minuten, aber es sind die längsten zehn Minuten, die eine Autofahrt dauern kann. Schlomo, der Fahrer, fährt die Strecke tagein, tagaus; er ignoriert die Schlaglöcher und achtet auf die Häuser und die Haine zu beiden Seiten der Straße. Alles, was sich bewegt, ist verdächtig. Sobald der Bus den israelischen Posten an der Einfahrt zu Netzarim passiert hat, atmet Schlomo durch und murmelt leise: »Baruch haschem«, gelobt sei der Herr.

Innerhalb von Netzarim kann man sich wieder »völlig frei bewegen, es ist ein großes Gelände«, sagt Tami, die mit ihrem Mann Elkana erst im Sommer 1996 hergezogen ist. Sie sind beide 27 Jahre alt, wohnen in einem niedlichen Drei-Zimmer-Häuschen mit Vorgarten, für das sie weniger Miete bezahlen, als ein Ein-Zimmer-Apartment in Tel Aviv kosten würde, und nennen für das Leben im Gaza-Streifen »drei Gründe«, die alle Strapazen wert seien: »Gott, Volk und Land.« Und außerdem, Jerusalem ist »nur anderthalb Autostunden entfernt«.

Tami wurde in New Jersey geboren und kam 1987 gleich nach der High-School nach Israel. Sie arbeitet als Lehrerin an einer Schule für behinderte Kinder außerhalb von Netzarim, während ihr Mann Elkana, in Israel geboren, in Netzarim ein »Kolel« besucht, in dem verheiratete Männer den ganzen Tag den Talmud und die Thora studieren. »Es ist alles«, sagen beide, »eine Frage des Glaubens, dies ist unser Land, und wir tun das Richtige zur richtigen Zeit.«

Rund fünftausend Israelis leben in siebzehn Siedlungen unter israelischer Souveränität im Gaza-Streifen, der 1994 den palästinensischen Autonomie-Behörden übergeben wurde. Etwa ein Sechstel des Gebiets ist damit noch immer unter israelischer Kontrolle.

»Wenn wir nicht hier wären, wäre die Armee auch nicht mehr da«, sagt Schaul Tzion Harhabajt. Die Frage, wer wen beschützt, die Siedler den Staat oder die Armee die Siedler, beschäftigt ihn freilich nicht so sehr wie die, wie er abends nach Hause kommt. Schaul Tzion arbeitet als Kassierer im Supermarkt von Neve Dekalim und wohnt mit seiner Frau Schoschana in Kfar Darom, zehn Autominuten nördlich von Neve Dekalim. Auch Kfar Darom liegt vollkommen isoliert, kann aber, anders als Netzarim, von Süden her auf der Straße Gaza–Khan Yunis erreicht werden. Da Schaul keinen Wagen hat und es keinen Busverkehr zwischen den Siedlungen gibt, ist er auf »Tramps« angewiesen. Manchmal muß er eine Stunde und länger am Tor von Neve Dekalim warten, bis er mitgenommen wird. Nach Anbruch der Dunkelheit sind nur noch wenige Autos unterwegs. Es kommt vor, daß Schaul Tzion Harhabajt zum Abendgebet in der kleinen Synagoge von Kfar Darom zu spät kommt oder es ganz verpaßt.

Auch Schaul Tzion und Schoschana sind erst im Sommer 1996 in den Gaza-Streifen gezogen. Eigentlich wollten sie ins jüdische Viertel in Hebron, wurden aber wegen Wohnungsmangels abgewiesen. »Es ist ebenso wichtig, hier zu leben, das ganze Land zu besiedeln«, trösten sie sich. »Auch in Kfar Darom geht es um Leben und Tod, um das Überleben des jüdischen Staates im Nahen Osten.« Drei Dutzend Familien siedeln, umgeben von Stacheldraht und beschützt von Soldaten der Givati-Brigade, einer Elite-Einheit der Armee, auf einem Gelände von der Größe zweier Fußballfelder. Eine mit Sandsäcken gesicherte Betonbrücke verbindet das größere Kfar Darom mit dem kleineren auf der anderen Seite der Straße, wo im »Thora und Land Israel Institut« Anbaumethoden ausprobiert werden, die den biblischen Vorschriften entsprechen. Unter anderem wird organischer Kopfsalat angebaut, der garantiert insektenfrei und deswegen hundertprozentig »koscher« ist. Das Institut beschäftigt dreißig Mitarbeiter: Agronomen, Biologen, Schriftgelehrte. Nur ein elektrisch geladener Drahtzaun trennt die Gewächshäuser der Versuchsanstalt von den Feldern der arabischen Nachbarn.

»Wir, die Juden in Israel, sind Gottes Mannschaft im Heiligen Land«, sagt Schaul Tzion, »die anderen Juden schauen nur zu, was hier passiert, klatschen Beifall oder kritisieren. Aber wir sind hier vor Ort. Wir lesen nicht die Nachrichten, wir machen sie.«

Schaul Tzion Harhabajt ist dem Team erst vor kurzem beigetreten. 1970 im englischen Brighton als Paul Hemsley geboren, kam er mit zwanzig Jahren zu Besuch nach Israel, mit Fragen im Gepäck, »auf die ich im Christentum keine Antwort fand«. Bald darauf konvertierte er zum Judentum und nahm den Namen »Harhabajt« an. Jüdischer ging's nicht mehr. »Harhabajt« ist das hebräische Wort für den Tempelberg in Jerusalem, wo der Erste und Zweite Tempel stand und, wenn alles gutgeht, nach der Ankunft des Messias der Dritte Tempel errichtet werden soll. Nun lebt Paul Hemsley alias Schaul Tzion Tempelberg in Kfar Darom und denkt über die Zukunft des Judentums nach, während seine Frau Schoschana, die 1970 in Albany im US-Staat New York unter dem Namen Silberstein geboren wurde, ihr erstes Kind erwartet. »Wir leben hier in einer Grenzsituation, das macht die Bedeutung unseres Lebens aus«, sagt Schaul Tzion. »Dafür können die Kinder frei herumlaufen, und man muß sich keine Sorgen um sie machen«, sagt Schoschana.

Als Kfar Darom im September 1996 von den Palästinensern belagert und beschossen wurde, erinnert sich Schoschana, da sei Schaul Tzion aus dem Haus gerannt und habe draußen fotografiert, wie ihm die Kugeln um die Ohren flogen. »He was having a great time.« Die Fotos werden, sorgfältig in ein Album geklebt, jedem Besucher gezeigt.

Und was passiert, falls die israelischen Siedlungen eines Tages doch aufgegeben werden?

»Dann wird es hier noch viel mehr Action geben«, sagt Schaul Tzion. »Wenn Kfar Darom unter palästinensische Kontrolle kommt, wird es richtig aufregend werden«, sagt Schoschana und hält sich an ihrem Bauch fest. »Wir werden in jedem Fall hierbleiben«, meint Schaul Tzion. »Und wenn wir die einzigen sein sollten«, legt Schoschana nach.

Eine geschlossene Anstalt

Als Anfang März 1996 ein junger Palästinenser sich und einen Bus der Linie 18 in die Luft bombte, da lag Gad Granach noch im Bett und überlegte, ob er früh aufstehen und zur »Kupat Cholim«, der Allgemeinen Ortskrankenkasse, gehen oder sich umdrehen und noch eine Runde schlafen sollte. Mit dem Knall, der seine 25 Jahre alte Katze namens Motek aus ihrem Versteck im Kleiderschrank trieb, war auch Granach hellwach. Er wußte sofort, was passiert war. Sieben Tage vorher hatte es um dieselbe Zeit genauso gerumst. Und während die Sirenen der Polizeiautos und der Ambulanzen den letzten Rest Hoffnung, ein Düsenjäger könnte direkt über der Heiligen Stadt die Schallmauer durchbrochen haben, zunichte machten, stand Gad Granach auf, schaltete das Fernsehen an, machte sich einen Becher Nescafé und überlegte: »Ich alter Knacker liege im Bett und lebe, während ein paar Meter von hier junge Menschen in Stücke gerissen werden. Das ist nicht gerecht. Aber ich kann doch nicht jeden Morgen um halb sieben mit der Linie 18 fahren.«

Seit Gad, der eigentlich Gerhard heißt, vor 62 Jahren als 21jähriger in das britische Mandatsgebiet Palästina kam, hat er alle Dramen und Katastrophen miterlebt, die das Land zu bieten hatte: den Terror der arabischen Freischärler und der jüdischen Untergrundkämpfer zur Mandatszeit, den Unabhängigkeitskrieg, den Suezkrieg von 1956, den Sechs-Tage-Krieg 1967, den Jom-Kippur-Krieg 1973, den Golfkrieg 1991 und immer wieder dazwischen: Überfälle, Anschläge, Blutbäder gleich nebenan. Als vor über zwanzig Jahren ein mit Sprengstoff gefüllter Kühlschrank am Zionsplatz, mitten in der Innenstadt von Jerusalem, explodierte und ein Dutzend Menschen zerfetzt wurden, da war Granach gerade in einem Geschäft auf der Jaffa-Straße, keine hundert Meter vom Explosionsort entfernt. »Siehst du, Granach, damit muß man leben, wenn man hier lebt«, sagte Granachs Freund Schmulik, ein Rechtsanwalt, der in diesem Moment noch nicht wußte, daß auch seine Schwester unter den Opfern war. »Seitdem«, sagt Granach, »ist Schmulik auf die Araber nicht gut zu sprechen.«

Granach dagegen tut sich schwer mit den orthodoxen Juden. »Vor fünfzig Jahren waren sie in der Minderheit, Jerusalem war eine liberale Stadt. Heute machen sich die ›Dossim‹ überall breit, in ein paar Jahren werden sie die Stadt übernommen haben.«

Granach meidet die Viertel, in denen die »Dossim«, wie die frommen Juden abfällig genannt werden, wohnen. Er hat Ofenbauer in Hamburg gelernt, war Polizist in der »Jewish Settlement Police«, arbeitete in einem Kibbuz, ist am Toten Meer eine Schmalspurlok gefahren – »das war die glücklichste Zeit meines Lebens«. Daß gesunde junge Männer den ganzen Tag nichts anderes tun, als den Talmud und die Thora zu lernen, »und dafür von der Regierung ausgehalten werden«, erachtet er für mehr als ein Ärgernis. Es ist Verrat an den zionistischen Ideen, die seine Generation gelebt hat. »Wir haben das Land aufgebaut, und die leben davon, daß sie sich mit Gott unterhalten.«

Zu den Palästinensern pflegt er ein distanziertes Verhältnis. »Ich lasse sie in Ruhe, damit sie mich in Ruhe lassen.« In die Altstadt geht er nicht. Im arabischen Ost-Jerusalem einzukaufen oder sein Auto reparieren zu lassen hält er für extremen Leichtsinn. Auf die Idee, in ein Café nach Bethlehem oder Ramallah zu fahren, wäre er nicht einmal vor der Einrichtung der palästinensischen Autonomie gekommen. »Für die bin ich ein Besatzer, und genaugenommen bin ich es auch.« Die Siedler, die in Hebron leben, würde er am liebsten dahin zurückschicken, woher sie gekommen sind. »Vorgestern waren die noch in Brooklyn, heute erklären sie mir, was Zionismus ist.« Andererseits: Von Arafat hält er nicht viel, und großes Vertrauen in die politische Begabung der Palästinenser hat er auch nicht. »Demokratie und Araber, das ist wie ein Sattel auf einer Kuh: paßt nicht.«

Gerät ein Besucher ins Schwärmen über die »Heilige Stadt«, verzieht Granach nur das Gesicht und hebt die Hände zum Himmel. »Heilig? Diese Stadt zieht wie ein Magnet Verrückte aller Richtungen an, Juden, Christen, Moslems.« Die würden sich am liebsten gegenseitig die Köpfe einschlagen, um Gott einen Gefallen zu tun und in den Himmel zu kommen. »Ich sollte besser in Tel Aviv leben.« Da würde man vom Konflikt mit den Palästinensern nicht so viel merken, und auch die »Dossim« würden sich nicht so aufspielen wie in Jerusalem.

Daß Granach trotz allem in Jerusalem bleibt, liegt natürlich nicht nur daran, daß er mit seinen 82 Jahren ungern noch einmal umziehen möchte. Der zivilisatorische Abstand zwischen Jerusalem und Tel Aviv hat in den letzten Jahren deutlich abgenommen. Die »Heilige Stadt« hat in Fragen der praktischen Lebensqualität aufgeholt. Granach

kann sich noch gut an die Zeit erinnern, da man Freitagabend daheim hungern mußte, wenn man nicht rechtzeitig
eingekauft hatte, weil mit Ausnahme einiger Hotelrestau-
rants alle Gaststätten zu Beginn des Schabbat schlossen,
um den Zorn der Frommen nicht zu provozieren. Inzwischen kann man auch am Freitagabend ordentlich ausgehen, und es gibt ein richtiges Nachtleben in Jerusalem, mit
Bars und Diskos. »Das ist unsere Kulturrevolution«, freut
sich Granach, obwohl er Freitagabend noch immer am liebsten zu Hause bleibt und Gäste bekocht.

Dann denkt Granach beim Essen laut darüber nach, was
wohl aus ihm geworden wäre, wenn er Deutschland nicht
hätte verlassen müssen. »Wahrscheinlich ein Unterhalter, so
einer wie der Harald Schmidt, der auf die Bühne geht und
Witze erzählt.« Granachs Vater, Alexander, stammte zwar
aus Galizien, machte aber in Berlin Karriere als Schauspie-
ler; er trat an der Volksbühne bei Erwin Piscator auf und
am Staatstheater unter Leopold Jessner, er kannte Gründ-
gens und war mit der Bergner eine Weile liiert.

Gad kann noch immer große Teile des »Faust« und des
»Fiesco« auswendig hersagen, Stücke, in denen er seinen
Vater auf der Bühne gesehen hat. Der war nicht nur ein
großer Mime, sondern auch ein notorischer Schürzenjä-
ger und standfester Trinker, den die Berliner Taxifahrer be-
wunderten, »weil er genauso saufen konnte wie sie«. Gleich
nach dem Reichstagsbrand floh er in die Schweiz, tourte
durch Polen und Rußland und emigrierte 1938 in die USA,
wo er in Hollywood Filme drehte, u.a. »Ninotschka« mit
Greta Garbo unter der Regie von Ernst Lubitsch.

Granach pflegt das deutsche Erbe auf seine Art. Wenn er
unter der Woche zu später Stunde noch einkaufen möchte,

dann fährt er in den »Supersol« in der Agron-Straße. Hier kaufen vor allem die deutschen Juden ein, die in Rehavia, einem der älteren und besseren Viertel der Stadt, wohnen. Sichtet Granach einen seiner Jugendfreunde zwischen den Regalen, dann faltet er die Hände zu einem Trichter und ruft quer durch den Laden: »Wir deutschen Juden im Ausland halten zusammen!«

Der Rehavia-Super war der erste Supermarkt, der vor Jahren ein Experiment wagte: An drei Tagen in der Woche blieb der Laden rund um die Uhr geöffnet. Wider Erwarten wurde die neue Regelung eine Sensation, die das Leben der Stadt verändert hat. Man traf sich nicht im Café, nicht im Kino und nicht an der Zentralen Busstation, man verabredete sich »im Super« – je später, desto aufregender. Dies war der Beginn des Jerusalemer Nachtlebens, der Anfang vom Ende einer verschlafenen Idylle in der judäischen Wüste.

Granach selbst geht nicht mehr so oft einkaufen wie früher. Seit er verkabelt wurde, bleibt er abends zu Hause und schaut fern, BBC und CNN, Sky-Channel und Jordan Television, am liebsten aber SAT 1 und RTL. Das »Glücksrad« mit Maren Gilzer gehört zu seinen Favoriten, dicht gefolgt von »Explosiv« mit Barbara Eligmann und »Jeopardy« mit Frank Elstner. Daß man deutsches Fernsehen in Jerusalem empfangen kann, beteuert Granach, habe wesentlich zur Verbesserung der Lebensqualität in der Stadt beigetragen.

Am Vormittag saß Granach oft im »Atara«, dem letzten Kaffeehaus aus der Mandatszeit. Im Oktober 1996 wurde es geschlossen, jetzt werden in dem umgebauten Lokal Hamburger verkauft. Der Fortschritt, meint Granach mit einem Anflug von Resignation, sei eben nicht aufzuhalten.

Und greift zum Telefon, um seine Uralt-Freundin Lotte, die schon 1933 nach Palästina eingewandert ist, anzurufen. Er sei eben bei der »Kupat Cholim«, der Allgemeinen Ortskrankenkasse, gewesen, da habe er gesessen und gewartet, daß er aufgerufen wird, und ständig seien andere Besucher ohne zu warten an ihm vorbeigerauscht. »Ich habe ein Baby allein zu Hause!« habe eine Frau gerufen, »ich habe das Essen auf dem Herd!« eine andere. Da sei er aufgestanden, habe sich umgesehen und laut und deutlich gesagt: »Ich habe ein Baby zu Hause auf dem Herd!«, sei in das Zimmer des Arztes gegangen, und niemand habe ihn aufgehalten.

Das ist genau die Art von Geschichten, mit denen Granach seine Freunde im Café »Atara« unterhalten hat. Auch am Tag nach der letzten Wahl, als klar wurde, daß Schimon Peres verloren hatte, saß Granach im »Atara« und dachte laut vor sich hin. Das habe ja so kommen müssen, meinte er, »der Peres soll jeden Abend ein Buch lesen, so einen wählen die Leute doch nicht«.

Dann bestellte er sich noch einen »Café hafuch«, einen »Kaffee verkehrt«, schaute sich um, sah die Einheimischen und die Touristen, hob die Augen zum Himmel und sagte: »Jerusalem, wenn man die Stadt überdachen könnte, wäre es eine geschlossene Anstalt.«

Das »Jerusalem-Syndrom« sei eine weltweit einzigartige Krankheit. Sie befalle vor allem christliche Besucher, die plötzlich glaubten, daß Gott sich ihnen offenbart habe. »Eine Unterhaltung mit Ihm ist hier ein Ortsgespräch.«

Granach glaubt nicht an Gott, aber er hält es »nicht für ausgeschlossen, daß es einen geben könnte«. Irgendeine höhere Macht muß neulich ihre schützende Hand über ihn gehalten haben. Eine Stunde bevor sich zwei Palästinenser auf dem Mahane-Jehuda-Markt in die Luft sprengten und fünfzehn Menschen in Stücke rissen, hatte er, genau an der Stelle, Futter für seine Katzen eingekauft, eine Plastiktüte voller Hühnerköpfe. Dann fuhr er mit dem Bus nach Hause, machte das Radio an und hörte von dem Anschlag. Zwei Tage später war er wieder auf dem Markt. Der Geflügelhändler war wie durch ein Wunder unverletzt geblieben, der Laden nebenan vollkommen zerstört. »Ich hab' eingekauft, und wir haben kein Wort über die Sache verloren. Aber es kam mir vor, als habe er mich angelächelt, zum erstenmal, seit wir uns kennen.«

Der Klub der Abenteurer

Doktor Joseph Frager steht jeden Tag, den der Herr werden läßt, kurz vor sechs Uhr auf, geht zum Morgengebet in die Synagoge um die Ecke und läuft anschließend fünf Meilen durch Queens. Er schafft die Strecke in weniger als dreißig Minuten, »keine schlechte Zeit für einen Mann über vierzig«. Dann zieht er sich um, steigt in sein Auto und fährt nach Riverdale, einem besseren Teil der Bronx, wo er eine private Klinik unterhält. Der promovierte Facharzt für Gastrologie hat einen Sechzehn-Stunden-Tag und alle Hände voll zu tun. Nicht nur magenkranke New Yorker lassen sich von ihm behandeln, es kommen auch Patienten aus fernen Ländern, »einige sogar aus den arabischen Emiraten«. Frager ist rund um die Uhr erreichbar, an seinem Gürtel hängen zwei Beeper, ein gewöhnlicher und einer für extreme Notfälle, damit er auch am Schabbat alarmiert werden kann. Denn es gibt nur ein Gebot, das mehr wiegt als die Pflicht, am siebten Tag der Woche alle Arbeit ruhen zu lassen: »Kranken zu helfen und Menschenleben zu retten.« Neben den medizinischen Diplomen und Auszeichnungen, die Frager seit dem Abschluß seines Studiums am Albert Einstein College der Jeshiva University in New York verliehen wurden, hängt auch ein gerahmtes »Gebet für den Arzt« des jüdischen Philosophen und Mediziners Maimonides (1135 bis 1204), der u.a. dem Großwesir in Kairo als Leibarzt diente.

Frager ist nicht nur begeisterter Jogger, Vater von fünf Söhnen und Besitzer von ebenso vielen Vasarely-Bildern, er ist auch – und vor allem – ein gesetzestreuer Jude, dem Thora und Tradition alles bedeuten. Ein »Jiches-Buch«, eine Art Stammbaum, liegt allzeit griffbereit, um Besuchern vorgeführt zu werden. »Ich kann die Geschichte meiner Familie bis ins 15. Jahrhundert genau zurückverfolgen«, sagt der 1955 in Philadelphia geborene Arzt, dessen Eltern und Großeltern schon in Amerika zur Welt kamen; es könne sogar sein, daß der berühmte Talmudist Raschi, 1040 in Troyes geboren, zu seinen Vorfahren zählt.

Da reicht es natürlich nicht, täglich zu joggen und fünfmal in der Woche von Queens nach Riverdale zu fahren, um magenkranken Patienten zu helfen, wenn man Gutes tun und darüber reden möchte. Seit 1990 hat Frager ein Ehrenamt inne, das ihn zwar all seine freie Zeit kostet, zugleich aber enorm befriedigt. Er ist Präsident des »Jerusalem Reclamation Project/American Friends of Ateret Cohanim«. Eben hat er ein großes Fund-Raising-Dinner mit über tausend Gästen organisiert, die ordentlich zur Kasse gebeten wurden, um sich Ehrentitel wie »Builder«, »Patron« und »Benefactor« zu verdienen; nun bereitet er ein »Israel Day Concert« im Central Park vor, zu dem 30000 Besucher erwartet werden. Der dreißigste Jahrestag der Vereinigung Jerusalems soll mit Klezmer-Musik und patriotischen Ansprachen gefeiert werden. Aus Brooklyn kommt das »Neshoma Orchestra«, aus Jerusalem Uzi Landau, Vorsitzender des Außen- und Verteidigungskomitees der Knesset. Das Israel Day Concert (»Rain or shine, kosher food available«) findet schon zum viertenmal statt. Es gilt den »Pionier-Familien und Gemeinden in Groß-Jerusalem, Judäa, Samaria,

Gaza, im Jordantal und auf den Golanhöhen«. Israelis, die innerhalb der Grenzen von 1967 leben, im Galil, an der Küste oder im Negev, sind nicht gemeint. »Diese Arbeit ist mein Hobby«, sagt Frager mit gezieltem Understatement, »ich liebe sie.«

So gut wie sämtliche öffentlichen Institutionen in Israel – Museen, Universitäten, Krankenhäuser – haben ihre Fangemeinden im Ausland, von denen sie materiell unterstützt werden. Nur mit staatlichen Alimenten könnten weder das Israel-Museum in Jerusalem noch das Technion in Haifa auskommen. Geld für allerlei Projekte in Israel zu sammeln gehört zu den Selbstverständlichkeiten jüdischen Lebens in den USA. Das kommt nicht nur den Projekten zugute, sondern auch den Spendern und ihrem Ansehen innerhalb der Gemeinden. Insofern ist Fragers Einsatz für das »Jerusalem Reclamation Project/American Friends of Ateret Cohanim« nichts Besonderes. Ein wenig ausgefallen ist nur das Objekt der Zuneigung. »Ateret Cohanim« (Krone der Priester), 1884 gegründet, war eine von vielen Talmud-Thora-Schulen in der Altstadt von Jerusalem; mit dem Ausbruch der Unruhen im Jahre 1936 wurde sie gewaltsam geschlossen und erst 1967, nach dem Sechs-Tage-Krieg, wieder in Betrieb genommen, zuerst als Betstube für den Schabbat-Gottesdienst, seit 1978 wieder als »Jeschiwa«.

Hier, in unmittelbarer Nähe der Klagemauer, sollten die Priester für den Dienst im Dritten Tempel ausgebildet werden, der eines Tages an der Stelle errichtet werden soll, an der vorläufig noch der moslemische Felsendom steht. Kein Wunder, daß die Angehörigen von »Ateret Cohanim« unter weltlichen Israelis als Eiferer, Mystiker und Spinner gelten, die neben einem Pulverfaß mit Streichhölzern spielen.

Inzwischen konzentriert sich »Ateret Cohanim« auf eine andere, eher mittelfristige Aufgabe. »Wir erkennen die Hand Gottes bei der Rückkehr des jüdischen Volkes nach Jerusalem.« Um die Sache zu befördern, soll die Altstadt von Jerusalem wieder jüdisch, der Status quo von 1936 wieder hergestellt werden. Rund um die »Jeschiwa« werden Häuser aufgekauft, zu Wohnheimen für Studenten umgebaut oder an Familien vermietet, die im moslemischen Teil der Altstadt leben wollen. Rund sechzig sind es bisher, weitere dreihundert sollen auf der Warteliste stehen – für die arabischen Einwohner eine maßlose Provokation. Sie fürchten, Haus um Haus aus ihrer Umgebung vertrieben zu werden. Doch für Joseph Frager zählt nur der spirituelle Aspekt der Aktivitäten seiner Schützlinge. »Ateret Cohanim ist eine Hochschule wie viele andere auch. Der einzige Unterschied ist: Sie liegt mitten in Gottes eigenem Hinterhof. Basta.«

Die Arbeit für die Jerusalemer »Jeschiwa« sei die »Erfüllung aller Ideale«, gebe ihm »das Gefühl, in Israel zu sein, indem wir denjenigen helfen, die wirklich dort leben«; natürlich würde auch Frager am liebsten in Israel leben, aber »das ist derzeit nicht machbar, das Schicksal hat mir eine Aufgabe in den USA zugewiesen«. Doch eines Tages, das steht fest, werde auch er nach Israel ziehen.

Die über zweihundert Studenten von »Ateret Cohanim«, viele volljährig und verheiratet, müssen sich um ihren Lebensunterhalt keine Sorgen machen und auch keine Jobs annehmen, um ihr Studium zu finanzieren. Die Adressenliste der »American Friends of Ateret Cohanim« umfaßt rund zehntausend Namen, auf jeden Studenten kommen fünfzig Unterstützer. »Sie könnten es auch ohne uns schaffen, aber wir machen es ihnen leichter«, versichert Frager, der auf den Einwand, »Ateret Cohanim« sei in Israel durchaus umstritten, kontert, dies wäre bei Pionieren und Idealisten immer der Fall.

»George Washington war umstritten, Theodor Herzl und David Ben Gurion waren es auch. Wenn man der Masse voraus sein will, muß man auch bereit sein, den Preis dafür zu zahlen.«

Frager, der als Student an dreizehn Marathonläufen teilnahm und jedesmal vor der Masse der Läufer am Ziel ankam – seine beste Zeit war drei Stunden und fünf Minuten –, will bei den Pionieren dabeisein, obwohl er, objektiv betrachtet, den Ereignissen hinterherläuft. Als Benjamin Netanjahu (»Bibi hat Fehler gemacht, aber ich liebe und verehre ihn trotzdem …«) in New York war, da hat Frager den israelischen Ministerpräsidenten angefleht, Hebron nicht aufzugeben, auf keinen Fußbreit des Heiligen Landes zu verzichten – vergeblich. Netanjahu konnte oder wollte nicht auf ihn hören. Doch inzwischen glaubt Frager, bei dem »tragischen Hebron-Beschluß« sei höhere Weisheit am Werk gewesen. »Dafür wird Bibi bei Jerusalem hart bleiben. Er hat es mir fest versprochen.«

Und während Joseph Frager erklärt, warum »der Status quo vor Oslo viel besser war als die Situation seitdem«, wird er von seiner Frau zum Telefon gerufen. »David Barllan ruft aus Jerusalem an.« Es ist der persönliche Berater des israelischen Ministerpräsidenten, der den Präsidenten der »American Friends of Ateret Cohanim« sprechen möchte. Mag die Verbindung zum Allmächtigen eine Frage des Glaubens sein, den direkten Draht zu »Bibi« Netanjahu hat sich Joseph Frager wirklich erarbeitet.

Daß viele amerikanische Juden eine emotionale Beziehung zu Israel unterhalten, ist weder neu noch besonders auffällig. Jeder zweite Amerikaner hat eine »Heimat« außerhalb Amerikas, auf die er sich bezieht. Doch anders als die »Afro Americans«, »Italo Americans«, »Irish Americans«, »Asian Americans«, die sich damit begnügen, ihre nationale Folklore zu pflegen, versuchen die »Jewish Americans« in Israel mitzumischen. »Sie spielen Politik per Fernbedienung«, sagt der New Yorker Buchautor (»Jewish Power«) J. J. Goldberg, der sich wie kein anderer im organisatorischen Geflecht der jüdischen Einrichtungen auskennt. »Das gilt für die ›American Friends of Peace Now‹ ebenso wie für die Freunde von ›Ateret Cohanim‹, alle wollen in Israel mitregieren, die einen von Manhattan, die anderen von Brooklyn aus.«

Während »Manhattan« für das liberale und aufgeklärte Judentum steht, für die Abonnenten von »Tikkun« und die Leser der »New York Review of Books«, symbolisiert »Brooklyn« die Mischung aus Religiosität und Chauvinismus, wie man sie bei den jüdischen Siedlern in der West Bank und Gaza findet, von denen viele aus den USA stammen. »Das Hinterland von Hebron ist nicht Tel Aviv, sondern Brooklyn«, sagt Robert Friedman, Autor des Buches »Zealots for Zion«; ein »Kulturkampf« zwischen orthodoxen und säkularen Juden sei längst im vollen Gang, der Ausgang ungewiß.

Seit »Bibi« in Jerusalem regiert, liegt »Brooklyn« in Führung. Nicht nur, daß die amerikanischen Freunde von »Peace Now« ratlos schweigen, weil sie sowohl von der israelischen Politik wie dem Verhalten der PLO enttäuscht sind; die Orthodoxen, die lange als unpolitisch galten, weil sie nur mit sich selbst beschäftigt waren, geben den Ton und das Tempo der Auseinandersetzung vor, die Liberalen schaffen es gerade noch, die Frage zu stellen, wie es so weit kommen konnte.

Nach der Ermordung von Jitzhak Rabin wurde in Brooklyn ein »Jigal-Amir-Defense-Fund« eingerichtet, der um Spenden für die Verteidigung des Mörders warb; niemand wußte genau, wer hinter dem »Fund« steckte, aber alle waren sich einig, daß es »Wirrköpfe« sein mußten, die sich wichtig machen wollten. Seitdem tauchen immer mehr »Wirrköpfe« auf, die öffentlich und ungeniert für ihre Ziele werben. Die »American Friends of Zo Artzeinu« rufen zu einer Solidaritätsaktion für die Führer von »Zo Artzeinu« (Das ist unser Land) auf, die in Israel wegen »Aufruhrs« verurteilt wurden, zwei amerikanische Juden, die keinen Fußbreit der West Bank aufgeben möchten. Eine Gruppe, die sich »The Judean Voice« nennt, ruft unter der Parole »Judea forever« zur Gründung einer »Judean Legion« auf, um »die Juden in Judäa, Samaria und Gaza« zu verteidigen.

Alles nur »Wirrköpfe«, die sich wichtig machen wollen? Schon möglich, nach dem nächsten Mordanschlag wird man es genauer wissen. Das Problem sind nicht die Verrückten, sondern die Normalen, die nach ihren verlorenen Wurzeln suchen. Denn jenseits der »lunatic fringe«, die in Brooklyn für Judäa, Samaria und Gaza auf die Barrikaden gehen, sympathisieren nicht wenige säkulare Juden mit einer Lebensweise, die sie nur noch aus der Literatur kennen.

»Natürlich ist der Mord an Rabin durch nichts zu rechtfertigen, aber man darf die Tat nicht den Orthodoxen anlasten«, sagt Kenneth Bialkin, ein eleganter Mann mit sanfter Stimme und guten Manieren. »Ich bin das Ergebnis weltlicher Erziehung, doch ich empfinde eine Menge Respekt und Bewunderung für Menschen, die nach den Regeln ihres Glaubens leben.«

Von seinem Büro im 43. Stock eines Wolkenkratzers an der Ecke Third Avenue und 55. Straße schaut Bialkin über den nördlichen Teil von Manhattan. Die Lower East Side, wo er 1929 als Kind russischer Einwanderer geboren wurde, hat er weit hinter sich gelassen. Der Absolvent der Harvard Law School ist Senior Partner einer großen und renommierten Anwaltskanzlei, die Liste seiner Ämter und Ehrenämter füllt zwei DIN-A4-Seiten; am Fenstersims stehen Bilder, die ihn zusammen mit Gouverneur Cuomo, Präsident Clinton und Papst Johannes Paul II. zeigen. Bialkin ist der Prototyp des erfolgreichen jüdischen Intellektuellen, der sich so weit assimiliert hat, daß er auf jeder Party als authentischer WASP durchgehen könnte. Und dennoch sagt er: »Es ist nichts falsch an Brooklyn. Dort leben viele Juden mit traditionellen Ansichten.«

Und die würden das Wort Gottes noch wörtlich nehmen. »In der Bibel steht, daß uns das Heilige Land gegeben wurde. Die Orthodoxen handeln aus dem Gefühl heraus: Irgend jemand muß die Arbeit im Namen aller tun.« Bialkin spricht von Pflicht, Tradition, Erfüllung, von Idealismus, Patriotismus und Hingabe – von Tugenden, die in der säkularen Welt aus der Mode gekommen sind und die nur noch von den praktizierenden Orthodoxen hochgehalten werden. Nie würde er sein Büro auf der East Side Manhattans gegen eine Bleibe in Hebron tauschen, aber er findet es gut, daß es Menschen gibt, die dazu bereit sind. »Sie stehen an vorderster Front im Kampf um Israels Existenz, um das Überleben der Juden.« Mögen die Siedler manchen als Karikaturen erscheinen, »für uns, die wir ganz anders leben, sind sie das Salz der Erde«.

Bialkin vermutet, daß viele weltliche Juden genauso denken und fühlen wie er, sei es aus Schuldgefühlen, weil sie sich von der traditionellen Lebensweise entfernt haben, sei es, weil sie das Verhalten der Orthodoxen als eine Art Vorsorge für den Fall des Falles sehen. »Es gibt keinen Anfang und kein Ende der Geschichte. Wir leben hier wie im Paradies, umgeben von Prosperität und Toleranz. Aber das muß nicht ewig so bleiben ...« Auch in Deutschland hätten sich die Juden bis 1933 absolut sicher geglaubt. Hätte es damals schon den Staat Israel gegeben, wäre es nicht zum Holocaust gekommen. Woraus folgt: Israel darf keine Schwäche zeigen, keine territorialen Zugeständnisse an die PLO machen. Doch weil Kenneth Bialkin ein echter Liberaler ist, plädiert er für einen »politischen Kompromiß«, für einen »Modus vivendi« mit den Palästinensern. Die Einzelheiten des Arrangements überläßt er vertrauensvoll »Bibi« Netanjahu.

So weit würde Howard Adelson nicht gehen. Er ist, wie Kenneth Bialkin, nicht religiös, spricht und agiert aber, als würde er die »Judean Legion« kommandieren: »Netanjahu ist stark im Reden, aber schwach im Handeln, alle Versprechen, die er vor der Wahl gegeben hat, hat er danach gebrochen.«

Adelson, 1925 in New York geboren, hat in Princeton Geschichte studiert und lehrt nun an der City University of New York. Er war mit der US-Armee auf den Philippinen und in Korea, zuletzt im Rang eines Captains, ist Mitglied der »Jewish War Veterans«, der ältesten Veteranenvereinigung der USA. Seine Besucher empfängt er am liebsten im

»Princeton-Club«, einem Stück Old England mitten in Manhattan. Dabei trägt er einen blauen Blazer mit einem aufgenähten Sticker: »The Explorer's Club 1904«. In seinen jungen Jahren hat er an archäologischen Ausgrabungen teilgenommen und damit das Recht erworben, dem Klub der Abenteurer anzugehören. Er würde sich auch gut an der Seite von John Wayne in einem Western machen, ein Karacho-Amerikaner, dem »Angst« ein Fremdwort ist.

»Ich bin einhundertprozentig gegen den Friedensprozeß. Wir haben gegeben, und sie haben genommen«, sagt er, als wäre Arafat gestern in Brooklyn eingezogen. »Vom militärischen Standpunkt aus bedeuten die Konzessionen eine Katastrophe.«

Adelson spricht über Israels Sicherheit, meint aber seine eigene. »Israel gibt uns ein enormes Gefühl der Sicherheit. Wir brauchen Israel, damit wir hier ruhig leben und aufrecht gehen können.«

Er habe, räumt er ein, noch nie persönlich Antisemitismus erlebt, aber da gäbe es »Erfahrungen, die von Generation zu Generation weitergegeben werden und in der Psyche eines jeden Juden eingegraben sind«. Niemand glaube, »daß es morgen hier passieren könnte, aber die jüdische Erfahrung lehrt uns, daß man mit allem rechnen muß«. Der Schwarzenführer Farrakhan fahre ganz ungeniert auf dem Antisemitismus-Ticket, und rassistische weiße Militias gebe es nicht nur in Montana, sondern auch auf Long Island. »Die amerikanischen Juden unterstützen Israel, nicht weil sie Zionisten sind oder weil sie Herzl lieben, sondern weil sie Angst haben, weil sie wissen, daß ihr Wohlergehen von der Existenz und von der Stärke Israels abhängt.« Eine Schwächung Israels würde sich sofort auf den Status der Juden in den USA auswirken und den Antisemiten im Land frischen Auftrieb geben.

So betrachtet, reicht der Nahost-Konflikt tatsächlich bis vor Adelsons Haus in Brooklyn, muß Israel immerzu Stärke demonstrieren und darf keine Konzessionen machen, die als Schwäche ausgelegt werden könnten. Wie alle paranoiden Modelle hat auch dies seine innere Logik und erklärt, warum viele amerikanische Juden, die ansonsten vernünftig agieren, ohne zu zögern sagen: »Wir dürfen Gaza und Hebron nicht aufgeben!« Vor allem, wenn sie noch nie in Gaza oder in Hebron waren und von Israel allenfalls die Lobby im Hilton Tel Aviv kennen.

Auch Howard Adelson spricht von einem »psychologischen Ding«, was ihn freilich nicht daran hindert, das »Ding« immer wieder vorzuführen. Er schreibt eine wöchentliche Kolumne in der »Jewish Press«, die – wo sonst? – in Brooklyn verlegt wird und, laut Adelson, »mit dreihunderttausend Auflage die größte jüdische Zeitung in den USA ist«. Die Zahl der verkauften Exemplare mag übertrieben sein, aber fest steht, daß die »Jewish Press« mehr Leser hat als die liberale »Jewish Week« und der linke »Forward« zusammengenommen. »Ein Kampfblatt, das Ressentiments produziert und ausnutzt«, sagt Gary Rosenblatt, Chefredakteur der »Jewish Week«, der sich mit seiner Kritik zurückhält, damit sie ihm nicht als Konkurrenzneid ausgelegt wird. »Rechts von denen ist nur noch der Abgrund.«

Woche für Woche erklärt die »Jewish Press« ihren Lesern, warum der Friedensprozeß vom ersten Tag des Abkommens an zum Scheitern verurteilt war, warum man den Arabern nicht trauen darf und warum Verhandlungen mit ihnen sinnlos sind. Woche für Woche wird Israel davor gewarnt, »Selbstmord« zu begehen, werden die Israelis aufgerufen, Widerstand gegen ihre Regierung zu leisten, die im Begriff sei, Verrat am eigenen Volk zu üben. Eine hysterische Mischung, die Fakten ignoriert und sich ihre eigene Wirklichkeit schafft. Mal heißt es in einem Leitartikel, die Siedler in den »Gebieten« würden von der israelischen Regierung so behandelt, wie einst die Juden in den Konzentrationslagern von den Nazis behandelt wurden; mal wird behauptet, die Palästinenser, die von Baruch Goldstein 1994 mitten im Gebet ermordet wurden, seien die Nachkommen derjenigen gewesen, die im Jahre 1929 ein Pogrom unter den Hebroner Juden angerichtet haben. Als Gary Rosenblatt daraufhin in der »Jewish Week« milde von »unverantwortlichem Journalismus« sprach, wurde er vom verantwortlichen Redakteur der »Jewish Press« mit einem unschlagbaren Argument zurechtgewiesen: »Kann Mr. Rosenblatt beweisen, daß sie es nicht waren?«

Im Juli 1986 hat der damalige israelische Präsident Chaim Herzog auf einer Konferenz des American Jewish Congress in Jerusalem die US-Juden aufgerufen, die »bösartige Philosophie des Rassismus« zu bekämpfen, den er einen »amerikanischen Import« in Israel nannte. Damals war der in Brooklyn geborene Meir Kahane der Inbegriff für militanten Araberhaß. Kahane, eine jämmerliche Witzfigur, schaffte es, in die Knesset gewählt zu werden. »They must go!« (Die Palästinenser müssen weg!) war sein ganzes Programm. Kahanes »Kach«-Partei (Symbol: geballte Faust auf gelbem Grund) wurde verboten, er selbst später von einem Araber in New York ermordet, doch der Virus, einmal freigesetzt, blieb wirksam. Nur, daß inzwischen kein israelischer Politiker auf die Idee käme, den Rassismus im Land als eine US-

Importware zu bezeichnen. Denn erstens sind die Israelis auf Nachhilfe von außen nicht mehr angewiesen, und zweitens sind seitdem zu viele US-Juden ins Heilige Land gekommen – nicht um den Galil und den Negev zu besiedeln, wo sich der Pioniergeist ungehindert entfalten könnte, sondern um in Judäa, Samaria und Gaza zu leben, »where our roots are«, wie man es immer wieder von den Dazugekommenen hören kann.

Die Situation in den besetzten Gebieten scheint sie auf die gleiche Weise zu faszinieren, wie der Wilde Westen früher Abenteurer, Glücksritter und Desperados anzog. Nur wird im Unterschied zum Wilden Westen der USA das Leben im Wilden Osten Israels vom Staat mit Milliarden subventioniert, sind die »settler« Eigenheimbesitzer, die ihre Häuser zu sehr günstigen Konditionen erworben haben, und die meisten »settlements« sehen aus, als wären sie von der Leonberger Bausparkasse in Zusammenarbeit mit dem Beamtenheimstättenwerk gebaut worden. Es lebt sich gut in den besetzten Gebieten, die Luft ist sauberer als in der Stadt, die Kosten sind geringer, und der Aufwand, der für die Sicherheit geleistet werden muß, gibt dem Dasein einen Sinn, nach dem man anderswo vergeblich sucht. Das Leben in Judäa, Samaria und Gaza ist eine Herausforderung mit kalkulierbarem Risiko, der ideale Abenteuerspielplatz für Menschen, die trotzdem auf Zentralheizung und Kabelfernsehen nicht verzichten wollen. Dazu kommt, daß jüngere Amerikaner, die in einer offenen Gesellschaft großgeworden sind, hier eine »authentische« jüdische Erfahrung nachholen können: das Leben im Ghetto, umgeben von Feinden. Ja, so muß es auch damals in Rußland gewesen sein, als die Juden in ständiger Furcht vor Pogromen darbten. Für diese Art Thrill schauen sich andere Menschen »Jurassic Park« im Kino an oder fahren eine Runde mit der Geisterbahn. Wer im jüdischen Viertel von Hebron wohnt, muß nur zum Einkaufen auf den arabischen Schuk gehen.

Die meisten Juden in den USA, sagt J. J. Goldberg, interessieren sich immer weniger dafür, was in Israel passiert. Das Spendenaufkommen geht zurück, die vielen »Präsidenten« der zahlreichen jüdischen Organisationen agieren wie Könige ohne Untertanen. Allein die Frage »Wer ist Jude?« und das Beharren der Orthodoxen in Israel, über die Konversionen zum Judentum allein zu entscheiden, sorgen noch ab und zu für Aufregung. Dafür werden die Militanten immer militanter, und weil sie ihre Militanz in den USA nicht ausleben können, wenden sie sich Israel zu. Wer nicht selber an die historischen Stätten des Judentums zieht, der gründet eine »support group«, um denjenigen zu helfen, die den großen Schritt zurück zu den Wurzeln gewagt haben. So ist eine ganze »cottage industry« von Organisationen entstanden, die aus dem Hinterland Geld und gute Worte an die Front schicken. »The American Friends of Ateret Cohanim«, »The American Friends of Zo Artzeinu«, »The American Friends of the Temple Mount Faithful«, »The American Friends of Women for Israel's Tomorrow«, »Americans for a Safe Israel« und viele, viele andere.

Ernest Bloch hat bis 1986 Volkswirtschaft an der Adelphi University auf Long Island unterrichtet. Sein Geburtsjahr will er nicht verraten; wer ihn auf Mitte Siebzig schätzt, dürfte richtig liegen. Im September 1990 gründete er »Pro Israel«, eine »unabhängige, gemeinnützige Non-Profit-Organisation«, die sich zur Aufgabe gemacht hat, die amerikanische Öffentlichkeit über die Gefahren des Friedensprozesses im Nahen Osten aufzuklären, jüdische Werte in Israel zu fördern und die jüdischen Siedlungen in Judäa, Samaria und Gaza materiell und ideell zu unterstützen.

Rund siebentausend Förderer, sagt Bloch, finanzieren mit ihren Spenden die Arbeit von »Pro Israel«, die aus einem kleinen Drei-Zimmer-Büro in der 45. Straße in Manhattan gesteuert wird. Bloch trägt keine Kippa, bezeichnet sich aber als »gläubig«; ein freundlicher und umgänglicher Herr, dem man die Intensität seiner Überzeugungen nicht gleich ansieht. »Ich glaube, daß das Land den Kindern Israels als ewiger Besitz gegeben wurde und daß Gott nun das jüdische Volk in sein Land heimkehren läßt, so wie Er es versprochen hat. Alles ist Sein Werk, und alle, die heute für das Land von Israel arbeiten, arbeiten in Seinem Auftrag für das Volk von Israel.«

Im Juni 1993 veröffentlichte Ernest Bloch im Namen von »Pro Israel« eine Anzeige in der »New York Times«, in der Israel davor gewarnt wurde, durch Aufgabe von Judäa, Samaria und Gaza »nationalen Selbstmord« zu begehen. Ebensowenig dürften Teile von Jerusalem »judenrein« gemacht werden, wobei von einem »national suicide for the Jewish state« die Rede war, aber das deutsche Wort »judenrein« benutzt wurde, um die richtigen Assoziationen zu wecken. Im Februar 1994 sprach Bloch in einer weiteren Großanzeige von einer »Regierung des nationalen Selbstmords«, die mit einer »Kampagne des Massenbetrugs« beschäftigt sei; er verglich Israel mit einem Bus, »going downhill with no one in the driver's seat«. Um die »tödliche Gefahr für den jüdischen Staat« zu stoppen, wurden die Adressaten der Botschaft aufgefordert, umgehend zu handeln und steuerabzugsfähige Spenden zugunsten von »Pro Israel« zu leisten.

Mit dem Geld, so Bloch, würden »humanitäre und pädagogische Projekte« unterstützt, u.a. der Bau von Wohnungen für kinderreiche Familien in Hebron und der Betrieb des »College of Judea and Samaria« in Ariel mit dem »Institute for Leadership Education«, wo die geistige Elite der Siedler ausgebildet wird.

Denn die Gefahr ist noch lange nicht vorbei. »Oslo ist der falsche Weg zum Frieden, Oslo wird noch mehr Konflikte erzeugen und schließlich zum Krieg führen.« Daran seien Politiker wie Rabin und Peres schuld. Sie wollten aus Israel »ein ganz normales Land machen«, ohne jüdische Werte und bar einer jüdischen Identität, »eine Art Hongkong im Nahen Osten«. Doch es genüge nicht, einen Staat zu haben, der Staat muß auch mit Inhalt gefüllt werden, »mit jüdischen Werten, ohne die hat das Leben keine Bedeutung, keine Substanz«.

Seit Ernest Bloch zum Vorsitzenden von »Pro Israel« berufen wurde, ist sein eigenes Leben voller Bedeutung und Substanz. An die Zeiten, da er an der Adelphi-Universität auf Long Island Volkswirtschaft unterrichtete, erinnert er sich nur ungern. Und während Israel noch immer wie ein fahrerloser Bus den Abhang hinunterrast, obwohl inzwischen Netanjahu am Steuer sitzt, versucht Ernest Bloch von seinem Büro aus, die Katastrophe im letzten Moment zu stoppen. »Spenden Sie! Spenden Sie, so großzügig Sie nur können!« ruft er seinen Freunden in einem Rundschreiben zum jüdischen Neujahr zu, »Ihr Beitrag ist lebenswichtiger denn je zuvor.« Für das Land von Israel, das Volk von Israel und auch für »Pro Israel«, eine unabhängige, steuerbegünstigte Non-Profit-Organisation in der 45. Straße auf der East Side von Manhattan.

Der Rabbi und der Schabbes-Goi

*A*n der Tür zu seiner Wohnung, die man über eine steile Außentreppe in einem Hinterhof des Viertels Mea Schearim erreicht, steht: »A Jew – Not A Zionist«. Damit hat der Besucher das Wichtigste über Moshe Hirsch schon erfahren, bevor der Hausherr die Tür aufgemacht hat. Doch auch ohne die Vorwarnung käme niemand auf die Idee, Rabbi Hirsch könnte in einem Kibbuz als Landarbeiter aufgewachsen sein. Der »Außenminister der Naturei Karta« trägt einen flachen schwarzen Hut, einen langen schwarzen Kaftan, dicke Brillengläser und einen weißen, halbkreisförmigen Bart, der sein blasses Gesicht noch blasser erscheinen läßt. Er sieht aus wie eine Mischung aus Popeye, Erhard Eppler und Woody Allen und legt größten Wert darauf, daß sein Name richtig geschrieben wird: »Hirsch mit *s, c, h* und Moshe nur mit *s* und *h*. Die ›New York Times‹ hat es letzte Woche genau andersrum getan.« Was immer über Moshe Hirsch gesagt und geschrieben wird – er sei ein Selbstdarsteller, eine Gestalt wie aus dem Ghetto, eine Witzfigur –, er nimmt es gelassen hin, solange sein Name richtig geschrieben wird. Hirsch wie Hirsch und Moshe wie Moshe.

Fast vierzig Jahre hat es gedauert, bis er zu dem wurde, was man in Amerika »a household name« nennt: ein Begriff für jedermann. Doch dann, im Gefolge großer Ereignisse, war es endlich soweit. Seit 1994 ist Moshe Hirsch Minister in Yassir Arafats Kabinett, zuständig für »Jewish affairs«, sozusagen der Judenreferent der PLO.

Dabei wollte der 1932 an der Lower East Side in New York geborene Handwerkersohn nur den Talmud und die Thora im Heiligen Land studieren, »Gott in seinem eigenen Hinterhof dienen«, als er im Jahre 1955 in Israel ankam. Das heißt, Moshe Hirsch kam nur de facto in Israel, spirituell aber in Palästina an, denn schon damals, gerade sieben Jahre nach der Gründung des jüdischen Staates, verweigerte er dem »zionistischen Gebilde« die Anerkennung. Moshe Hirsch gehörte – und gehört noch immer – einer ultraorthodoxen Richtung im Judentum an, deren Anhänger ihr Leben vor allem damit verbringen, die Ankunft des Messias herbeizubeten. Ein weltlicher jüdischer Staat ist für sie ein gotteslästerliches Unterfangen, ein Frevel gegen den Willen des Allmächtigen, der die Juden vor fast zweitausend Jahren in alle Welt zerstreut hat und der allein darüber zu entscheiden hat, wann es wieder einen jüdischen Staat, in dem die Thora das Gesetz sein wird, geben darf. So war es ganz natürlich, daß der junge Moshe Hirsch bald nach seiner Ankunft Kontakt mit Gleichgesinnten fand. Er schloß sich der »Naturei Karta«, einer ultraorthodoxen jüdischen Gruppe an, die ihren aramäischen Namen, »Hüter der Stadt«, wörtlich nimmt: Jerusalem soll vor dem politischen Zionismus geschützt werden, als rein spirituelles Zentrum des Judentums erhalten bleiben.

Oberhaupt der »Naturei Karta«, die Mitte der dreißiger Jahre als radikale Abspaltung einer anderen orthodoxen Gruppe entstand, war zu jener Zeit Rabbi Aharon Katzenellenbogen. Der hatte u.a. eine Tochter namens Lea. Sie wurde die Frau von Moshe Hirsch, der als Schwiegersohn von Rabbi Katzenellenbogen zum inneren Kreis der »Hüter der Stadt« avancierte. Der Einwanderer aus den USA hatte, wie man so sagt, eine gute Partie gemacht.

Da Hirsch außer Hebräisch und Jiddisch auch Englisch sprach, übernahm er die Pflege der Kontakte zur Außenwelt. Den Titel »Außenminister der Naturei Karta« bekam er zwar von israelischen Zeitungen verliehen, doch fand er ihn weder unverdient noch unpassend. Von seiner winzigen Wohnung in Mea Schearim, einer Hochburg der Ultra-Orthodoxen mitten in Jerusalem, organisierte er eine Kampagne nach der anderen. Und was immer man von »Rav Hirsch«, wie ihn seine Anhänger respektvoll nennen, halten mag, man muß ihm zugute halten, daß er schon zu einer Zeit Verbindung mit der PLO aufnahm, als Yassir Arafat in der öffentlichen Meinung Israels gleich nach Adolf Hitler den zweiten Rang belegte.

Am 3. März 1975 schickte das Sekretariat der »Naturei Karta« einen Brief an Yassir Arafat, um ihm zu seinem großen Auftritt vor der Vollversammlung der Vereinten Nationen im November 1974 zu gratulieren. Man habe, hieß es in dem Schreiben, seine Rede genau studiert und viele gemeinsame Ansichten »in bezug auf die Situation in Palästina« gefunden. Die »Genauigkeit der Unterscheidung zwischen Juden und Zionisten« sei erstaunlich und könnte »einer unserer Veröffentlichungen entnommen sein«. Der Allmächtige habe die Söhne Isaaks aus dem Heiligen Land vertrieben und das Land den Söhnen Ismaels zu treuen Händen übergeben, bis er eines Tages mit Hilfe des Messias »die Juden in das Land zurückbringen und das Land den Juden zurückgeben« werde. Bis dahin aber, so die Weisen der »Naturei Karta«, sei es den Juden durch göttlichen Beschluß verboten, »sich das Land aus eigener Kraft wieder anzueignen«. Deswegen begrüße die »Naturei Karta« Arafats Vorschlag, in Palästina einen Staat zu errichten, »in dem Juden und Araber unter einer nichtsektiererischen Regierung friedlich und freundschaftlich koexistieren würden, wie das im moslemischen Spanien der Fall war«. Bei der Gelegenheit bat die »Naturei Karta« den Vorsitzenden der PLO noch einmal, sorgfältig zwischen Juden und Zionisten zu unterscheiden und sich bei den arabischen Regimes dafür einzusetzen, daß diese es ebenfalls tun. »Warum sollen unschuldige Juden für die Sünden der Zionisten leiden?«

Ob Arafat auf diese Botschaft reagiert hat, ist nicht bekannt. Sieben Jahre später, im September 1982, gaben jedenfalls neun PLO-treue Bürgermeister aus den besetzten Gebieten eine gemeinsame Erklärung ab, in der sie auf den Unterschied zwischen »Juden als den Anhängern einer göttlichen Religion und dem Zionismus als einer expansionistischen Bewegung« hinwiesen und es bedauerten, daß diese »Unterscheidung bis heute zu keiner historischen Gerechtigkeit« geführt habe. Die Zionisten hätten die Juden für ihre politischen Zwecke mißbraucht und ein normales Zusammenleben von Juden und Arabern verhindert.

Bei dem Bemühen, der zionistischen Herrschaft zu entkommen, setzte »Naturei Karta« nicht nur auf eine mögliche Zusammenarbeit mit der PLO. Im November 1982 überreichte Moshe Hirsch für den »Supreme Council« der »Naturei Karta« ein Memorandum an Anwar Nusseibe, den ehemaligen jordanischen Gouverneur von Jerusalem, der auch nach 1967 die Interessen von König Hussein in der Heiligen Stadt vertrat. Zu dieser Zeit war von einer möglichen »jordanisch-palästinensischen Föderation« die Rede.

Die »Hüter der Stadt« stellten den Antrag, »in die Föderation aufgenommen zu werden, damit wir palästinensischen Juden, von den zionistischen Fesseln befreit, unser Leben entsprechend unserem Glauben führen können«. Anwar Nusseibe versprach, so behauptet zumindest Moshe Hirsch, »die Botschaft an die richtigen Stellen weiterzuleiten«.

Drei Jahre später, im Juli 1985, wandten sich die Führer der »Naturei Karta« mit demselben Anliegen an den stellvertretenden US-Außenminister Richard Murphy, der auf einer der vielen und vergeblichen US-Vermittlungsmissionen im Nahen Osten unterwegs war. »Unsere Heimat, das Viertel Mea Schearim, soll in die jordanisch-palästinensische Föderation eingegliedert werden, damit wir den unkoscheren zionistischen Staat verlassen und dem koscheren palästinensischen Staat beitreten können. Wir möchten so unter arabischer Herrschaft leben, wie Juden in der Diaspora gelebt haben, in Frieden und Harmonie mit ihren nichtjüdischen Nachbarn.«

Die »Naturei Karta« verpaßte keine Gelegenheit, dem unkoscheren zionistischen Staat eins auszuwischen. Nachdem israelische Flugzeuge im Oktober 1985 das PLO-Hauptquartier in Tunis bombardiert hatten, schickten die »Hüter der Stadt« ein Kondolenzschreiben an Arafat, für das er sich im Namen der »Märtyrer des palästinensischen Volkes« bedankte. »Revolution bis zum Sieg!« kabelte der Vorsitzende an seine superfrommen jüdischen Freunde.

Ende 1985 begann das Londoner Büro der »Naturei Karta« Pässe auszustellen, »aus denen unmißverständlich hervorgeht, daß ihre Träger zwar Juden, aber keine Zionisten sind«, wie Moshe Hirsch der palästinensischen Zeitung »Al Fajr« in einem Interview erklärte.

Nach und nach sollten diese Pässe »an die Stelle der israelischen Reisedokumente treten« und nicht mehr nötig sein, »sobald der palästinensische Staat entstanden ist, dessen Bürger wir sein wollen«.

Der Wunsch, sich miteinander zu vereinen, beruhte auf Gegenseitigkeit. Im Dezember 1988 sagte Arafat in einem Interview mit der Illustrierten »Paris Match«, er werde sich dafür einsetzen, daß ein Mitglied der »Naturei Karta« in die zukünftige Regierung des palästinensischen Staates aufgenommen werde. Worauf Moshe Hirsch bekanntgab, man werde das »Ministerium für jüdische Angelegenheiten« übernehmen und den Posten mit drei Angehörigen der »Naturei Karta« besetzen, je einem aus Jerusalem, London und New York.

Daneben fand Hirsch immer Zeit, große Skandale aus nichtigen Anlässen zu inszenieren. Nachdem eine Hühnerschlächterei in Mea Schearim wegen der hygienischen Zustände geschlossen wurde, bat »Rav Hirsch« die Vereinten Nationen um Hilfe: Tausende von gottesfürchtigen jüdischen Familien seien von der brutalen Stadtverwaltung um die Versorgung mit Fleisch gebracht worden. Der libysche UN-Vertreter verlangte – allerdings vergeblich –, daß die Angelegenheit auf die Tagesordnung der Vollversammlung gesetzt werde.

Ein spektakulärer Schlag gegen den zionistischen Feind gelang ihm, nachdem er sich in Interviews für einen »Krieg zwischen Juden und Zionisten« ausgesprochen und versichert hatte, die »Hüter der Stadt« hätten bereits Waffenvorräte angelegt. Hirsch wurde verhaftet; da die Polizei aber außer seinen eigenen Behauptungen keine Beweise gegen ihn vorlegen konnte, mußte er nach einer Woche wieder freigelassen werden. Bei einem Haftprüfungstermin sprach ihn der Richter auf den Titel »Außenminister der Naturei Karta« an und fragte, ob er denn, bitte schön, den Amtsausweis des Ministers einmal sehen könne. Das ginge leider nicht, antwortete Rabbi Hirsch mit zum Himmel erhobenen Händen, er sei vorläufig noch ein Minister ohne Portefeuille.

Mit dieser Schmach war es im Sommer 1994 vorbei. Moshe Hirsch wurde von Yassir Arafat tatsächlich zum »Minister für jüdische Angelegenheiten« ernannt. Daß er dennoch nicht auf der offiziellen Ministerliste der »Palestinian Authority (PA)« auftaucht, erklärt Hirsch damit, daß er als religiöser Jude keinen Eid auf eine weltliche Macht leisten dürfe. Er war bei der Vereidigung der Minister am 5. Juli in Jericho dabei, doch hat er nicht die Hand zum Schwur erhoben. Statt dessen verteilte er mit zwei Assistenten Flugblätter, in denen die »Hüter der Stadt« sich bei der palästinensischen Regierung dafür bedankten, daß ihnen endlich »eine Alternative zu dem frevelhaften Staat, unter dem wir leben, angeboten wird – ein koscherer palästinensischer Staat, in Übereinstimmung mit unseren religiösen Vorschriften«.

Einen Monat später deponierte Moshe Hirsch im Namen der »Naturei Karta« ein schriftliches »Treuegelöbnis« bei Arafat, in dem die »Hüter der Stadt« feierlich »bestätigten«, daß sie sich gegenüber »Präsident Abu Ammar« loyal verhalten und palästinensische Interessen verteidigen würden. Dieses Gelöbnis, in den palästinensischen Farben eingerahmt, hat Arafat über seinem Schreibtisch aufgehängt. So sind die »Hüter der Stadt« bei den Kabinettssitzungen der Palestinian Authority immer dabei, wenn auch nur symbolisch.

Minister Hirsch kann an den Beratungen nicht teilnehmen, da sie immer am Samstag stattfinden, dem Tag, an dem gesetzestreue Juden weder reisen noch arbeiten dürfen. Doch Abu Ammar kommt seinem jüdischen Minister entgegen. Er trifft sich mit ihm jeden zweiten oder dritten Sonntag zu einer »Mini-Kabinettssitzung« in seinem Büro in Gaza. Dann werden »jüdische Angelegenheiten besprochen«, die der »Naturei Karta« besonders am Herzen liegen, zum Beispiel die Frage der archäologischen Ausgrabungen bei Jericho. Die gottlosen Zionisten hat es nicht gestört, daß dabei alte jüdische Gräber beschädigt werden könnten, doch die Palästinenser wollen nun den Toten ihre Ruhe garantieren.

Wenn Moshe Hirsch über Yassir Arafat spricht, dann klingen seine Worte wie Zitate aus dem Hohenlied Salomons. Abu Ammar ist »menschlich, warmherzig, geistreich, mutig, freundlich und gütig«; Arafat »sorgt sich um sein Volk wie ein Vater um seine Kinder«; der Präsident der Palästinenser ist eine »bedeutende Figur auf dem Schachbrett der Geschichte« und »ein Gesandter des Himmels« für die gesetzestreuen Juden im Heiligen Land. »Wir sind Brüder.«

Der Tag, an dem sich die Brüder zum erstenmal persönlich begegneten, wird Moshe Hirsch ewig im Gedächtnis bleiben. Es war am 9. September 1993 in Tunis, »genau vier Tage bevor Mr. Clinton in Washington Rabins Hand in Arafats Hand schob«. Hirsch kann sich an diesen Moment noch ganz genau erinnern. »Wir trafen uns in seinem Büro, gingen aufeinander zu und sagten fast gleichzeitig: ›Endlich sehen wir uns, endlich.‹« Und dann umarmten sich Moshe Arafat und Yassir Hirsch lange und herzlich.

Dennoch – was nach einer Liebesheirat aussieht, ist nur

eine Vernunftehe. »Wir verfolgen dasselbe Ziel«, sagt Moshe Hirsch, »die Befreiung des Heiligen Landes von der zionistischen Okkupation«, und verweist dabei auf eine »Declaration of Principles«, die von der PLO und der »Naturei Karta« zwar nicht formell verabschiedet wurde, aber die Grundlage der Beziehungen bildet. Darin heißt es, man wolle die Situation wiederherstellen, wie sie im Heiligen Land vor Beginn der zionistischen Invasion geherrscht hat. »Indem sie mit uns zusammenarbeiten, zeigen die Palästinenser der Welt, daß sie nichts gegen Juden haben«, sagt Moshe Hirsch. »Und umgekehrt ist Arafat unser Schabbes-Goi*, er macht für uns, was wir nicht machen dürfen. Wir dürfen keine Kompromisse mit den Zionisten schließen. Arafat darf. Und jedes Stück Land, das er ihnen entreißt, bringt uns dem Ende der zionistischen Besatzung näher.«

Doch hat nicht inzwischen sogar die PLO das Existenzrecht des zionistischen Staates grundsätzlich anerkannt?

»Arafat ist ein Politiker. Doch mit seiner Hilfe rückt das Ende des Zionismus immer näher. Gottes Wege sind unerfindlich.«

So bereitwillig und ausführlich Hirsch erklärt, warum die »Hüter der Stadt« mit der PLO an einem Strang ziehen, bei der Frage nach der Stärke seiner Bataillone weicht er ins Philosophische aus. Die »Naturei Karta« sei »keine Partei und kein Verein, sondern ein geistiger Zustand«, mit dem sich »Hunderttausende von Juden in aller Welt identifizieren«. Kenner der ultra-orthodoxen Szene freilich schätzen

---

* Ein Schabbes-Goi war im Schtetl ein Nichtjude, der am Schabbat in jüdischen Häusern das Licht an- und ausmachte; heute wird diese Aufgabe von Zeitschaltern übernommen.

die Zahl der »Naturei Karta«-Aktivisten im Heiligen Land auf ein paar Dutzend, die ihrer Sympathisanten auf maximal einige tausend. Genaue Zahlen hat niemand. Doch Arafat scheint davon überzeugt, daß es Millionen sein müssen, und Hirsch macht sich keine Mühe, das Mißverständnis zu korrigieren.

Das Hauptquartier der gläubigen Antizionisten in Jerusalem ist eine »Jeschiwa« mit dem Namen »Thora w'Ira« (Lehre und Furcht) im Zentrum von Mea Schearim, an der auch Rabbi Hirsch »fünfundzwanzig Stunden täglich die Thora« studiert, wenn er nicht gerade zum Wohle der »Hüter« der Stadt unterwegs ist. Das wichtigste Projekt, über das er zur Zeit mit Arafat verhandelt, ist der Bau von tausend Wohnungen bei Nebi Samuel im Bezirk von Ramallah, also im Bereich der Palestinian Authority. Auch dies wäre ein Geschäft zum gegenseitigen Nutzen. Die kinderreichen Orthodoxen brauchen Wohnraum, und Arafat möchte der Welt zeigen, daß er echte Juden gern hat. »Für ihn ist es eine politische Investition, für uns ein praktischer Ausweg aus einer Notlage.« Die palästinensische Regierung wird ein Grundstück zur Verfügung stellen, die Bauarbeiten sollen im Laufe des Jahres 1998 beginnen.

Doch zunächst steht ein anderes wichtiges Ereignis an. Arafats Tochter Zahwa wird zwei Jahre alt. Der »Supreme Council« der »Naturei Karta« hat lange beraten, was man dem Kind des palästinensischen Präsidenten schenken sollte, und schließlich einstimmig den Kauf eines »exklusiven Kinderwagens« beschlossen.

Und der ist politisch garantiert koscher, denn er wurde nicht in Israel hergestellt.

Oslo ist unser München
Interview mit Eljakim Ha'etzni, 1994

Georg Bombach wurde 1926 in Kiel geboren. Zwölf Jahre später, 1938, emigrierte die Familie in das damalige britische Mandatsgebiet Palästina. Der junge Mann aus dem deutschen Norden kämpfte im Unabhängigkeitskrieg von 1948 mit, wurde schwer verwundet, studierte anschließend Jura und nahm den Namen »Ha'etzni« an, »so hieß einer von König Davids Feldherren«.

Eljakim Ha'etzni war von Anfang an der intellektuelle Kopf der Siedlerbewegung: Nach Abschluß des Oslo-Abkommens organisierte er das »Hauptquartier zur Verhinderung des Autonomie-Plans«. Ha'etzni spricht fließend Arabisch, Anfang der neunziger Jahre wurde er für die ultrarechte »Tehija«-Partei in die Knesset gewählt. Zugleich vertrat er als Anwalt Palästinenser vor israelischen Gerichten. Obwohl er nicht religiös ist, beruft er sich auf die Bibel, um seinen Anspruch auf »das ganze Land Israel« zu begründen. Israelische Soldaten, die gegen Siedler vorgehen, nennt er »Kosaken«, die mögliche Räumung von Siedlungen »Pogrome«.

Über dem Schreibtisch von Eljakim Ha'etzni in seinem Haus in Kirjat Arba bei Hebron hängt die Fotokopie eines Aufrufs aus dem Kieler NS-Blatt »Volkskampf« vom 31. Januar 1933: »Deutscher! Das sind in Kiel Deine Feinde!« Zu den Aufgelisteten gehörte auch die Firma »Bombach, Gebr., Möbelhaus, Muhliusstr. 72«.

Das Interview wurde im August 1994, nach Abschluß des Oslo-Abkommens und vor der Ermordung Rabins, in Ha'etznis Haus in Kirjat Arba auf deutsch geführt.

Herr Ha'etzni, Sie zählen zu den Gründervätern der Siedlerbewegung. Nun, nach dem Abkommen mit der PLO, wird über die Zukunft der Siedlungen diskutiert. Beunruhigt Sie das?

Schon im Juni 1967, als Jerusalem, Judäa, Samaria und Gaza befreit wurden, hatte ich das Gefühl, daß unsere Regierungen diesen historischen Moment, den wir einmal in zweitausend Jahren geschenkt bekamen, verpassen würden. Mir war klar: Diese Leute werden alles wieder zurückgeben. Aber vorher werden sie dem Feind eine ganze Infrastruktur hinbauen, und dann werden sie alles wieder auskotzen. Ich ging zu einigen Freunden und sagte: Es gibt nur einen einzigen Weg, wir müssen gegen die Regierung kämpfen, so wie die zionistische Bewegung gegen die Briten gekämpft hat. Die Jewish Agency hat in der Mandatszeit Siedlungen in Gebieten errichtet, in denen die Briten den Juden verboten hatten, sich niederzulassen. Wenn nun die israelische Regierung in die Fußstapfen der britischen Kolonialmacht tritt, dann müssen wir sie so behandeln, wie die zionistische Bewegung damals die Briten behandelt hat. Einfach Siedlungen errichten …

Wo haben Sie damals gewohnt?

In Ramat Chen bei Tel Aviv, in einer schönen Villa. Das Haus steht noch, es ist vermietet. Ich sagte, wenn wir Siedlungen bauen, wo Kinder geboren, Bäume gepflanzt werden – das bleibt bestehen, alles andere ist nebensächlich. Die erste Siedlung entstand in Kfar Etzion südlich von Jerusalem, wo es bis 1948 eine jüdische Gemeinde gab, die im Krieg von den Arabern massakriert wurde. Die Kinder der ersten Siedler kamen zurück und setzten – gegen den Widerstand der damaligen Regierung – da an, wo ihre Eltern zwanzig Jahre zuvor ermordet wurden.

Waren Sie damals dabei?

Ja, ich war dabei. Meine Philosophie war schon damals, daß jedes Verbot, das den Juden den Weg in ihr Land verbietet, ungültig ist – egal ob es von den Türken, den Briten, den Arabern oder einer jüdischen Regierung ausgesprochen wird, einfach ungültig, ungesetzlich, es verstößt gegen die ungeschriebene Verfassung des Landes, weil es antijüdisch und antizionistisch ist.

Wie ging es weiter?

Nachdem die Siedlung in Kfar Etzion wieder etabliert war, sagten wir: Das nächste Ziel ist Hebron. Die jüdische Gemeinde dort wurde im Jahre 1929 zerstört. Hebron ist, neben Jerusalem, die jüdischste Stadt der Welt, historisch noch *vor* Jerusalem. König David hatte seinen Sitz hier, bevor er nach Jerusalem zog, hier liegen Abraham, Jitzhak und Jakob begraben, zusammen mit Sarah, Rivka und Lea. Die Machpela ist das einzige Gebäude, das seit der Zeit des Zweiten Tempels stehengeblieben ist, trotz der Erdbeben, die es hier gab. Warum sollten wir nicht zurück? Aber die Regierung sagte: Nein, kommt gar nicht in Frage, wir müssen die »jordanische Option« offenhalten. Uns war die jordanische Option völlig egal, uns kam es darauf an, jüdisches Leben in Hebron wiederherzustellen.

Kirjat Arba gab es damals noch nicht?

Von Kirjat Arba war noch nicht einmal die Rede! Es war Pessach 1968. Wir mieteten ein Hotel in Hebron, das berühmte Parkhotel, das Faez Kawasme gehörte, einem Hebroner Geschäftsmann.

Sie haben das Hotel ganz einfach von ihm gemietet?

Ja. Zuerst für die Zeit des Pessach-Festes, weil wir in der Nähe der Machpela sein wollten, allerdings mit der Option, die Mietzeit zu verlängern. Kawasme wußte, wer wir waren und was wir vorhatten. Ich hatte mit ihm gesprochen.

Trotzdem hat er Ihnen das Hotel vermietet?

Ja. Die Araber waren damals ganz besoffen von der Idee, daß wir sie nicht umgebracht hatten. Die dachten, die Juden kommen und tun uns jetzt das an, was wir ihnen antun würden, wenn wir den Krieg gewonnen hätten. Sie hatten mit einem Blutbad gerechnet und waren völlig überrascht, als es nicht passierte. Dann sind die Leute einfach in dem Hotel geblieben.

Die Regierung unternahm nichts dagegen?

Der damalige Verteidigungsminister Dayan war mit dem Diebstahl von Antiquitäten beschäftigt. Wobei er in irgendeiner Höhle bei Ausgrabungen verschüttet wurde und deswegen eine Weile nicht handlungsfähig war – gerade zu dieser Zeit. Und als plötzlich publik wurde: Die Juden sind zurück in Hebron, da gab es so einen Enthusiasmus im Volk, so eine Bewunderung, daß die Regierung es nicht wagen konnte, die Leute anzutasten. Nach zwei Monaten wurden die Leute aus dem Hotel in eine ehemalige britische Polizeikaserne überführt, mitten in Hebron. Und da entstand ein »lunatic asylum«, ein Irrenhaus im positiven Sinn. Einer fing an, Hühner zu züchten, ein anderer machte einen Lebensmittelladen auf, ein dritter eine Schreinerei. Im Nu gab es eine Jeschiwa, einen Kindergarten und eine Mikwe, kurzum alles, was man zum Leben brauchte.

Wie reagierten die arabischen Einwohner von Hebron?

Es gab damals fast täglich Terror, Angriffe mit Schußwaffen und Handgranaten auf die Armee. Aber uns gegenüber benahmen sich die Einwohner von Hebron anständig und entgegenkommend. Vom Bürgermeister bis zum Kaufmann, bei dem wir einkauften. Wir wurden in die Häuser zum Kaffee und zu Hochzeiten eingeladen.

Die Regierung war sich sicher, daß dieses »Häuflein von Verrückten« schnell wieder nach Hause gehen würde. Aber es war nicht so, es kamen immer mehr dazu. Und keiner ging zurück. Also mußte die Regierung sich etwas einfallen lassen. Die Philosophie der Arbeiterpartei war und ist, die Juden und die Araber zu trennen. Es wurde beschlossen, eine Siedlung für Juden außerhalb von Hebron zu bauen. So entstand Kirjat Arba, nicht in Hebron, aber nahe genug, daß man zu Fuß zur Machpela kommen konnte. Wir sagten: Ist in Ordnung, Kirjat Arba ist auch Eretz Israel, aber macht euch keine Illusionen, wir kommen zurück nach Hebron.

Sie haben mit der Regierung Katz und Maus gespielt.

Haben wir immer gemacht. Aber Sie müssen verstehen, das geschah nicht aus irgendeiner anarchistischen Neigung heraus. Die Siedler sind die gesetzestreuesten Bürger. Aber in bezug auf Eretz Israel haben die Gesetze der Regierung keine Gültigkeit. Die Regierung kann sagen, was sie will, sie kann tun, was sie will – es ist irrelevant. Die Bindung des jüdischen Volkes an Eretz Israel ist viertausend Jahre alt und hat viele Imperien überdauert. Diese Bindung wird auch jede israelische Regierung überleben. Der israelische Staat hat keine Verfügungsgewalt, im Namen des jüdischen Volkes auf das Land Israel zu verzichten.

Wann wurde Kirjat Arba gegründet?

Die ersten Siedler kamen nach Kirjat Arba Ende 1971. Ich zog am 5. September 1972 in Kirjat Arba ein, am Tag des Olympia-Anschlags von München. Ich sagte damals zu meiner Frau: Das ist unsere Antwort auf den arabischen Terror.

Sie leben jetzt 23 Jahre in Kirjat Arba ...

... die besten Jahre meines Lebens ...

Nun ist die Lage heute ganz anders als noch vor fünf Jahren. Was haben Sie gedacht, als am 13. September 1993 Rabin und Arafat sich in Washington die Hände reichten?

Ich war an dem Tag in New York und habe es im Fernsehen gesehen. Für mich war es keine große Überraschung. Ich habe mich von Anfang an für den Bau der Siedlungen stark gemacht, eben weil ich den Verdacht hatte, daß die israelische Regierung das Land Israel verraten wird.

Egal welche Regierung?

Völlig egal, Likud oder die Arbeitspartei, es macht keinen Unterschied. Deswegen wollte ich einen Damm bauen, weil ich wußte, eines Tages würde die Flut kommen. Jetzt ist es soweit. Und die Frage ist: Wird dieser Damm halten oder nicht? Wir sind jetzt fast 140 000 Siedler in 140 Siedlungen ...

... Kirjat Arba ist keine Siedlung mehr, es ist eine Stadt.

Auf die Bezeichnung kommt es nicht an. Ich weiß nicht, wie lange New York eine Siedlung genannt wurde, eines Tages hatte man aufgehört, New Amsterdam eine Siedlung zu nennen. Mir gefällt der Begriff Siedlung.

Wenn wir durchhalten, werden wir den palästinensischen Staat verhindern. Und was die große Politik angeht: Als ich diesen historischen Händedruck sah, dachte ich, das ist München. Lesen Sie mal bei Churchill nach. Vor München konnte man Hitler noch stoppen, nach München nicht mehr. 1939 war es zu spät. Oslo ist unser München. Der nächste Krieg ist nicht zu verhindern.

Ein Krieg zwischen Israel und den Palästinensern?

Zwischen Israel und allen arabischen Ländern, mit Ägypten an der Spitze, und der Iran wird auch mit von der Partie sein. Oslo ist das Todesurteil für 50 000 bis 100 000 Juden, Gott bewahre, die im nächsten Krieg ihr Leben geben werden auf dem Altar des Friedens. Peace Now!

Was macht Sie so sicher?

Wissen Sie, die Frage ist nicht legitim. Wenn Sie nur betrachten, was sich in diesem Jahr abgespielt hat; wenn Sie nur nehmen, was Herr Arafat und Herr Kaddoumi und die anderen Räuberhäuptlinge selbst sagen – was brauchen Sie mehr? Lesen Sie »Mein Kampf«! Und lesen Sie dann die Palästinensische Nationalcharta. Worauf basiert die PLO? Auf dem Wunsch der Flüchtlinge von 1948 nach Rückkehr – nach Jaffa, nach Haifa usw. Dafür wurde die PLO im Jahre 1964 gegründet, um die Flüchtlinge zurückzubringen in das alte Israel, welches dann nicht mehr Israel wäre, sondern Palästina. Das ist die Substanz der PLO. Jetzt sagen wir Arafat: Du kannst kommen und auch deine Gangster und deine Rowdys mitnehmen, aber die große Masse der Flüchtlinge, die mußt du verraten und verlassen. Und den Verzicht öffentlich erklären. Das ist so unvorstellbar, als würde man von Nelson Mandela verlangen, daß er die Apartheid fortführt. Und das ist Oslo. Was wollen Sie mehr?

Auf die nicht legitime Frage zurückkommen. Warum glauben Sie, daß ein Krieg unvermeidlich ist?

Es gibt einen arabischen Verteidigungspakt, und Arafat wird dieser Allianz beitreten. Nun stellen Sie sich vor, daß der Terror weitergeht – dafür brauchen Sie keine große Phantasie –, und eines Tages wird es uns zu bunt. Wir werden dem Terror ein Ende setzen, und Arafat wird »Gewalt« schreien. Natürlich werden die arabischen Staaten den Palästinensern zu Hilfe kommen. Der politische Hochstapler Peres zieht alle arabischen Staaten in diesen Krieg hinein. Und wenn wir dann nicht mehr hier sitzen, sondern die Grenze verläuft bei Petach Tikwa, dann wird der jüdische Staat nicht zu halten sein. Wer weiß, wie viele Juden überhaupt in Israel bleiben werden. Wenn der Prozeß weitergeht und in den nächsten Jahren eine halbe Million oder eine Million Araber zurückkehrt in die West Bank, dann wird es einen gewaltigen Druck auf die »Grüne Linie« zwischen der West Bank und Israel geben. Dann wird es ungemütlich werden. Und dann wird auf jeden zurückkehrenden Araber ein Israeli das Land verlassen. Es wird schon ein dezimiertes Israel sein, wenn der Krieg kommt, deprimiert und demoralisiert, von inneren Kämpfen zerrissen.

Nun war der Stand vor Oslo auch nicht optimal. Es gab ständig Angriffe der Palästinenser in den Gebieten und in Israel …

… so what?! Hat es immer gegeben! Wird es immer geben! Weil es einen Frieden mit den Arabern nicht geben kann. Und das ganze Gerede von einer »Lösung« ist Quatsch. Was heißt hier Lösung? Es gibt keine Lösung.

Wenn es eine Lösung nicht geben kann, wie könnte ein annehmbarer Status quo aussehen?

So wie vor Oslo. Vor Oslo war die PLO erledigt, auch von den Arabern aufgegeben. Wir haben der PLO wieder zu neuem Leben verholfen. Die arabische Ölwaffe war schon lange stumpf, der große Verbündete aller arabischen Terrororganisationen, Sowjetrußland, war aus dem Spiel; der Tiger war fast tot, und jetzt füttern wir ihn jeden Tag, damit er nicht wild wird. Soll ich Ihnen sagen, was wir in Oslo gemacht haben? Wir haben einen Vertrag abgeschlossen, in dem der Tiger eine Katze genannt wird. Dann haben wir der Katze ein Halsband gekauft, wir stellen ihr täglich Milch hin – der ganze Vertrag ist auf eine Katze zugeschnitten. Aber die Katze ist keine Katze, sondern ein Tiger! Ebenso hätte man mit Al Capone einen Vertrag schließen können, wenn man ihn nur Albert Schweitzer genannt hätte. Was für ein Selbstbetrug!

Aber irgendeine Art von Agreement mit den Bewohnern der Gebiete wäre doch nötig gewesen.

Kein Agreement! Kein Araber kann und soll etwas gegenüber Israel unterzeichnen. Es wäre sein Todesurteil. Kein Agreement, weder formell noch informell.

Was dann?

Eines Tages verabschiedet Israel ein Gesetz, wonach sein Staatsgebiet sich vom Mittelmeer bis zum Jordan erstreckt. Eine Stunde später verabschiedet die Knesset ein Gesetz über eine persönliche Autonomie der arabischen Einwohner in den annektierten Gebieten. Diese Autonomie könnte dann großzügig ausfallen. Aber um einer Gruppe die Autonomie zu geben, muß man zuerst in dem Gebiet der Souverän sein: Man kann nicht etwas weggeben, was man nicht besitzt. Sie könnten mir sonst ein Schiff schenken, das im Hafen von Haifa liegt und weder Ihnen noch mir gehört. Deswegen ist die ganze Autonomie, wie sie jetzt durchgeführt werden soll, einfach Unsinn.

Sie glauben, die Araber wären damit einverstanden gewesen?

Sie wären einverstanden gewesen, vorausgesetzt, sie hätten nichts unterschreiben müssen. Ich kenne genug Araber, die mir gesagt haben: Wenn es ein Fait accompli ist, wenn wir nicht befürchten müssen, daß man uns morgen umbringt, wenn ihr für Ordnung sorgt – dann macht es!

Das haben Ihnen Palästinenser gesagt?

Ja. Und nicht nur einer.

Sind Sie gegenüber Jordanien genauso skeptisch wie gegenüber der PLO?

Wenn die Beziehung zu Jordanien auf eigenen Beinen stehen könnte, würde ich nichts dagegen sagen. Aber sie basiert doch auf Oslo und auf dem Abkommen mit der PLO. Es handelt sich um ein Gebäude. Im ersten Stock wohnt die PLO, und im dritten Stock wohnen die Syrer. Und dazwischen sitzen die Jordanier. Der König hätte sich doch mit uns nicht eingelassen, wenn er von Assad kein grünes Licht bekommen hätte. Das heißt, Assad muß schon Versprechungen von uns bekommen haben, die den Golan betreffen. Es ist kein Zufall, daß der israelische Tourismus-Minister eben erklärt hat, es würden keine touristischen Projekte auf dem Golan mehr gefördert. Die Regierung bereitet die Rückgabe des Golans vor. Das Abkommen mit Jordanien ist das Narrenspiel zwischen zwei Trauerakten.

Stimmt es, daß Sie eine Anklage gegen die Regierung vorbereiten?

Ja. Wir haben die Klageschrift schon gedruckt und verbreitet, 100 000 Stück.

Worauf lautet die Anklage?

Wir sagen, es gibt Kriegsverbrecher und es gibt Friedensverbrecher. Vor Nürnberg gab es diesen Begriff »Kriegsverbrecher« überhaupt nicht. Der wurde geschaffen für die Nürnberger Prozesse. Die Verbrechen von Rabin, Peres usw. sind keine Kriegsverbrechen. Und sie tun es auch nicht für Geld, sie sind keine Agenten. Also muß man einen neuen Tatbestand schaffen: Friedensverbrecher. Politiker können ein Land auch im Namen des Friedens ins Unglück stürzen.

Wann soll der Prozeß stattfinden?

Sobald eine nationale Regierung die jetzige abgelöst hat, werden diese Leute vor Gericht gestellt. Ich habe nicht den geringsten Zweifel daran.

Wollen Sie putschen?

Nein. Einen Putsch macht eine Minderheit, nicht eine Mehrheit, die zeitweise überrumpelt wurde. Diejenigen, die jetzt an der Macht sind, werden für die Katastrophe zahlen. Sie werden persönlich zur Verantwortung gezogen werden, jeder einzelne. Das kommt, glauben Sie mir, ich weiß, was ich sage, ich meine es ernst.

Sie haben neulich die israelische Regierung einen »Judenrat« genannt. Wie kommen Sie darauf?

Die israelische Regierung benimmt sich wie ein Judenrat. Früher war der Judenrat eine Regierung von Gnaden der Nazis, heute ist es eine Regierung von Arafats Gnaden. Judenrat ist an sich kein Schimpfwort, das waren in der Regel anständige Menschen, die in eine unmögliche Lage gezwungen wurden. Wenn man also vergleichen wollte, würde der Vergleich zuungunsten von Rabin und Peres ausfallen. Weil die nicht in so einer grauenhaften Zwangslage sind, wie es die Judenräte waren. Die Judenräte hatten keine Wahl. Nun: Was ist der Unterschied zwischen einem Ghetto und einem Staat? Der Staat sorgt für Wohlfahrt, für Erziehung, für Ernährung. Er zeigt seine Symbole. So war es auch im Ghetto. Auf der Straßenbahn im Warschauer Ghetto war der Davidstern, und auf den Geldscheinen im Ghetto Lodz war eine Menora. Worin liegt also der Unterschied? Sicherheit. Der Staat sorgt in erster Linie für die Sicherheit seiner Bürger, dann kommt alles andere. Im Ghetto gab es keine Sicherheit. Im Gegenteil, aus dem Ghetto wurden Menschen in den Tod geschickt. Und wenn nun die palästinensische Polizei einen israelischen Polizisten erschießt, wir haben es alle gesehen, und nichts passiert, wenn Israelis überfallen und getötet werden, und nichts passiert, dann kann der Staat die Sicherheit seiner Bürger nicht garantieren. Das bedeutet: Wir bauen uns selbst ein Ghetto. Gestern wurde bei Bethlehem ein Autobus beschossen, eine Frau wurde schwer verletzt. Es war ein Versehen, es handelte sich um einen arabischen Bus, den die Terroristen für einen israelischen hielten, ein Mißverständnis. Wann immer wir von Kirjat Arba nach Jerusalem fahren, wissen wir nicht, ob wir lebend zurückkommen.

Sie sind schon unterwegs angegriffen worden?

Ich weiß nicht mehr, wie oft. Also, wenn der jüdische Staat seine eigenen Bürger nicht mehr schützen will oder kann, dann sind wir auf dem Weg ins Ghetto. Und dann ist die Regierung eine Art Judenrat.

Sie glauben nicht daran, daß Juden und Araber, Israelis und Palästinenser in Frieden zusammenleben können?

Es kommt darauf an, was Sie unter »Frieden« verstehen. Ich werde Ihnen auf Ihre Frage mit einer Anekdote antworten: Im Tel Aviver Zoo hat man einen Wolf und ein Lamm dazu gebracht, friedlich zusammenzuleben. Aus der ganzen Welt kommen Zoologen angereist, um sich die Sensation anzusehen. Ein Wolf und ein Lamm im selben Käfig? Eine biblische Prophezeiung wurde wahr! Einer der Besucher traut der Sache nicht, er fragt den Direktor: Wie habt ihr das gemacht? Worauf der Direktor sagt: Wir besorgen jeden Tag ein neues Lamm.

Wie viele Israelis teilen Ihre Ansichten?

Wir haben nach dem Treffen Rabins mit König Hussein eine Umfrage gemacht: 52 Prozent sind gegen eine Räumung der Siedlungen als Preis für den Frieden, 22 Prozent sind dafür, 16 Prozent meinen, die Siedler sollten sich mit Gewalt einer Räumung widersetzen, auch wenn das Blutvergießen bedeutet; 51 Prozent halten gewaltfreien Widerstand für berechtigt. Dann gab es eine Frage, ob das Militär den Befehl verweigern soll, wenn die Siedlungen geräumt werden. Und da war die Mehrheit dagegen. Die Israelis sind die Preußen des Nahen Ostens. Das alte Preußen wurde aufgelöst, aber es lebt in Israel weiter: Das Militär ist sakrosankt.

Sie haben ein Leben lang gekämpft, Sie haben einen bürgerlichen Beruf, Sie haben Familie, Kinder, Enkel. Sie sind jetzt 68 Jahre alt, Sie könnten ein schönes, angenehmes Leben in Ramat Chen bei Tel Aviv haben …

… ich habe ein schönes, angenehmes Leben hier.

Sie könnten jeden Abend an die Strandpromenade fahren …

… das interessiert mich überhaupt nicht …

… ohne befürchten zu müssen, unterwegs angegriffen zu werden.

Das wäre ein miserables Leben, das wäre ein Hinsiechen. Hier habe ich eine Aufgabe, hier habe ich eine Mission. Jetzt geht es darum, Widerstand im Land zu organisieren gegen eine Räumung der Siedlungen. Ich habe ein Leben voller Inhalt, mit wichtigen Aufgaben, und was Sie mir als Alternative vorschlagen – das wäre furchtbar. I'm perfectly happy.

Nach dem Infarkt
Interview mit Eljakim Ha'etzni, 1997

Herr Ha'etzni, es ist viel passiert, seit wir uns vor drei Jahren zum letztenmal getroffen haben. Rabin wurde ermordet, der Likud hat die Wahlen gewonnen, und Netanjahu verhandelt mit Arafat, obwohl er versprochen hatte, es nicht zu tun.

Alles Schlimme, das ich vorausgesehen hatte, ist eingetroffen. Für mich ist es ein Déjà-vu, als hätte ich diesen Film schon einmal erlebt. Diejenigen, die Illusionen hatten, sind enttäuscht, verbittert und entmutigt. Aber wer die innere Logik dieses Oslo-Verbrechens verstanden hatte, der ist weder überrascht noch entmutigt, noch enttäuscht. Es rollt wie ein Drehbuch ab.

Glauben Sie noch immer, daß es zu einer Katastrophe kommen wird?

Der Tag, an dem dieser Händedruck stattfand – dieser 13. September 1993 –, wird in die jüdische Geschichte eingehen wie der Tag der Zerstörung des Zweiten Tempels. Wir sitzen in der Falle. Wie es auch ausgeht, gut kann es nicht ausgehen. Wir haben nur die Wahl zwischen schlecht und katastrophal. Ich weiß auch nicht, warum es so kommen mußte. Vielleicht ist das jüdische Volk so programmiert, durch irgendeinen genetischen Defekt, sich selbst zu vernichten.

Eine Art Wiederholungszwang …

Nein, das ist genetisch. Das, was jede Katze hat, was jedes Tier hat, den Selbsterhaltungstrieb, einen Instinkt, die Gefahr zu ahnen – die Juden haben das nicht. Wenn Sie sich die jüdische Geschichte ansehen, werden Sie finden, daß wir immer gewarnt wurden – und rechtzeitig gewarnt wurden. Die Schrift war an der Wand, wir konnten sie sehen. Und vor dem großen Schlag bekamen wir kleinere Schläge. Nehmen Sie die Geschichte in Spanien, nehmen Sie die Pogrome in der Ukraine, nehmen Sie den Holocaust: Wie viele Philosophen haben wir gehabt? Wir hatten die besten Köpfe der Welt, auf allen Gebieten. Und außer diesem Herzl hat es keiner kommen sehen, was mit den Juden in Europa passieren würde. Und er war nicht der Beste, er war gut, aber er war nicht genial, er war nicht Tucholsky, er war nicht Karl Kraus; doch außer ihm hat keiner das Problem verstanden. Die Philosophen, die Schriftsteller, sie lebten in diesem antisemitischen Milieu mit diesem furchtbaren Haß, ich habe es doch als Kind in der Schule erlebt, und sie waren vollkommen blind.

Sie sehen Analogien zu hier und jetzt?

Natürlich! Wir haben hier die Araber. Die Araber sagen, daß sie uns hassen, und sie handeln entsprechend. Und wir sagen: Frieden! Das ist schon pathologisch. Und da es immer wieder vorkommt, muß es ein genetischer Defekt sein. Wir haben etwas Furchtbares an uns, das die Mörder anzieht.

Das klingt wie ein Fluch, dem man nicht entkommen kann.

Es muß irgendwo eine Liste der Vergnügen geben, die ein Mensch haben kann. Was macht am meisten Spaß? Und ganz oben auf der Liste steht: jüdisches Blut vergießen. Es muß jüdisches Blut sein, im Abendland und im Morgenland. Einen Juden zu töten ist ein besonderes Vergnügen. Bei dem Überfall auf den Touristenbus in Kairo vor ein paar Wochen, sagten die Täter: Wir wollten Juden töten. Hier in Hebron lebten im Jahre 1929 vielleicht tausend Juden, die waren arm und armselig, und es gab keinen jüdischen Staat und keine Besatzung, es gab keine arabischen Flüchtlinge. Und trotzdem haben sie uns überfallen. Und wenn Sie lesen, wie die Juden ermordet wurden ... Das war wie im Holocaust ... Mit was für einer Lust, das kann man sich überhaupt nicht vorstellen. Woanders läuft es genauso. Juden umbringen ist ein weltweites Vergnügen. Warum das so ist, weiß ich nicht, vielleicht wissen die religiösen Juden eine Antwort, vielleicht ist das die Erwählung.

Wenn es so ist, dann kann man machen, was man will, es nutzt nichts.

Nein. Ich sage, wenn es so ist, dann sollte ein Lebewesen, das so ein Problem hat, Mechanismen zum Selbstschutz entwickeln. Aber es ist genau umgekehrt. Dieses jüdische Schaf hält den Hals immer wieder hin. Jetzt halten wir den Hals den Arabern hin. Wie ist das möglich? Es läßt sich nicht logisch erklären. Deswegen ist jede Diskussion unmöglich. Wir diskutieren nicht, wir sind zwei Völker. Da sind die, die an diesen Scheinfrieden glauben, die das Land Israel zu Falastin machen wollen; und da sind die, die sich wehren wollen.

Heißt das, Eljakim Ha'etzni schleppt diesen genetischen Fehler nicht mit sich herum?

Herzl hatte ihn auch nicht. Er war doch ein säkularisierter Jude, hatte keine wirklichen Wurzeln zur jüdischen Kultur, Religion und Geschichte. Aber er hat den Holocaust vorhergesehen, durchlebt.

So wie Sie heute die kommende Katastrophe?

Ja, aber nicht nur ich. 61 Prozent der Juden haben bei den letzten Wahlen Netanjahu gewählt. 39 Prozent möchten lieber sterben, einen kollektiven Selbstmord begehen. Das ist der genetische Fehler, über den ich spreche.

Glauben Sie wirklich, alle, die Peres gewählt haben, sind todessüchtig?

Im jüdischen Volk haben Sie Kräfte, die genetisch defekt sind, und es gibt andere Kräfte, die sind abnormal gesund. So wird das jüdische Volk auf der einen Seite dezimiert, auf der anderen perpetuiert. Man kann auch von Israelis und Juden sprechen. Die Assimilanten, die Friedensapostel, die Leute mit dem genetischen Defekt, das sind die Israelis; die wollen keine Juden sein. Ich bin zuerst Jude, ein israelischer Jude wie ein amerikanischer Jude. Uri Avnery dagegen will kein Jude sein, sondern ein Israeli. Seine Situation ist tragisch oder tragikomisch, wie die Situation aller jüdischen Assimilanten in der Welt und in der Geschichte. Er ist ein Jude, der sich in Israel assimilieren will – aber an was? An den Islam? So wie der Herr Peres, der mal sagte, wir sollen der Arabischen Liga beitreten. Und dann bekam er die Antwort vom Sekretär der Arabischen Liga: Das kannst du machen, nur mußt du vorher zum Islam konvertieren. Das habe ich nicht erfunden! Ein Jude, der sich an die Deutschen in Deutschland oder an die Franzosen in Frankreich assimilieren wollte, das war eine klare Geschichte. Aber hier: Woran soll er sich assimilieren? Die Assimilation in diesem Lande ist noch grotesker, falls überhaupt möglich, als überall sonst.

Der Mord an Rabin wurde von einigen Israelis als ein Beleg für die »Normalität« Israels genommen. Sehen Sie es auch so?

Ich hatte nicht bemerkt, daß in meinen Zirkeln, also unter meiner Nase, so etwas kochte. Wenn Sie mich vor dem Mord gefragt hätten: Ist es möglich, daß so etwas passiert?, hätte ich gesagt: ausgeschlossen, unmöglich.

Immerhin hatten Sie seinerzeit ein Tribunal gegen Rabin vorbereitet.

Wenn ein Arzt, ein Architekt oder ein Anwalt einen Kunstfehler macht, dann kann er zur Rechenschaft gezogen werden. Nur ein Politiker kann sein Land ins Unglück stürzen, und es passiert ihm nichts, einfach nichts. Seit Oslo sind dreihundert Israelis bei Terroranschlägen getötet worden. Als wir damals das Tribunal vorbereiteten, waren diese dreihundert noch am Leben.

Wäre Rabin nicht ermordet worden, hätten Sie das Tribunal wirklich veranstaltet?

Ich meinte keinen Schauprozeß. Ich wollte, daß eine israelische Regierung sich wirklich der Sache annimmt. Die Grundlage des Tribunals wäre gewesen, daß die Folgen, die furchtbaren Folgen eingetreten wären. Das war meine Absicht. Dann kam plötzlich und unerwartet der Sieg Netanjahus – bevor die Friedensverbrechen sich auswirken konnten. Und wir dachten, daß Netanjahu die Folgen von Oslo eliminieren wird, abwenden wird, daß wir in der letzten Sekunde noch gerettet werden. Ich kann nicht definitiv sagen, daß wir schon wissen, wohin Netanjahu eigentlich steuert. Wir sind mit ihm nicht glücklich, wir fürchten das Schlimmste. Aber wir haben einen Einfluß auf den Gang der Dinge; wir haben einen stärkeren Einfluß, als manche glauben. Und das Ganze kocht und brodelt. Wir versuchen zu verhindern, daß Oslo solche Ausmaße annimmt, wie das unter Peres der Fall gewesen wäre.

Eigentlich wurde Netanjahu ja gewählt, um das »Unglück von Oslo« abzuwenden …

… und er macht weiter mit Oslo. Da haben wir ein Problem, wir wissen es.

Es ist nicht nur Netanjahu. Der Likud-Abgeordnete Meir Scheetrit sagt, der palästinensische Staat ist unvermeidlich. Netanjahus Berater David Bar-Ilan sagt, es wird einen palästinensischen Staat geben, es ist nur eine Frage der Grenzen und der Garantien. Viele Ihrer Freunde im Likud …

… es sind nicht meine Freunde. Der Likud war nie eine rechte Partei, der Likud ist eine Partei der Mitte. Und ein Supermarkt.

Jedenfalls nehmen etliche Likud-Politiker Positionen ein, die sich von Ehud Barak und der Arbeitspartei nicht unterscheiden.

Das stimmt leider.

Und Netanjahu macht da weiter, wo Peres aufgehört hat, nur mit einer anderen Strategie oder Taktik.

Das ist noch nicht klar. Wenn Peres an der Macht wäre, dann wäre der Golan heute schon in syrischen Händen, säßen die Syrer am Ufer des Kinneret. Daran gibt es keinen Zweifel. Zweitens: In Judäa und Samaria wird überall gebaut. Schon die Rabin-Peres-Regierung hat eine Milliarde Schekel in Straßen investiert. Es gibt ein jüdisches Gemeinwesen in Judäa und Samaria, Siedlungen, Straßen, eine komplette Infrastruktur. Und daneben gibt es eine arabische Infrastruktur. Wir wollten alles zusammen nutzen mit den Arabern, aber die wollten nicht. Sie haben mit Steinen geworfen. Trotz allem gibt es eine Symbiose zwischen uns und den Arabern, aber das ist eine andere Geschichte. Diese jüdische Infrastruktur ist stark genug, um eine Million Juden aufzunehmen. Schauen Sie sich eine Siedlung wie Har Bracha bei Nablus an. Was allein die Straße gekostet hat zu diesen sechzig Familien, die da auf dem Berg leben. Und alle anderen Einrichtungen. Damit kann man tausend Familien versorgen. Wir haben jetzt eine Infrastruktur für eine Million Juden, allein in Judäa und Samaria. Und wer sich die Illusion macht, die Regierung könnte auch nur eine Siedlung aufgeben – no way. Ich mach' mir da keine Sorgen. Auch die Arbeitspartei hätte es nicht machen können.

Worüber machen Sie sich dann Sorgen?

Um den Staat Israel. Die Gefahr besteht nicht in erster Linie für uns, die Gefahr besteht für Tel Aviv. Bald leben in Judäa und Samaria 200 000 Juden, dazu kommen 150 000 Juden in dem Teil von Jerusalem, der mal jordanisch war. Wenn es dazu kommen sollte, daß Netanjahu kapituliert und den Bau der Siedlungen stoppt, dann werden wir ihn zu Fall bringen, dann werden die ganzen Karten neu gemischt. Er weiß es, er weiß, daß wir dazu in der Lage sind.

Trotzdem hat Netanjahu erklärt, es werde einen weiteren Rückzug und weitere Verhandlungen geben ...

Quatsch mit Soße. Er hat genau das gemacht, was Arafat schon die ganze Zeit macht. Arafat hat versprochen, er wird die Palästinensische Nationalcharta ändern, und Netanjahu hat gesagt, wir werden uns zurückziehen. Der eine hat was gesagt, und der andere hat was gesagt. Alles, was Arafat verspricht, bleibt auf dem Papier; und alles, was Netanjahu verspricht, bleibt auch auf dem Papier, sehr gut!

Es gibt amerikanischen Druck auf Netanjahu ...

... den amerikanischen Druck gibt es, seit Israel gegründet wurde. Netanjahu hat diesen Frieden diskreditiert, alle Umfragen zeigen, daß die Israelis nicht mehr an diesen Frieden glauben. Netanjahu hat das Wesen dieses Friedens allen klargemacht. Eine große Mehrheit der Israelis glaubt nicht mehr an den Frieden von Oslo. Das ist eine Errungenschaft. Und jetzt reagieren viele Israelis so wie Sie eben: Aber der amerikanische Druck! Clinton ist eine lahme Ente. Dafür ist der amerikanische Kongreß mehr pro Israel als die israelische Knesset. Jetzt sagt Netanjahu noch etwas: Was die Araber schon haben, das können wir ihnen nicht mehr nehmen. Das würde bedeuten, daß wir einen Krieg vom Zaun brechen, und das tut kein demokratischer Staat …

… man kann die Uhr nicht zurückdrehen …

… außer wenn die Araber einen Krieg anfangen, dann wird man die Uhr zurückdrehen, dann sind wir wieder in Gaza, und die Palästinenser dort werden sagen: Danke, daß ihr uns befreit habt von der tunesischen Besatzung. Aber ich will keinen Krieg, keine Opfer, keine Toten. Was die schon haben, können wir ihnen nicht mehr nehmen.

Aber was haben sie?

Etwa 28 Prozent der Fläche von Judäa und Samaria. Gaza ist schon aufgeteilt. Schauen Sie mal durch das Fenster. Das ist das arabische Hebron. Ich will es nicht haben, es bleibt arabisch. Am Ende werden es vielleicht 35 bis 40 Prozent der Fläche sein.

In welcher Form?

Ein Block bei Jenin, ein Block bei Nablus, ein Block bei Hebron, das ist kein zusammenhängendes Gelände. Das sind Enklaven. Wir überwachen, was kommt hinein, wer kommt heraus. Wir kontrollieren die Wasserquellen. Die können Briefmarken haben, eine Radiostation, eine Fahne. Wenn das ein Staat ist, dann haben die Palästinenser schon einen Staat.

*Sie gehen heute weiter als vor drei Jahren. Da wollten Sie
den Palästinensern nicht einmal soviel zugestehen.*

Was soll ich machen? Das ist schon geschehen! Wir haben diesen Terroristen hergeholt, wir haben uns selbst mit
dieser Krankheit angesteckt.

Wozu dann der ganze Aufwand, wozu noch Verhandlungen?

Wir fahren auf dem Gleis von Oslo, und Netanjahu sagt:
Ich kann diesen Zug nicht entgleisen lassen, er wird umkip-
pen. Ich muß den Zug auf dem Gleis stoppen. Wir sind
Realisten. Wenn Peres am Ruder wäre und wenn ein palästinensischer Staat in den Grenzen von 1967 entstanden
wäre, wäre es schon zum Krieg gekommen. Dieser Krieg
mit den Arabern ist wie eine Kugel schon in der Luft.

Netanjahu kann ihn nicht verhindern?

Natürlich nicht. Nur haben wir jetzt bessere Bedingungen, diesen Krieg zu überleben. Unter Peres wäre Israel
schon überrannt worden. Jetzt haben wir wenigstens eine
Chance, den Krieg zu überleben.

Warum, glauben Sie, ist ein Krieg unvermeidlich?

Schauen Sie sich die Lage aus der arabischen Sicht an!
Arafat ist ein Räuberhäuptling, ein Terrorist, ein Mörder,
eine der scheußlichsten Gestalten dieser Zeit. Aber er ist
auch ein großer Staatsmann. Er hat sich Jahrzehnte in der
Diaspora behauptet. Wenn es brenzlig wurde in Damaskus,
dann ging er nach Bagdad, nach Kairo oder nach Tunis.
Arafat ist die Verkörperung des souveränen Willens der Palästinenser, und für ihn ist die palästinensische Frage vor allem eine Flüchtlingsfrage. Er hat einen Brückenkopf in Palästina errichtet, um die Flüchtlinge nach Jaffa und Haifa
zurückzubringen. Das ist seine Perspektive. Und was haben
wir ihm gesagt? Du kannst herkommen, aber nur du und

deine Kamarilla, deine Bande. Dein Volk bleibt draußen. Mit anderen Worten: Es gibt ein Riesenflüchtlingsschiff, ein kleines Boot mit dir darf an Land kommen, aber du mußt dich verpflichten, daß die anderen draußen bleiben. PLO heißt ja: Palestine Liberation Organization. Wenn wir den Vertrag von Oslo mit einem Araber aus Hebron oder Nablus gemacht hätten, wäre es etwas anderes. Für den wäre die Flüchtlingsfrage auch wichtig, aber sie ist nicht sein ganzes Leben. Arafat ist die Verkörperung des Wunsches der Flüchtlinge nach Rückkehr. Und Arafat hat uns nicht angelogen. Er hat immer gesagt: Über das Flüchtlingsproblem muß verhandelt werden.

Arafat hat aber nicht die Mittel, seine Forderungen durchzusetzen. Er kann nicht mal die Einwohner der autonomen Gebiete ordentlich versorgen.

Arafat hat mindestens zehn Milliarden Dollar in der ganzen Welt investiert. Die rührt er nicht an. Seine arabischen Brüder, die Tag und Nacht gegen uns wettern, geben nicht einen einzigen Ölbrunnen, um den Menschen in Gaza zu helfen. Er bekommt Hunderte von Millionen, um eine Infrastruktur zu bauen. Der Herr Peres, der über den Wellen schwebt, hat mal gesagt: »Gaza wird ein zweites Singapur.« Es wäre sehr einfach, ein zweites Singapur in Gaza aufzubauen. Man müßte nur die Araber gegen Chinesen austauschen. Was macht Arafat mit dem ganzen Geld? Ich werde es Ihnen sagen. Er bezahlt fünfzigtausend Soldaten. Wenn jeder nur dreihundert Dollar pro Monat bekommt, dann sind es schon fünfzehn Millionen Dollar jeden Monat, 30 bis 40 Prozent des Budgets verschwinden irgendwo, laut Angaben der Palästinenser. Deswegen müssen wir den Palästinensern Arbeit geben, wir müssen deren Gemüse kaufen, das mit Pestiziden vergiftet wurde. Wir sind eine Kolonie des palästinensischen Staates. Jedes Jahr werden bei uns über vierzigtausend Autos gestohlen. Die meisten kommen in die palästinensischen Gebiete, damit subventionieren wir Herrn Arafat und seinen Staat.

Daran sind auch israelische Diebe beteiligt ...

... und wenn wir die Gebiete nach einem Anschlag absperren, schreit die ganze Welt: Ihr hungert die Palästinenser aus. Mit anderen Worten: Arafat hat einen Anspruch darauf, daß wir seinen Staat unterhalten. Das muß eines Tages platzen.

Gibt es aus Ihrer Sicht keine Möglichkeit, diese Katastrophe zu verhindern? Es kann doch nicht sein, daß es zum Krieg keine Alternative gibt?

Der Krieg läßt sich hinausschieben. Wann er kommt, hängt davon ab, was wir unternehmen. Wenn die Araber lesen, wie geteilt wir sind, wie die Moral in der Armee gefallen ist, bekommen sie Appetit. Das bringt den Krieg näher. Und wenn es zu einem Zusammenstoß mit Arafat kommt, gibt es einen Domino-Effekt, von Kairo bis Teheran; am Ende werden alle arabischen Staaten gegen uns kämpfen.

Wenn Sie Netanjahu wären ...

... dann hätte ich schon längst gesagt: Wir haben einen Herzinfarkt bekommen, jetzt müssen wir aufpassen, daß wir den Schaden begrenzen, daß es nicht schlimmer wird. Es bleibt beim Status quo, aber wir erkennen die Gültigkeit von Oslo nicht an.

Sie hätten die Autonomie eingefroren?

Ja. Was ich mit den Arabern anstrebe, ist kein formeller Frieden, weil wir ihn in dieser Generation nicht haben werden. Ich will einen Modus vivendi. Ich hätte zu Arafat gesagt: Oslo verpflichtet weder dich noch mich. Aber du bist nun mal da, wir haben dich hergeholt. Wir können uns arrangieren, ad hoc. Alle Fragen werden ad hoc von Fall zu Fall geklärt. Wir reden über Arbeiter, die bei uns arbeiten wollen, über gemeinsame Kläranlagen, wie man als Nachbarn vernünftig zusammenleben kann.

Welchen Status hätte Arafat dann gehabt? Chef eines Homeland?

Wir nennen das Autonomie. Er wäre der Chef. Oder sonst jemand.

Und welche territoriale Ausdehnung hätte diese Autonomie gehabt?

Diese 28 Prozent, von denen ich vorher gesprochen habe. Wir hätten das akzeptiert, was Netanjahu bei seinem Regierungsantritt vorgefunden hat. Das Herz nach dem Infarkt. Und wenn hier oder dort noch ein Brunnen, ein Baum oder ein Tal dazugekommen wäre – bitte sehr. Die Araber sollen alle Rechte im Land haben, aber keine Rechte auf das Land. Anders können wir nicht bestehen. Sie können doch nicht ein Rasiermesser umarmen. Auf der politischen Ebene sind die Araber zu nichts bereit. Und wenn sie etwas unterschreiben, dann nur, um uns zu täuschen und dann zu vernichten.

Das war so, das ist so, und das bleibt so?

Der Wolf sagt: Ich bin die Großmutter. Das ist so einfach und so primitiv wie bei Rotkäppchen. Dieses Mal ist es Blauweißkäppchen. Peres und Rabin sagten: Das ist doch die liebe Großmutter. Und wir sagen: Nein, es ist der Wolf. Und nur bei den Brüdern Grimm kann man nachher das Rotkäppchen aus dem Wolfsbauch lebend herausschneiden. Aber nicht in der Wirklichkeit.

David aus Westfalen

*E*s weht ein eisiger Wind durch Kirjat Arba, doch was
uns nicht umwirft, das macht uns nur stärker. Wir sitzen im
Garten hinter dem Haus von David und schauen Khalil
beim Arbeiten zu. Wir könnten uns auch ins Haus setzen,
doch wegen der Sicherheitsbestimmungen, sagt David,
könne er Khalil nicht unbeaufsichtigt lassen. Heute morgen
habe es schon irgendwelche Probleme mit Khalils magneti-
scher Passierkarte gegeben, deswegen sei Khalil beim Secu-
rity check aufgehalten worden. Dafür legt er sich jetzt um
so mehr ins Zeug. Mit einer Schubkarre schafft er lose Erde
heran und füllt, Karre um Karre, Löcher im Boden auf. Der
Garten muß befestigt werden, bevor der Winterregen einsetzt, sonst hat David im Frühjahr keinen Garten mehr. Um
Khalil die Arbeit zu erleichtern, hat David eine Metall-
schiene besorgt, eine Art mobile Rampe; Khalil nimmt jedesmal Schwung, um die schwere Karre auf die Schiene zu
rollen, doch bei jedem zweiten Anlauf landet er daneben.

»Er arbeitet wie ein Dachs«, sagt David, »was der an einem Tag schafft, ist unglaublich.«

Am Ende des Tages hat Khalil, der »irgendwo bei Hebron« wohnt, »einhundert Schekelchen verdient, und er
freut sich noch sehr darüber«. Khalil trägt ein rosafarbenes
Sweatshirt mit dem Aufdruck »active wear« und schwitzt,
während wir vor Kälte zittern. Das heißt, eigentlich zittere

nur ich, denn David ist Kälte gewohnt. »Bei uns zu Hause war es nie wärmer als 16 Grad, mein Vater hat die Temperatur immer persönlich kontrolliert.«

Und das war nicht in Kirjat Arba, sondern »in einer Stadt in Westfalen«, wo David 1955 geboren und auf den Namen Hans getauft wurde. Daheim galt die Parole: »Wir sind nicht jedermann!« Der Vater war Senatspräsident am örtlichen Oberlandesgericht, und wenn es mal Streit in der Familie gab, hatte er das letzte Wort: »Die Dummen fassen den Mehrheitsbeschluß, daß stets der Klügere nachgeben muß.«

Schon mit zwölf, dreizehn Jahren, erinnert sich David, »fing mein Judenfimmel an«, da habe er sich nach »dem Sinn des Lebens« gefragt, »Fragen nach Gott« gestellt und versucht, »sich den Überbau so zurechtzulegen, daß er mit dem Unterbau übereinstimmt«, was keine leichte Übung war, da ihm »das Gefühl der Sinnlosigkeit« zu schaffen machte. Mit sechzehn stand die Entscheidung fest. Doch »vorher wollte ich noch mein Abitur machen«. 1972, im Alter von siebzehn Jahren, hatte er die Reifeprüfung bestanden; statt Jura zu studieren, wie es der Vater gern gesehen hätte, brach er mit dem Fahrrad auf dem Landweg nach Israel auf, »weil ich Jude werden wollte«. Schon damals war ihm klar: »Von allen Religionen ist das Judentum das einzige philosophische System ohne inneren Widerspruch.«

Etwa zur selben Zeit ließ sich der Vater mit 62 Jahren pensionieren, »aus Enttäuschung darüber, daß er nicht Präsident des Oberlandesgerichts wurde«; anschließend trat er als Rechtsanwalt seinen ehemaligen Kollegen gegenüber. 1910 geboren, hatte er im Dritten Reich Jura studiert und war »als junger Jurist natürlich in der Partei«. Beim Einmarsch in Polen diente er in der Artillerie, später war er

»in der Verwaltung in der Ukraine« beschäftigt. Nach dem Krieg wurde er entnazifiziert, mußte aber eine Weile als Holzhauer im Westerwald arbeiten, bevor er beim Landgericht Lünen als Richter angenommen wurde. Womit der Vater in der Verwaltung der Ukraine beschäftigt war, das hat er seiner Familie nie erzählt. Einmal, erinnert sich David, war von der »Zeit in der Kammer« die Rede, womit vermutlich eine »Kleiderkammer« gemeint war.

Die Eltern (»Wir hatten einen astreinen Ahnenpaß!«) waren grundsätzlich nicht gegen die Konversion, die aus ihrem Hans einen David machen würde, aber sie waren mit seinen Umzugsplänen nicht einverstanden. Doch da war es schon zu spät, um ihn umzustimmen. »Man kann theoretisch überall Jude sein, aber es geht nicht in einem Land, in dem es keine funktionierende jüdische Gemeinde gibt.« Unter diesen Umständen war die Wahl klar. »Jude werden bedeutete: auswandern. Und da war es das vernünftigste: in das Land der Juden.«

Zum Laubhüttenfest 1972 kam Hans in Israel an, noch nicht einmal achtzehn Jahre alt, weswegen das Rabbinat »keine Konversionsakte aufmachen« wollte. Er meldete sich bei der »Sochnut«, die sich um Neueinwanderer kümmert, fand einen Platz in einem religiösen Kibbuz, lernte Hebräisch und was einer sonst noch alles wissen muß, der Jude werden möchte. Normalerweise dauert eine Konversion Jahre, die Rabbiner machen den Übertritt so schwer wie möglich. Doch Hans brauchte nur ein knappes Jahr, »einschließlich der Beschneidung«. Kurz vor dem Ausbruch des Jom-Kippur-Krieges im Oktober 1973 hatte er es geschafft: Er war Jude geworden. »Mich wurmte nur, daß ich nicht gleich Soldat werden und mitkämpfen konnte.«

Im Frühjahr 1974 zog David nach Kirjat Arba, wo er in der örtlichen »Jeschiwa« vier Jahre lang den Talmud und die Thora studierte. »Gegen Ende der vier Jahre sah ich mich nach einer Frau um.« Er fand eine Tochter aus einer frommen jüdisch-irakischen Familie, die er 1978 heiratete. Inzwischen hat das Paar sechs Kinder, vier Jungen und zwei Mädchen im Alter von achtzehn bis vier Jahren. Die Mutter arbeitet als Lehrerin in Jerusalem, der Vater übersetzt Computer-Literatur aus dem Englischen ins Hebräische. Einen Tag in der Woche arbeitet er am »Rabbiner-Institut« in Kirjat Arba mit, wo Talmud-Forschung zu aktuellen Fragen betrieben wird. Zum Beispiel: Darf ein Kind von einer Frau empfangen und von einer anderen geboren werden? Wem gehört das Ungeborene?

Über die Rechte des Ungeborenen hat David eine ganze Abhandlung geschrieben. »Es kann als Eigentum behandelt werden, es kann Eigentümer sein, und wenn es weiblich ist, kann es unter bestimmten Bedingungen verheiratet werden.« Das alles steht so im Talmud? »Nicht direkt, man muß es aus den Quellen ableiten.« Mit dieser Technik lassen sich höchst komplexe Probleme lösen, »sogar die Frage nach der Zulässigkeit einer Geschlechtsumwandlung«.

Inzwischen ist Khalil mit der Arbeit gut vorangekommen, und David fällt ein, daß er seinem Arbeiter etwas zu essen geben sollte. Wir gehen ins Haus, wo es ein wenig wärmer ist als draußen, obwohl die Heizung nicht an ist. »Der Thermostat ist auf achtzehn Grad eingestellt«, immerhin zwei Grad mehr als früher im Haus der Eltern in Westfalen. Die Küche ist lange nicht mehr aufgeräumt worden. Das Durcheinander aus nicht gespültem Geschirr, Essensresten und vernutzten Putzlappen provoziert die Frage, ob es auch für diese Situation anwendbare talmudische Regeln gibt. David spült einen Teller, trocknet ihn ab und belegt ihn mit Brotscheiben, deren Ränder bereits nach oben weisen. Dann schneidet er eine große Tomate in Scheiben, verteilt sie über das Brot und schlägt zwei Eier in die Pfanne. Das Rührei wertet das karge Tomatenbrot zu einer kompletten Mahlzeit auf. Zum Nachtisch bekommt Khalil eine halbe Dose Hüttenkäse. Der Mann scheint hungrig zu sein, denn er ißt alles auf. Ich überlege, ob ich den Hausherrn um eine Tasse des landesüblichen »Café Nes« bitten soll, lasse es aber sein, um seine Gastfreundschaft nicht zu strapazieren. Immerhin, während Khalil sich wieder an die Arbeit macht, bleiben wir im Haus. Allerdings setzt sich David so, daß er jederzeit sehen kann, was Khalil gerade macht.

Es lebe sich gut in Kirjat Arba, sagt David, Wohnungen gebe es »zu günstigen Bedingungen billig zu kaufen«; für den Preis des Hauses, in dem die achtköpfige Familie wohnt, »könnten wir uns in Jerusalem keine drei Zimmer leisten«. Im Winter liegt Schnee vor der Tür, »man kann Schneemänner bauen«, und im Sommer ist die Hitze erträglicher als anderswo. Außerdem ist es »ein gutes Gefühl, an einem geschichtsträchtigen Ort zu sein«, obwohl man »seit dem Dr.-Goldstein-Massaker« – auch ein Massenmörder hat einen Anspruch darauf, mit seinem akademischen Grad tituliert zu werden – »nur noch auf dem Bauch kriechend in die Machpela gelassen wird, nach vorheriger Leibesvisitation und Revolverabgabe«. Das sei »sehr unangenehm«, da gehe er »lieber gar nicht rein«.

Als er am Morgen des Purimfestes 1994 die ersten Gerüchte von dem Massaker in der Machpela hörte, da habe er sich »nicht übermäßig dafür interessiert«, denn da war

»nichts, was ich für irgendeine ins Haus stehende Entscheidung benötigte«. Jeder in Kirjat Arba habe Dr. Baruch Goldstein gekannt: »Er war der Notarzt und kam immer, wenn man ihn brauchte.« Und eines Tages, da hat er »durchgedreht«. Es gab Leute in Kirjat Arba, erinnert sich David mit leichtem Widerwillen, »die das sowohl für moralisch richtig als auch für menschheitsnützlich hielten«, doch »aufgeregt waren wir alle«, wenn auch nicht wegen der Tat, sondern »weil damals sofort eine landsweite, vielleicht sogar weltweite Rumhackerei einsetzte nach allem, was nach Kirjat Arba aussah«.

Das Argument, »die Araber sind unsere Feinde«, sei zwar wahr, aber deswegen müsse man sie nicht gleich umbringen. Wer umgebracht werden soll, bleibe »der Staatsgewalt überlassen«, die auch »über die Art und den Zeitpunkt zu befinden« habe. Und es sei »zumindest fraglich, ob man sich dann gerade solche schnappen darf, die einem gerade vor das Rohr kommen«.

Anders als sein Nachbar Eljakim Ha'etzni denkt David über einen möglichen Krieg als Folge des Oslo-Abkommens nicht nach. »Sorgen mach' ich mir nur über was, worauf ich reagieren kann.« Er nimmt den Krieg so in Kauf, »wie Deutschland auf das zweite Tschernobyl wartet«.

Sollte es aber zu Feindseligkeiten kommen, »werden bestimmt jüdische Siedlungen überrannt werden«, denn »das Militär ist nicht in der Lage, das zu verhindern«. Und vielleicht ist das so »von der Obrigkeit eingeplant, daß die Leute nicht von den eigenen Soldaten abgeschleppt, sondern von den Arabern abgeschlachtet werden«.

Doch seit er entdeckt hat, welche »Schätze der Weisheit in der jüdischen Literatur verborgen« sind, haben alle weltlichen Probleme ihren Schrecken verloren. Und wenn David von der »jüdischen Literatur« spricht, dann meint er natürlich »die talmudische Literatur«, nicht Literaten wie Heine, denn: »Heine war keine Form von Judentum!«

Vor Jahren, als Rabin und Peres noch das Land regieren, da hat David an Demonstrationen von »Zo Artzeinu« (Das ist unser Land) teilgenommen, deren Anführer inzwischen wegen Aufruhrs bestraft wurden. Er wurde zweimal verhaftet, saß einmal zwei und einmal drei Tage im Gefängnis, »sonst hätte es sich nicht gelohnt«. Aus dieser Zeit hat er noch eine Mütze, die er bei der Gartenarbeit trägt – »damit mir die Kippa nicht im Wind wegfliegt« –, das heißt, wenn er Khalil bei der Gartenarbeit beaufsichtigt.

Könnte nicht auch Khalil, der »irgendwo bei Hebron« wohnt, mit ebenso viel Berechtigung »Das ist unser Land« sagen wie David, der in Westfalen geboren wurde?

»Schon möglich«, sagt David, »aber wir sind uns einig, er kommt jedesmal wieder, wenn ich ihn brauche, und bekommt am Ende seinen Lohn. Was soll er mehr wollen? Ich weiß nicht, ob er politische Aspirationen hat; eher nicht.«

Sagt's und setzt die »Zo Artzeinu«-Mütze auf. Und da fällt ihm noch ein Argument ein: »Die meisten Deutschen wären bestimmt nicht damit einverstanden, wenn Flensburg an die Türken übereignet würde.«

Wenn schon, dann an die Dänen, schlage ich vor.

»Auch nicht an die Dänen!« stellt David klar.

Es bleibt also alles, wie es ist. Flensburg – eine deutsche Stadt; Kirjat Arba – eine israelische Siedlung bei Hebron, mitten in Judäa. Khalil wird weiter bei David arbeiten, und David wird »Zo Artzeinu« rufen, wann immer von dem Land die Rede ist, das Gott den Juden versprochen hat.

Ein bißchen Frieden

*I*m Jahre 1992 krachte und brannte es überall in den besetzten Gebieten; die Intifada, der Aufstand der Palästinenser, war im fünften Jahr und ein Ende der Unruhen nicht abzusehen. Da hatte der damalige Ministerpräsident Jitzhak Rabin eine Idee. Er ließ 416 tatsächliche und vermeintliche Rädelsführer aus den »Gebieten« in den Südlibanon deportieren. Ohne die Anführer, so seine Überlegung, würde die Intifada in sich zusammenbrechen. Doch es krachte und brannte noch immer überall in der West Bank und im Gaza-Streifen. Hinter jedem Stein, der geworfen, und jedem Brandsatz, der gezündet wurde, stand auch noch die Forderung nach der Rückkehr der Deportierten. Zur größten Überraschung der Israelis ging der Intifada auch »kopflos« nicht die Luft aus.

Die 416 deportierten Männer – zum großen Teil Ärzte, Lehrer, Ingenieure – saßen derweil in einem Zeltlager in den libanesischen Bergen und empfingen fast täglich Abgesandte der Medien. Bilder und Berichte gingen um die Welt, die keinen Zuschauer kaltließen. In Decken gehüllte Vertriebene, die sich zum gemeinsamen Gebet versammelten und mit einfachen Geräten ihr Essen kochten, doch ungebrochen und überzeugt, daß die Leiden einen Sinn haben. Sprecher der Deportierten war Abdel Asis Rantisi, ein bekannter Kinderarzt aus Khan Yunis im Gaza-Streifen und

Mitbegründer der Hamas im Jahre 1987. Er arbeitete in einem Krankenhaus der Militärverwaltung, wurde 1985 »wegen meiner politischen Aktivitäten« entlassen und unterrichtete seitdem an der Islamischen Universität in Gaza angehende Krankenschwestern.

Rantisi war fast jeden Abend im israelischen Fernsehen zu sehen. Am Ende diktierte er den Israelis die Bedingungen der Rückkehr: alle oder keiner.

Am 14. Dezember 1993, nach genau zwölf Monaten Deportation, kehrte Rantisi heim, wurde aber sofort in »Administrativhaft« genommen. Nach drei Jahren und vier Monaten, am 21. April 1997, wurde Rantisi aus dem Gefängnis von Beer Schewa entlassen. Seitdem agiert er wieder als der intellektuelle Kopf der Hamas, die Nummer zwei der fundamentalistischen Bewegung nach dem spirituellen Führer, Scheich Yassin.

Abdel Asis Rantisi, 1947 geboren, wohnt mit seiner Großfamilie in einem geräumigen Haus am Rande von Khan Yunis, trägt immer ein Motorolla-Handy mit sich herum, gibt aber weiblichen Reportern weder die Hand, noch schaut er sie im Gespräch an. Bei der Massenfeier zum zehnjährigen Bestehen der Hamas, Ende Dezember 1997 in Gaza, hielt er eine programmatische Rede über die Zukunft und die Ziele der Bewegung.

Das folgende Gespräch mit ihm wurde im Dezember 1997 in seinem Haus auf englisch geführt.

Abdel Asis Rantisi, Sie haben die Hamas vor zehn Jahren mitgegründet, Sie waren Sprecher der 416 Deportierten im Libanon. Welchen Rang haben Sie heute innerhalb der Hamas?

Sie können sagen, ich bin einer der Führer.

Ist es möglich, die Hamas-Philosophie in einem Satz zusammenzufassen?

Unsere Ideologie basiert auf den Lehren des Islam. Das bedeutet: Wir halten uns an die Vorschriften des Koran und des Propheten Mohammed. Dazu haben wir uns verpflichtet. Und während wir den Kampf um die Befreiung unseres Landes fortsetzen, reichen wir unseren Brüdern in der Palestinian Authority die Hand und sagen ihnen: Laßt uns in Frieden zusammenleben.

Es gibt trotzdem erhebliche Differenzen zwischen der Hamas und der palästinensischen Regierung von Yassir Arafat.

Es ist schwierig, Kompromisse zu schließen, weil wir wenig Raum haben, um uns zu bewegen. Trotzdem können wir zusammenarbeiten, um unsere Gesellschaft zu bauen, um zusammen ohne Blutvergießen zu leben. Aber in der Politik gehen wir getrennte Wege.

Worum geht es eigentlich?

Der wichtigste Punkt ist: Als gläubige Moslems können und dürfen wir Israel nicht anerkennen. Israel wurde vor fünfzig Jahren auf unserem Land errichtet, unser Volk wurde vertrieben. Wir wären nur bereit, einen Waffenstillstand zu akzeptieren, einen zeitlich begrenzten Waffenstillstand zwischen uns und Israel, nicht mehr. Damit würden wir den Kampf um die Befreiung unseres Landes aufschieben – nicht aufgeben.

Wie lange könnte der Waffenstillstand dauern?

Das hängt von uns ab. Wir könnten einen Waffenstillstand für zehn Jahre erklären oder nur für ein halbes Jahr. Das einzige, was uns unser Glaube verbietet, ist ein dauerhafter Frieden mit den Besatzern. Wir dürfen ihnen nicht die Anerkennung schenken, das wäre so, als wenn wir sagen würden: Eure Besatzung ist legal. Wir erkennen ihren Besitzanspruch auf das Land nicht an. Deswegen kommt nur ein zeitlich begrenzter Waffenstillstand in Frage.

Offensichtlich ist die Kluft zwischen Hamas und Israel noch größer als die zwischen Hamas und Arafat.

Dafür sind die Juden verantwortlich, die gekommen sind, um hier zu leben. Sie sagten uns: Es ist unser Land, weil unsere Vorväter vor Tausenden von Jahren hier gelebt haben. Ich war sechs Monate alt, als meine Familie aus Yibna vertrieben wurde. Seit fünfzig Jahren sagen wir den Juden: Ihr habt uns vertrieben und entwurzelt, aber das Land gehört noch immer uns. Es liegt an den Juden, die ihre Häuser verlassen haben und hierher gezogen sind, daß die Kluft zwischen Moslems und Juden so gewaltig groß ist.

Würden Sie über den Waffenstillstand direkt mit Israel verhandeln?

Nein. Wir haben unseren Vorschlag bekanntgemacht, aber wir werden mit Israel nicht darüber verhandeln. Wenn die Israelis unser Angebot annehmen wollen, dann können sie darüber mit Arafat reden. Wir ziehen es vor, daß ein anderer in unserem Namen spricht.

Arafat verhandelt mit Israel über die seit 1967 besetzten Gebiete. Wenn Sie von »Befreiung« sprechen, meinen Sie das ganze Land, Israel und die besetzten Gebiete.

Arafat hat Israel anerkannt. Deswegen kann er nur über die besetzten Gebiete verhandeln. Wir erkennen Israel nicht an. Das ist der Gegensatz zwischen uns und Arafat.

Könnten Sie den Gegensatz überbrücken? Israel ist Ihr Feind, aber Arafat ist Ihr Bruder.

Wir haben unsere eigene Ideologie. Wir halten uns an die Gebote des Islam, wir sind keine weltliche Partei, und wir dürfen nichts akzeptieren, was der Ordnung des Islam widerspricht.

Rabbi Menachem Fruman hat vor kurzem Scheich Yassin in Gaza besucht. Halten Sie solche Begegnungen für sinnvoll?

Nein. Weil sie nur von einer Seite ausgehen. Scheich Yassin hat Rabbi Fruman gesagt, er soll zu Arafat gehen und mit ihm verhandeln.

Aber er war sehr freundlich.

Rabbi Fruman hat Scheich Yassin in dessen Haus besucht. Es ist unsere Tradition, Gäste willkommen zu heißen. Aber Scheich Yassin hat sich geweigert, mit Rabbi Fruman zu verhandeln.

Fruman wollte über die Terroraktionen der Selbstmordkommandos reden.

Wir betrachten sie nicht als Terroristen. Die Palästinenser haben das Recht, sich zu verteidigen, für ihre Befreiung zu kämpfen, damit die Besatzung beendet wird. Wir sagen den Israelis immer wieder: Gebt uns unser Land zurück, und wir werden niemanden mehr töten. Unser Glaube verbietet es uns, Menschen zu töten. Wir kämpfen nur für unsere Rechte, für sonst nichts. Es macht uns nicht glücklich, Blut zu vergießen und Menschen sterben zu sehen. Aber wenn wir uns verteidigen wollen, haben wir keine andere Wahl, bis Israel mit seiner Aggression aufhört.

Macht es einen Unterschied, ob Sie eine militärische Einrichtung angreifen oder Zivilisten, die in einem Café sitzen?

Zuerst und vor allem: Unser Glaube verbietet es uns, Zivilisten zu töten. Aber wenn die Israelis unsere Zivilisten töten, dann dürfen wir dasselbe tun. Zweitens: Man kann die Mehrzahl der Israelis nicht als Zivilisten betrachten. Sie sind alle Soldaten, und sie nehmen alle an der Aggression gegen unser Volk teil. Noch einmal: Es wäre uns lieber, keine Zivilisten umzubringen. Aber nur unter der Bedingung, daß die Israelis ihre Angriffe auf unsere Zivilisten einstellen.

Sie sind Kinderarzt, haben sechs Kinder und drei Enkel. Fühlen Sie Mitleid mit den Kindern, die bei den Anschlägen getötet wurden, obwohl es israelische Kinder waren?

Ich freue mich nicht, wenn so etwas passiert. Wenn die Anschläge mit der Absicht ausgeführt würden, Kinder zu töten, wäre ich dagegen. Aber wie Sie wissen, ist es eine Frage des Zufalls, wer getötet wird, nicht der Absicht.

Aber wenn ein Kind gerade da geht, wo eine lebende Bombe gezündet wird …

… die Israelis haben Hunderte von unseren Kindern in der Intifada getötet.

Im Christentum und im Judentum ist Selbstmord nicht erlaubt. Darf ein gläubiger Moslem sich selbst töten?

Nur in einer Schlacht. Es ist nicht Selbstmord, wenn der Kämpfer allein gegen Tausende von Feinden loszieht und er genau weiß, daß er getötet wird. Dann ist er ein Märtyrer, dafür haben wir viele Beispiele. Das wird von Moslems überall in der Welt akzeptiert. In der Situation, in der wir heute leben, unter einer Besatzung, ist es erlaubt, sich selbst im Kampf zu töten. Es wäre verbotener Selbstmord, wenn der Kämpfer sein Leben beenden möchte, weil er das Leben haßt. Dann wäre er auch kein Märtyrer. Es kommt auf das Motiv an.

Rechnen Sie damit, daß die Israelis eines Tages verschwinden, nach Rußland, Polen und Amerika zurückgehen werden?

Zuerst einmal, vor fünfzig Jahren lebten wir friedlich in unserem Land, in unseren Dörfern und Städten. Jetzt sind wir drei Millionen innerhalb von Palästina und vier Millionen außerhalb, über die ganze Welt zerstreut. Das haben die Juden unserem Volk angetan. Sie sind stark, und wir sind schwach. Wir können unser Land nicht befreien, deswegen haben wir einen Waffenstillstand vorgeschlagen. Aber sie werden nicht ewig stark bleiben und wir nicht ewig schwach. Die Situation wird sich eines Tages ändern. Dann werden wir unser Land befreien. Weil es den Moslems gehört, nicht nur den Palästinensern, für alle Generationen bis zum letzten Tag. Die Juden haben ihren Staat in der Mitte eines Ozeans von Moslems errichtet. Doch wenn sich das Gleichgewicht der Kräfte in der Zukunft ändert, werden sie hier als Staat nicht bleiben können. Wir werden ihnen anbieten, unter dem Dach eines panislamischen Staates zu leben, so wie sie früher einmal unter uns gelebt haben.

Alle, die heute hier leben? Fünf Millionen?

Es kommt nicht auf die Zahl an. Unser Glauben verbietet Rassismus und macht keine Unterschiede zwischen den Religionen. Wir werden ihnen nicht das antun, was sie uns angetan haben.

Es kommt also darauf an, wer im Staat das Sagen hat?

Es kommt auf die Souveränität über das Land an. Es ist unser Land. Wenn die Juden es akzeptieren, unter dem Dach des Islam zu leben, sind sie willkommen. Überlegen Sie mal: Wenn die Juden nach Italien gekommen wären, um dort ihren Staat zu errichten, so wie sie es hier getan haben, was hätten die Italiener gemacht? Würden sie mit Israel koexistieren, oder würden sie kämpfen, um ihr Land zu befreien? Entscheiden Sie selbst.

Sie sind aus Yibna vertrieben worden. Heute heißt der Ort Yavne. Wollen Sie in Ihren Geburtsort, in das Haus Ihrer Eltern zurück?

Ich spreche nicht über mein Heim, ich spreche über das ganze islamische Land. Aber ich glaube, alle palästinensischen Flüchtlinge würden gerne in ihre Heime zurückkehren.

Wie wird es hier in zehn Jahren aussehen? Sagen wir: im Jahre 2008?

Wir können unser Land nicht aus eigener Kraft befreien. Aber wir glauben daran, was unsere Propheten sagen: Juden aus der ganzen Welt werden herkommen, um sich in Palästina niederzulassen, und dann wird es eine große Schlacht zwischen Moslems und Juden geben, und die Moslems werden den Staat der Juden in der Schlacht zerstören. So steht es im Koran und auch in der Thora.

Deswegen ist zum Beispiel die jüdische »Naturei Karta« gegen den jüdischen Staat in Palästina, weil er entsprechend den Prophezeiungen zerstört werden wird. Moslems aus der ganzen Welt, aus Pakistan, Afghanistan, Bangladesch und sogar Südafrika, werden in dieser Schlacht mitkämpfen. Hamas kann Palästina nicht allein befreien. Es werden alle Moslems der Welt sein. Darauf warten wir. Bis es soweit ist, werden wir unseren Kampf hier im Land fortsetzen. Das ist unsere Aufgabe.

Mit welchen Mitteln?

Mit allen Mitteln. Weil unser Feind alle Mittel gegen uns einsetzt. Und in zehn Jahren wird es hier anstelle der weltlichen arabischen Regime islamische Staaten geben.

In Jordanien und in Ägypten?

Vielleicht. In jedem Fall werden einige weltliche Regime

abgelöst werden. Damit wird sich das Gleichgewicht der Kräfte in der Region verändern. Die weltlichen Regime können und wollen Palästina nicht befreien. Unsere Befreiung wird mit der Errichtung islamischer Regime beginnen. Das ist der erste Schritt. Wir werden uns ändern müssen, um die Lage in unserem Land zu ändern.

Sie haben einen Präsidenten, eine Polizei, eine Flagge, eine Radiostation, eine Nationalhymne – haben Sie schon einen Staat?

Das müssen Sie Arafat fragen.

Es kommt Ihnen nicht auf einen weltlichen Staat in Palästina an?

Wir sprechen nicht über das Regime in Palästina. Wir sprechen über die Errichtung eines Staates, und danach werden wir unseren Kampf für einen islamischen Staat fortsetzen – auf demokratischem Weg. Wir sprechen jetzt nur über die Befreiung.

Wenn Sie vom demokratischen Weg sprechen, meinen Sie das gleiche wie Arafat, wenn er von Demokratie spricht?

Nein. Ich spreche von Demokratie im Sinne der islamischen »Schura«, die viel besser ist als jede andere Demokratie. In den USA bedeutet Demokratie die Diktatur des Kapitals. Man kann alles kaufen, auch die Wähler und die Politiker. Im Islam ist es anders. Bei uns kann man keine Stimmen kaufen. Die Gesellschaft wird die Besten vollkommen frei wählen.

Gibt es irgendeinen arabischen Staat, der Ihren Vorstellungen von einem islamischen Staat entspricht oder wenigstens nahekommt?

Nein, zur Zeit haben wir kein Modell, an dem wir uns orientieren möchten. Aber es gibt einige Staaten, die dem

Islam näher stehen als andere; Sudan und Saudi-Arabien zum Beispiel. Aber auch sie sind nicht das Ideal, das uns vorschwebt.

Es gibt keine Besatzung in Ägypten, keine in Syrien. Was hindert die Moslems in diesen Staaten, ein perfektes islamisches Regime zu errichten?

Die Menschen würden es gern tun, aber die Mehrheit ist nicht in der Lage zu sagen: Wir wollen einen islamischen Staat.

Warum nicht?

Unser Volk braucht mehr Freiheit. In allen arabischen Staaten gibt es zuwenig Freiheit. Wenn man den Menschen die Freiheit gäbe, frei zu wählen, würden sie sich für den Islam entscheiden.

Tagar und die Tipi Family

*T*agar ist ein deutscher Schäferhund »mit einem Stammbaum, der bis Hitler zurückgeht«. Der Name bedeutet soviel wie »Herausforderung« und stammt aus einem Gedicht von Wladimir Jabotinsky, dem Führer der rechten Zionisten in den zwanziger und dreißiger Jahren. Doch anders als sein berühmter Cousin »Blondie« läßt sich Tagar nicht anfassen. Er bellt, fletscht die Zähne und weicht sofort zurück, sobald der Besucher auf ihn zugeht.

»Wir haben ihn einer russischen Familie abgekauft«, sagt June Leavitt, während sie aus einem Teebeutel zwei Gläser Tee herstellt.

Wenn Tagar nicht nur bellen, sondern auch sprechen könnte, würde er wahrscheinlich darum bitten, sofort nach Rußland zurückkehren zu dürfen, denn das Tier führt ein echtes Hundeleben. Es gibt keine Grünanlagen in Kirjat Arba, die hundetauglich wären, und wenn er von Frauchen Gassi geführt wird, dann laufen die beiden an einem meterhohen Stacheldrahtzaun entlang, der das jüdische Kirjat Arba vom arabischen Hebron trennt. Ansonsten wohnt Tagar mit zwei Erwachsenen und fünf Kindern in einer achtzig Quadratmeter großen Vierzimmerwohnung, in der es so aussieht wie in einer Obdachlosenunterkunft, die noch nie geputzt wurde. Eine nackte Glühbirne, die aus der Fassung gerutscht ist, spendet gerade so viel Licht, daß die

Umrisse des Elends sichtbar werden. Unter der Decke im Flur, der das Wohnzimmer mit den drei Mini-Schlafzimmern verbindet, hängt Wäsche, die nicht trocknen will; in den Regalen stehen in Kunstleder gebundene Folianten, die Bibel und andere Werke der Geschichte; unter der ausziehbaren Couch liegen Hanteln unterschiedlicher Größe.

»Mein Mann macht Krafttraining«, sagt June Leavitt, als wollte sie dem Verdacht vorbeugen, sie würde sich die Zeit mit Gewichtheben vertreiben. Denn June Leavitt, 1950 als June Oppenheimer in New York geboren, ist Schriftstellerin; sie schreibt Bücher. Das »Tagebuch einer jüdischen Siedlerin« ist in Frankreich und in Deutschland verlegt worden; der Roman »Falling Star« über ein orthodoxes jüdisches Mädchen aus Brooklyn, das sich in einen Nichtjuden verliebt und damit ihren Vater in die Verzweiflung treibt, soll 1998 in den USA erscheinen. June spricht Hebräisch mit einem starken amerikanischen Akzent und kleidet sich wie ein altgewordenes Hippie-Mädchen, in dessen Kleiderschrank die Zeit stehengeblieben ist. Auf der Universität von Wisconsin in Madison, wohin sie nach der HighSchool aus New York geflohen war, studierte sie »die Diät der sechziger Jahre, einschließlich Buddhismus«, zum Abschluß machte sie ihren »Bachelor in Englisch«. 1979 zog sie mit ihrem Mann Frank nach Israel, lebte in der Siedlung Atzmona im Sinai, bis der Sinai im April 1982 an Ägypten zurückgegeben wurde; nach ein paar Wochen im Gaza-Streifen fand sie Obdach im »Beit Romano«, einem alten jüdischen Haus mitten in Hebron.

Seit 1984 lebt die Familie Leavitt in Kirjat Arba. Frank hält viermal in der Woche Vorlesungen an der Universität von Beer Schewa über »Medizin und Ethik«, June gibt privaten Englisch-Unterricht in Jerusalem und bietet Selbsterfahrungskurse für Erwachsene an. Nach vielen Jahren der Suche ist sie am Ziel ihrer Lebensreise angelangt: in einer Welt, »in der die Wirklichkeit unterhalb der sichtbaren Wirklichkeit« entscheidend ist, in der es nicht auf Politik, sondern auf Spiritualität ankommt. Deswegen besitzt die Familie Leavitt auch keinen Fernseher, dafür aber Platten von Janis Joplin und Cat Stevens.

Die Reise zum eigenen Ich begann, als June 24 Jahre alt war und eine »Vision« hatte: »Indianer, ein Tipi(zelt), ein naturverbundenes Leben mitten im Wald.« Eine Bekannte erzählt ihr, in Vermont gebe es »noch Menschen, die in Tipis leben«. Sie fährt nach Vermont, doch statt der Indianer, die in Tipis leben, trifft sie »einen Mann mit langen Haaren, einem Bart und leuchtend blauen Augen« – Frank. Eine Woche später verbringen sie eine »mondlose Nacht« miteinander, »in der sein lange vergessenes Judentum ganz plötzlich wieder über ihn kam«. Auf einem Grundstück, das Frank gehört, bauen die beiden »eine Jurte in mongolischem Stil« und leben ohne Strom und ohne Gas, nur mit Quellwasser und einer Kerosinlampe, in deren Licht sie »Bücher über Gartenarbeit« lesen. Gekocht wird »auf einem Kohlebecken«. June illustriert ein Kinderbuch, Frank nimmt Blockflötenunterricht bei einem griechisch-orthodoxen Priester. »Wir lebten in vollkommener Übereinstimmung mit der Natur und waren gesund und stark.«

So gehen zwei Jahre dahin, bis June eines Tages das Alte Testament in die Hände fällt. Daraufhin sagt sie zu Frank: »Mein Liebster, ich würde wirklich gern einmal die Alten Juden kennenlernen.« Auch Frank fühlt einen »Hunger nach einer spirituellen Heimat« und überlegt, ob er sich taufen lassen und Christ werden soll. Er läßt den Zufall entscheiden, wirft eine Münze. Zahl bedeutet »einen Rabbiner aufsuchen«, Kopf »zur Kommunion gehen«. Frank hat Glück. »Die Münze entschied sich für das Judentum.«

June und Frank verlassen die Jurte und ziehen nach Crown Heights in Brooklyn; er besucht eine Lubawitscher-Jeschiwa »für jüdische Männer, die wenig Kenntnis vom Judentum« haben, sie ein Frauenseminar, »das mich dem Judentum näherbringen sollte«. Doch das Leben in der Stadt macht sie »krank«. Nach ein paar Monaten ziehen sie wieder aufs Land, legen einen Komposthaufen an, züchten Hühner und Schafe. Diesmal ist alles koscher, sie achten auf den »Zusammenhang zwischen den Geboten und der Natur«.

Schnitt. June Leavitts »Tagebuch einer jüdischen Siedlerin« fängt mit einem Schneesturm im Februar 1992 an. Sie lebt schon acht Jahre in Kirjat Arba und fragt sich: »Warum ist dieses gequälte Leben mein Schicksal …?« Anfangs war »alles ein großes Abenteuer«, doch nun fällt ihr auf, daß sie »in einer winzigen Wohnung mitten in einer von Stacheldraht umzäunten Siedlung« lebt, »wie man sie sonst nur in der Dritten Welt findet«. Jenseits der Umzäunung »gibt es nur feindselige Araber« und im Haus »nur Nachbarn, die alles mitbekommen, was du tust«. Die Wände sind »so dünn, daß man seinen Nachbarn urinieren hören kann«. June fragt sich: »Geht es mir vielleicht wie einer alten Pflanze, die man in einen Boden umgesetzt hat, der nicht gut für sie ist?« Eine innere Stimme stellt unangenehme Fragen: »War es unsere Erde wert, daß Menschen dafür ihr Blut und Leben hingaben?« In Hebron »wird für einen mystischen Nationalismus mit Menschenleben bezahlt«, in Kirjat Arba dominiert »konzentrierte religiöse Scheinheiligkeit«, der Schabbat mit der erzwungenen Ruhe ist eine »schreckliche Last«; June ist ständig krank, und kein Arzt kann »herausfinden, was mir fehlt«. Sie hat inzwischen fünf Kinder und fühlt sich alt und müde. »Dieses Land, so viel ist sicher, reibt seine Bewohner auf.«

Doch zwischendurch gibt es auch schöne Momente. June und Frank fahren mit ihren Kindern nach Ein Gedi am Toten Meer. »Menschen aus der ganzen Welt kommen hierher. Wir lechzen förmlich danach, auch einmal andere Leute als Juden zu treffen.«

Sie lernen zwei Frauen aus der Schweiz kennen, Erika und Elisabeth, »Opfer des Feminismus und der freien Liebe«, die von ihren Männern verlassen wurden und nach Israel gekommen sind, um »in ihrem Leben einen Sinn zu finden«. Zurück in Kirjat Arba, wird June vom Alltag eingeholt. Sie kann nachts nicht schlafen, kränkelt immerzu und wehrt sich gegen die »Kräfte, die uns ins Grab ziehen«. Der Winter verstärkt ihre Depressionen. »Die Wohnungen sind klein, schlecht isoliert und ohne Zentralheizung. Schwarzer feuchter Schimmel bildet sich an den Wänden.« Sieben Personen leben »in einem Gefängnis mit nur vier Zimmern«. Eine Nachbarin, Miriam Goldstein, die Frau von Baruch Goldstein, sagt, »auch sie habe keine Kraft mehr; mit jedem Jahr, das sie hier verbringt, glaubt sie, um fünf Jahre zu altern«.

June bekommt Gallensteine und ist dankbar, »daß es nichts Schlimmeres ist!«. Als ihr Immunsystem vollkommen zusammenbricht, notiert sie: »Kirjat Arba bringt mich um!« Andere sterben tatsächlich: »Freunde und Bekannte werden ermordet.« Auf dem Weg nach Kirjat Arba oder bei einem Besuch in Hebron. Frank wird schwer verletzt, als er am Steuer von einem Stein, den ein Palästinenser geworfen hat, getroffen wird, ein Sohn kommt bei einem Überfall auf einen Bus nur knapp mit dem Leben davon. »Wir tragen einen schrecklichen Kampf aus. Der Preis könnte unser Leben sein.«

Als Baruch Goldstein am 25. Februar 1994 betende Araber in der »Höhle der Patriarchen« massakriert, da hofft June zuerst, »daß irgendein Verrückter nach Hebron gekommen war, einer, der nicht in unsere Siedlung gehörte«. Doch als feststeht, daß der Täter der beliebte Kinderarzt aus Kirjat Arba war, da bricht sie in Tränen aus. Aber sie weint nicht um die Opfer des Blutbads: »Ich weinte um seine Witwe, Miriam, die ich seit Jahren kenne, und um seine vier Kinder.« Denn Goldsteins Tat war immerhin ein Bruch mit der Tradition: »Seit zweitausend Jahren lehrt uns die Geschichte, daß Juden die Opfer von Massakern sind, aber niemals die Ausführenden.«

Die meisten in Kirjat Arba halten »Baruch für einen Engel in Gestalt eines Mannes, eines Familienvaters, eines Ehemannes und Arztes«, nennen ihn »einen Heiligen und Erlöser«. June erkennt: »Wir leben inmitten eines Haufens gefährlicher Extremisten«, doch zugleich denkt sie, »vielleicht hat Baruch Goldstein etwas Positives bewirkt«, denn »seit dem Massaker ist kein Jude getötet worden«. Und dann kommt ihr eine tolle Idee: »Wenn Baruch Goldstein ... ein moderner Samson war, vielleicht wird dann einer meiner Söhne ein wiedergeborener Moses sein.«

Auf die Dauer bleibt das Leben in Kirjat Arba, trotz mancher Einsichten, nicht ohne Folgen. Nach dem Abschluß des israelisch-jordanischen Friedensvertrags im Sommer

1994 notiert sie: »Dieser Friede bringt die Gefahr der Internationalisierung Israels, die Gefahr der Assimilierung der Juden mit anderen Nationen der Erde, der Auflösung und des endgültigen Verschwindens der alten jüdischen Seele ... Gerade der Mangel an Frieden mit den anderen hat unsere Persönlichkeit geprägt ...«

Sie ist verunsichert. »Hat Gott uns wirklich auserwählt? Oder waren es vielleicht doch die Araber?« Als ein Nachbar von der Polizei festgenommen und in Untersuchungshaft genommen wird, angeblich nur, weil er in die Ukraine fahren wollte, um am Grab von Rabbi Nachman zu beten, schreit June auf: »Menschen der Welt, erhebt euch gegen dieses Verbrechen gegen die Menschlichkeit, gegen diesen Gestapostaat, der sich nur demokratisch nennt, gegen dieses Israel!«

Bei einem Besuch in Tel Aviv staunen June und Frank über »die wundervolle Promenade« und »all die luxuriösen Hotels«. Frank meint: »Das hat keinen Bestand. Deshalb sind die Juden nicht auf dieser Erde.« Und er hat eine Vision: »Ein schrecklicher Krieg« wird die ganze weltliche Pracht zerstören.

Das Leben in Kirjat Arba erscheint plötzlich in einem ganz anderen Licht, obwohl im Laufe von nur vier Monaten sieben Menschen »auf den gefährlichen Straßen« bei Überfällen palästinensischer Terroristen getötet wurden. Trotzdem ist Kirjat Arba »noch sicherer als viele andere Orte« auf der Welt und in Israel.

»Hier gibt es so gut wie keine Kriminalität. Niemand schließt seine Türen ab. Unsere Kinder können nachts, wenn sie bei ihren Freunden waren, allein nach Hause gehen, und niemand braucht sich zu sorgen.« Und außerdem:

»Ich fühle, daß ich nicht allein bin. Dies sind die Tage des Messias.«

Wenn nur die Regierung nicht so blöd wäre! Sie »gibt das Land aus den Händen! Die Plätze, an denen wir noch Möhren anpflanzen könnten, werden weniger und weniger!« Das Land wird »für Industrieansiedlungen mißbraucht«, die Wüste »für den Bau der neuen Autobahn geopfert«.

Als eine »Jüdin aus Hebron« von israelischen Polizisten daran gehindert wird, auf dem arabischen Markt einzukaufen, hat June ein Déjà-vu: »Was ich hier schreibe, klingt unglaublich. Aber genau das haben die Menschen auch gedacht, als die ersten Berichte über die Gaskammern in Nazi-Deutschland bekannt wurden.« Und als bald darauf bekannt wird, daß auch Teile von Hebron an die Palästinenser übergeben werden sollen, überkommt sie Verzweiflung, und sie hat nur einen Wunsch: »Frisches Quellwasser zu trinken, Früchte direkt vom Baum zu essen und mich von den vergangenen fünfzehn Jahren zu erholen.«

Doch keine zwei Wochen später hat sie sich wieder gefangen, sie trifft Maßnahmen für die Zukunft; trotz allem »ist dies der Ort, den wir Zuhause nennen. Hier sind unsere Wurzeln, und deshalb haben wir uns entschlossen, eine große Investition in unsere Wohnung zu tätigen. Wir haben Avner beauftragt, uns eine Badewanne einzubauen.«

Das könnte die Erklärung für vieles sein. Zehn Jahre ohne eine Badewanne im Haus prägen nicht nur die hygienischen Maßstäbe, sie haben offenbar auch einen Einfluß auf die mentale Verfassung der Hausbewohner. Wobei sich, wie immer, die Frage stellt, was war zuerst da – die Henne oder das Ei? Werden bestimmte Umstände von ganz bestimmten Menschen kreiert, oder ziehen besondere Umstände einen besonderen Typus Mensch an?

Die Frage scheint müßig, die Antwort ebenso. Der Kreislauf von Ei-Henne-Ei beziehungsweise Henne-Ei-Henne funktioniert auch in Kirjat Arba.

Natürlich trifft man auf dem Oktoberfest andere Besucher als bei einem Open-air-Konzert mit Nigel Kennedy. Ebenso selbstverständlich ist, daß beim Ballermann auf Mallorca eine andere Art von Lebensfreude herrscht als auf einer Party von Wim Wenders. So betrachtet, ist es kein Zufall, daß June Leavitt sich in Kirjat Arba niedergelassen hat und nicht in Zichron Ya'akov oder Rosch Pinah, historischen Orten im israelischen Kernland. Weder Zichron Ya'akov noch Rosch Pinah sind von Stacheldraht umzäunt, und die Gefahr, von einem palästinensischen Terroristen auf dem Heimweg umgebracht zu werden, ist weit geringer als die, von einem israelischen Autofahrer, der seine Begabung überschätzt, überfahren zu werden. June Leavitt ist nicht trotz der Bedrohung und der elenden Umstände nach Kirjat Arba gezogen, sondern gerade deswegen. Während die Mehrzahl der Israelis danach strebt, durch Wohlstand – im besten Sinne des Wortes – »korrumpiert« zu werden, verkörpert June Leavitt die alte jüdische Erfahrung, wie sie das Dasein im Ghetto und im Schtetl bestimmte: Warum soll das Leben Spaß machen, wenn es auch mühsam und anstrengend sein kann? Einfach nur leben ist keine jüdische Tugend, überleben schon.

Deswegen trifft man in den Siedlungen besonders viele Menschen, die von einer Aufgabe, einem Auftrag, einer Mission sprechen und für die hedonistischen Tel Aviver, die am liebsten am Strand liegen oder im Café sitzen, nur Verachtung übrig haben.

Und fragt man sie, warum sie an einem Ort wie Kirjat Arba leben müssen, der nicht nur trostlos, häßlich und heruntergekommen, sondern auch abgelegen und relativ gefährlich ist, dann greifen sie zu einem historischen Argument, das wie eine Zeitmaschine funktionieren soll: War nicht jede Siedlung im Lande einmal abgelegen? Wurde nicht das jüdische Tel Aviv vom arabischen Yafo aus beschossen, so wie das jüdische Kirjat Arba vom arabischen Hebron aus mit Steinen beworfen wird? Nicht nur die Siedlungen in Judäa, Samaria und Gaza liegen mitten im arabischen Feindesland, ganz Israel ist eine winzige Insel im arabischen Ozean, ständig von Stürmen und Fluten bedroht. Insofern lebt es sich in Kirjat Arba genauso wie überall sonst in Israel, nur ein wenig akzentuierter.

Das Argument ist nicht ganz falsch, es hat seine eigene innere Logik, wenn man davon absieht, daß 1998 nicht 1948 ist und schon gar nicht 1928. Nicht nur, daß Israel Frieden mit Ägypten und Jordanien geschlossen hat und Beziehungen mit einem Dutzend weiterer arabischer Staaten unterhält, es verneint von vornherein jede Möglichkeit, daß die Palästinenser im Laufe der Zeit durch die Erfahrung von Wohlstand genauso »korrumpiert« werden könnten, wie es den Israelis passiert ist.

Ähnlich ist es um das Argument bestellt, die Siedlungen seien für die Sicherheit Israels entscheidend. Das Gegenteil trifft zu. Die Sicherheit der Siedlungen muß von der Armee mit einem gigantischen Aufwand garantiert werden. Im Ernstfall wären June und Frank nicht imstande, ihre neu eingebaute Badewanne mit eigenen Händen zu verteidigen, sie würden überrannt oder müßten evakuiert werden, was die israelische Armee nur aufhalten und schwächen würde.

Welche Logik wirkt also hinter dem Wahn? Oder andersrum: Welche Wahnidee versteckt sich hinter der vordergründigen Logik?

Der Holocaust – was sonst. Es ist kein Zufall, daß man in Kirjat Arba und den anderen Siedlungen kaum »eingeborene« Israelis und so gut wie keine Überlebenden des Holocaust findet. Der in Kiel geborene Eljakim Ha'etzni ist eine seltene und atypische Ausnahme. Wer selber im Ghetto und im Lager war, den treibt nichts in eine ähnliche Situation zurück. Aber die Einwanderer aus Amerika, die sich in Judäa, Samaria und Gaza niederlassen, sind anders gestrickt. Man kann nicht behaupten, daß sich die amerikanischen Juden zuviel Mühe gemacht hätten, den verfolgten Juden in Europa zu helfen. Sie haben es nicht mal geschafft, die Passagiere der »St. Louis«, die im Juni 1939 mit 930 europäischen Juden an Bord vor New York aufkreuzte, zu retten. Nun leisten sie für die alten Versäumnisse symbolische Abbitte, indem sie auf einem »public playground« Geschichte noch einmal inszenieren – mit sich selbst in der Rolle der potentiellen Opfer. Deswegen reden sie so gern von vergangenen und künftigen Massakern, von der Gefahr, der sie sich aussetzen, von der Notwendigkeit, Widerstand zu leisten – wenn es sein muß, auch gegen eine Regierung, die nicht weiß, was sie tut. Dazu kommt noch etwas: US-Juden, deren größtes existentielles Problem es ist, ob sie das Pessach-Fest in den Catskills oder in Florida verbringen sollen, bekommen – das heißt: nehmen sich – endlich die Gelegenheit, eine »authentische« jüdische Erfahrung zu machen, die sie nur aus der Literatur und vom Hörensagen kennen: Leben in einem Ghetto, umgeben von tückischen Feinden, die jeden Moment ein Pogrom veranstalten könnten. Ja, so muß es damals gewesen sein, als die Kosaken ihre Blutspur durch das Schtetl zogen, nur daß sie heute auf die Namen Ahmed, Yassir und Mahmoud hören.

Das Ganze funktioniert natürlich nur so lange, wie es virtuell bleibt, das heißt, solange das herbeiphantasierte Pogrom nicht wirklich stattfindet. Dafür werden ab und zu ein paar Tote in Kauf genommen, die mit einem »Jetzt erst recht!« verabschiedet werden.

Wie Rafael, ein Nachbar von June und Frank, der eines Tages beschloß, ein orthodoxer Jude zu werden, nachdem er einige Jahre bei den »Juden für Jesus« mitgemacht hatte. Er kam bei einem Terroranschlag bei Hebron ums Leben, vier Monate nachdem er Chaja geheiratet hatte. Seine Witwe ist überzeugt, »daß er sehr stolz wäre, wenn er wüßte, wie viele Menschen sich vor seinen sterblichen Überresten verneigen und ihm ... ihren Respekt bezeugen, wenn er wüßte, wie viele wichtige und bekannte Rabbiner kommen, die um ihn weinen, um ihn, der vor vier Monaten noch ein Niemand war«. Nun ist Rafael ein Jemand, aber irgendwie hat er nichts davon.

Und Chaja, von stolzer Trauer erfüllt, hat ihre »Bestimmung« gefunden: »Ich bin die Prophetin Deborah. Ich muß lernen, wie man eine Uzi bedient. Und ich werde Krieg führen gegen Amalek.«

Die Amalekiter, ein arabischer Stamm, waren in biblischer Zeit die Erbfeinde der Juden.

Schnitt. »Wir sind noch immer hier«, sagt June, »wir haben einige Male versucht zu gehen, aber etwas hat uns hier festgehalten.« Es sei die »Hebron-Krankheit«, eine spirituelle Bindung, die nicht jeder fühle. »Es ist mehr, als man mit dem Auge sehen kann.«

June spricht von Weisheit, Vergeistigung und Mystizismus. »Indem wir hiergeblieben sind, sind wir innerlich gereift, wir sehen mehr Licht, fühlen mehr Glück, erleben mehr Freude.« Ein ruhiges Leben sei flach, und nichts sei schlimmer als Langeweile. Und diejenigen, »die es schaffen, alle Katastrophen zu überleben, wachsen über sich selbst hinaus«.

Aber ist das tägliche Leben in Israel nicht aufregend genug? Regierungskrisen, Korruptionsaffären und die ewige Suche nach Frieden?

»Politik und Politiker langweilen mich zu Tode«, sagt June, allerdings sei sie froh gewesen, als Netanjahu die Regierung übernommen habe, »obwohl, der größte jüdische Führer ist er auch nicht«, aber er habe wenigstens für mehr Sicherheit gesorgt. Und nun spüre sie, daß ein neues Zeitalter anbricht. »Etwas Großes wird entstehen, das wir heute noch nicht erkennen können«, das jüdische Volk müsse nur seiner Bestimmung folgen, ein Licht unter den Völkern zu sein. »Eine Nation wie jede andere werden zu wollen – das war eine dumme Idee, wir sind etwas Besonderes, die jüdische Seele ist im Feuerofen geformt worden.«

Tagar, der Schäferhund, hat sich inzwischen unter den Tisch verzogen und träumt von seiner ruhigen Kindheit in Rußland, bevor er nach Kirjat Arba bei Hebron verschleppt wurde. Draußen ruft der Muezzin zum Abendgebet, und drinnen im Haus hört man die Nachbarn bei ihren üblichen Verrichtungen.

»Wir wissen, warum wir hier sind«, sagt June zum Abschied, »because in Hebron, God runs the show.«

»Haste mal 'nen Witz für mich?«

Zu den angenehmen Seiten des Lebens in Israel gehört, daß vom Holocaust wenig geredet wird. Abgesehen vom »Jom Ha'Schoa«, dem offiziellen Gedenktag für die von den Nazis ermordeten Juden, bei dem die Toten durch eine landesweite Minute des Stillstands geehrt werden, ist die »Endlösung der Judenfrage« Teil der Geschichte und als solche eine Angelegenheit der Akademiker. Wenn Schaul Friedländer ein neues Buch über die Nazis und die Juden veröffentlicht, wird es von allen israelischen Zeitungen besprochen, lädt das Van-Leer-Institut zu einem Symposium mit Experten ein. Aber wenn Daniel Goldhagen nach Israel kommt, um die hebräische Ausgabe seiner »Willigen Vollstrecker« zu präsentieren, dann reagiert die israelische Öffentlichkeit ganz anders als die deutsche: »Was will er uns Neues erzählen, das wir noch nicht wissen?« Und die große Schoa-Show fällt aus.

In einem Land, in dem man ständig Überlebenden begegnet, wo man im Café, im Bus, am Strand die Nummern auf den Unterarmen lesen kann, muß die Erinnerung an den Horror nicht mühsam inszeniert werden. Außerdem hat Israel genug akute existentielle Probleme, mit denen es sich täglich herumschlagen muß. Von Jerusalem aus betrachtet, muten die deutschen Debatten über das zentrale Berliner Holocaust-Mahnmal oder das Jüdische Museum in Berlin noch absurder an, als sie es von Hause aus schon sind.

So hatte ich fast vergessen, was die deutschen Seelen umtreibt, als mich ein Anruf von »arte« aus Straßburg erreichte. Eine Dame, die englisch mit starkem französischem Akzent sprach, bot mir einen Job an. »Wir werden demnächst Claude Lanzmans ›Shoa‹ zeigen und wollten Sie fragen, ob Sie den Film in ›arte‹ präsentieren möchten.« Wie präsentiert man einen Film, der inzwischen zu den großen Werken der Filmgeschichte zählt, über den Klassenarbeiten, Magisterarbeiten, Diplomarbeiten und Dissertationen geschrieben werden und der längst seine eigene Legende ist?

»Eine prima Idee«, sagte ich der »arte«-Mitarbeiterin, »ich fühle mich geehrt, daß Sie an mich gedacht haben. Sagen Sie mir nur, wie Sie auf mich gekommen sind.«

»Wir wollten einen deutschen Juden haben«, sagt die »arte«-Mitarbeiterin, die inzwischen deutsch mit starkem französischem Akzent spricht, »der trotzdem den nötigen Abstand zum Thema hat.«

Aha. Ich bin zwar kein deutscher Jude, aber den nötigen Abstand zum Thema habe ich ganz gewiß: Zwischen dem Tag der Entlassung meiner Mutter aus einem renommierten deutschen KZ in Polen und dem Tag meiner Geburt lagen immerhin achtzehn Monate. Ich könnte also das Angebot annehmen und Lanzmans Film etwa so präsentieren: »Guten Abend, meine Damen und Herren, liebe ›arte‹-Zuschauer, wir zeigen Ihnen heute einen Film, der Ihre Geduld, Ihr Sitzfleisch und Ihre Augen strapazieren wird. Es gibt keine Werbeunterbrechungen. Holen Sie sich Ihren Vorrat an Chips, Bier und Salzstangen, während ich zu Ihnen spreche. Gehen Sie noch einmal aufs Klo, und schalten Sie den Anrufbeantworter ein. Im übrigen: Bei RTL gibt es heute ..., bei SAT 1 ... und im Dritten Programm des WDR ..., es zwingt Sie also niemand, sich ›Shoa‹ anzuschauen.«

So oder so ähnlich könnte ich den Film präsentieren, aber ich mag nicht. »Sie sollten sich bei den deutschen Nichtjuden umsehen. Die haben ›Shoa‹ schon einmal sehr erfolgreich präsentiert, und Sie werden sicher jemanden finden, der es gerne noch einmal tut.«

»Vielen Dank«, sagt die »arte«-Mitarbeiterin ziemlich akzentfrei, »das ist eine klare Auskunft.«

Ich wende mich wieder wichtigen Fragen zu. Soll ich bei »Rachmo« eine Kubbeh-Suppe oder bei »Amnon« ein Huhn-Sofrito essen? Ich schließe einen Kompromiß mit mir selbst: Zuerst die Kubbeh-Suppe bei »Rachmo«, dann das Huhn-Sofrito bei »Amnon«.

Kaum bin ich wieder daheim, ruft Bessa an. Sie feiert in ein paar Tagen ihren dreißigsten Geburtstag, und die ganze Stadt weiß, daß ihr Mann eine »Surprise Party« für sie gibt. Nur Bessa weiß es nicht. Weswegen sie darüber jammert, daß sie »schon so alt« ist und ihr alles über den Kopf wächst, die Arbeit, die Kinder und überhaupt. Nach einem kurzen Vorspiel kommt sie zur Sache. Sie sitzt an einem Artikel darüber, »wie die Israelis mit dem Holocaust umgehen«, und braucht noch »einen Witz«, den sie in ihren Artikel einbauen könnte. »Kannst du mir mal einen Holocaust-Witz erzählen? Ich weiß, du kennst welche.«

Bessa ist der Traum eines jeden Ghetto-Juden: groß, schlank, blond und blauäugig. Von so etwas träumen Dudu, Moische und Schlomo, während sie mit Rachel, Sara und Lea im Bett liegen. Sie ist am Fuß der Alpen großgeworden, hat vor ein paar Jahren einen Israeli kennengelernt, den Neffen eines bekannten israelischen Politikers, und den jungen Mann, einen sehr erfolgreichen Geschäftsmann im Ost-West-Handel, geheiratet, nachdem sie zum Judentum übergetreten war. Sie trägt jetzt einen großen Namen, macht aber, sagt sie, keinen Gebrauch davon, um sich keine Vorteile zu verschaffen. Die Artikel, die sie für ein Wiener Wochenmagazin schreibt, erscheinen unter ihrem Mädchennamen.

Über den Reichtum ihres Mannes erzählt man sich in Jerusalem irre Geschichten. Den Übertritt zum Judentum habe sie so geschafft, wie andere Leute ihren Wagen durch den TÜV bringen. Judentum hin, Halacha her – erlaubt ist, was gefällt. Wie alle Journalisten, die aus Israel berichten, weiß sie genau, wie der Nahost-Konflikt gelöst werden könnte. Außerdem ist sie Expertin für angewandtes Judentum – für eine Portion Pasta mit Speck würde sie sogar ein Exklusiv-Interview mit Arafat opfern.

Ich weiß, ich habe ein Problem mit Konvertiten. Ich kann diese Trittbrettfahrer nicht ausstehen, die sich Vorteile aneignen, ohne jemals die Nachteile erlebt zu haben. Keine KZ-Geschichten am Morgen, keine KZ-Geschichten zu Mittag, keine KZ-Geschichten beim Abendessen und keine Eltern, die ihre Alpträume nicht für sich behalten können. Dafür aber der schicke Thrill, zum auserwählten Volk dazuzugehören, garniert mit einer großen Villa mit Dienstboten in der besten Gegend von Jerusalem. Judentum de luxe.

»Kannst du mir mal einen Holocaust-Witz erzählen? Ich weiß, du kennst welche.«

Mir fallen zwei, drei Holocaust-Witze ein, aber keine passende Antwort. »Ich denk' nach, ruf mich noch mal an.«

Ich bin platt. Ich habe versagt. Wo sind mein Witz, meine Schlagfertigkeit geblieben, jene Gaben, die so jüdisch sind wie gefillte Fisch, Kreplach und gehackte Leber? Und die man in keinem Konversionskurs lernen kann! Das wär's gewesen! »Bessa, hat man dir bei dem Übertritt keine Holocaust-Witze beigebracht? Gehörte das nicht zum Konversions-Training dazu?«

Verpaßte Pointen sind wie versäumte Affären. Sie lassen sich nicht nachholen. Aber wenn ich Glück habe, ruft Bessa zu Pessach noch einmal an. Und will wissen, wie man Matzenbrei macht.

Ein Land, zwei Völker, drei Staaten

*I*ch bin ein Jecke, ich kann nicht gleichzeitig essen und sprechen«, sagt Joram Kaniuk, während er an seinem Huhn arbeitet.

Genaugenommen ist er nur ein halber Jecke. Der Großvater mütterlicherseits ist 1909 aus dem russischen Odessa in das damals noch ottomanische Palästina eingewandert, »ein echter Zionist« der Gründerzeit, der »das Ghetto verlassen wollte, um etwas Neues aufzubauen«, ein Gebilde, »das jüdisch, weltlich und sozialistisch« sein sollte. Der Vater kam 1928 nach Palästina, seine Familie stammt aus dem österreichisch-galizischen Tarnopol, der Geburtsstadt von Joseph Roth, was ihn kulturell als »Jecken« (deutschen Juden) qualifiziert.

Kaniuk selbst ist ein jüdischer Palästinenser. Er wurde 1930 in Tel Aviv geboren und legt großen Wert auf Pünktlichkeit, Manieren und Verläßlichkeit; das ist der deutsche Teil seines Charakters. Er kann aber auch schrecklich emotional und sentimental werden, dann geht seine russische Seele mit ihm durch. Mit achtzehn kämpfte er im Unabhängigkeitskrieg mit und half, jüdische Einwanderer aus Europa ins Land zu bringen; mit 31 veröffentlichte er sein erstes Buch, einen Roman mit dem Titel »Abstieg nach oben«; Mitte der achtziger Jahre, als Oslo nur eine Stadt irgendwo in Skandinavien war, gehörte er zu den Gründern

eines »israelisch-palästinensischen Komitees der Schriftsteller«, die sich für zwei separate Staaten, gegenseitige Anerkennung und Zusammenarbeit zwischen Israelis und Palästinensern einsetzen.

»Wir waren der Politik weit voraus. Davon ist nichts
übriggeblieben. Seit Oslo reden sie nicht mehr mit uns. Alle
arabischen Intellektuellen haben sich gegen Oslo ausgesprochen, ich verstehe das nicht.«

Nach dem Abkommen von Oslo »löste sich das Komitee
in Luft auf«. Nur Kaniuks alter Freund Emil Habibi, ein
christlicher Araber aus Haifa, Schriftsteller und Einzelgän-
ger, hatte sich nicht abgewandt. Als Habibi 1996 starb, hielt
Kaniuk die Totenrede am Grab »meines Bruders«.

Kaniuk ist der Prototyp des »guten Israeli«. Klug, liberal
und selbstkritisch hat er sich immer bemüht, die Palästinenser zu verstehen und den ewigen Konflikt auch mit ihren
Augen zu sehen. »Es steht hier nicht Recht gegen Recht,
wie immer gesagt wird, sondern Unrecht gegen Unrecht.
Uns wurde Unrecht in Europa angetan, den Palästinensern
in Palästina. Doch sie sind für den Holocaust nicht verantwortlich, sie können nichts dafür, daß die Juden verfolgt
wurden und kein Staat ihnen helfen wollte.«

Wir sitzen in einem Restaurant im alten Hafen von Tel
Aviv, wo die Flüchtlinge aus Europa an Land gingen, »bis
die Briten unter dem Druck der Araber 1939 das White Pa-
per veröffentlichten und die Einwanderung stoppten«. Bis
1942 habe Eichmann »die Juden überall angeboten, er soll
sogar gesagt haben: ›Wenn die Juden ein so wunderbares
Volk sind, wieso will sie niemand haben?‹«

Nach dem Holocaust war die Lage noch immer dieselbe.
»Wohin sollten die Überlebenden gehen? Die Juden kamen

hierher, wir brachten sie bei Nacht und Nebel an Land, und die Araber sagten: ›Wenn es in Europa gebrannt hat, warum müßt ihr eure Zelte ausgerechnet in unserem Garten aufschlagen? Ist es unser Problem? Was haben wir damit zu tun?‹«

»Die Juden hatten doch keine andere Wahl«, sagt Kaniuk, als müsse er sich persönlich für jeden einzelnen Flüchtling entschuldigen. »Aber die Palästinenser haben sich bis heute damit nicht abgefunden. Sie verstehen uns nicht, und wir verstehen sie nicht. Sie wollen uns hier nicht haben, und sie werden uns hier nie akzeptieren.« Oslo, das sei ihm inzwischen klargeworden, »war eine Kuh auf Hühnerbeinen«. Dennoch müsse Israel die Besatzung aufgeben, »weil wir nicht zwei Millionen Menschen gegen deren Willen beherrschen können«, obwohl auch ein völliger Rückzug aus den 1967 besetzten Gebieten den inzwischen hundert Jahre alten Konflikt nicht beenden werde.

»Wir haben es hier mit zwei Konflikten zu tun«, sagt Kaniuk, »und beide sind unlösbar: zwischen uns und den Palästinensern und zwischen den weltlichen Juden und den jüdischen Fundamentalisten.« Eigentlich müßte man Israel beziehungsweise Palästina zweimal teilen, einmal zwischen den Israelis und den Palästinensern und einmal zwischen den frommen und den säkularen Juden. »Aber wie viele Staaten kann man in einem Land haben, das so klein ist, daß man seinen Namen ins Meer daneben schreiben muß?«

Kaniuk hält seine Idee für »kaum machbar, aber trotzdem überlegenswert«. Er hat für die Tageszeitung »Ha'aretz«, seit über sechzig Jahren das Pflichtblatt der liberalen Intelligenz, eine Art Manifest geschrieben, in dem er das Unmögliche fordert. »Nehmt das Land östlich von Kfar Saba und macht damit, was Ihr wollt. Richtet Euch ein Königreich von Judäa ein und überlaßt uns die Küstenregion, wo wir unseren Staat haben werden. Ihr seid nicht weniger im Recht, als wir es sind, aber der Abgrund zwischen uns ist unüberbrückbar ...« Jede Seite werde entsprechend ihren Vorstellungen leben können. »Ihr könnt Eure Kinder in religiöse Schulen einsperren, wo sie nichts über die Welt lernen, und wir können viel Geld sparen, mit dem wir die Gehälter unserer Lehrer erhöhen werden ... Wenn Ihr uns besuchen wollt, werdet Ihr Visa beantragen müssen, aber nicht in Jiddisch oder Aramäisch, sondern in Hebräisch ... Ohne Euch werden wir endlich eine Verfassung haben, die Ihr bis heute verhindert habt, und die Religiösen werden mit uns leben, so wie sie es überall in der Welt tun. Religion wird nicht mehr als Mittel politischer Erpressung benutzt werden ...« Es gebe, schrieb Kaniuk, »keine jüdischen, sondern nur universelle Werte«; jüdische Kultur habe »mehr mit Franz Kafka als mit Rabbiner Ovadia Josef zu tun«, dem geistigen Oberhaupt der sephardischen Juden. »Laßt uns teilen und getrennte Wege gehen. Ihr bekommt die Berge, wir die Küste. Und es wird Frieden sein in Israel und Ruhe in Judäa.«

Joram Kaniuks Manifest löste keine Revolution aus, aber viele Leser des »Ha'aretz« empörten sich, hatte er doch kräftig an einem Eckpfeiler der israelischen Gesellschaft gerüttelt: »*Am echad.*« – Wir sind ein Volk.

»In der Wirklichkeit können religiöse und nicht religiöse Juden nicht zusammen leben. Sie können nicht zusammen essen, sie können einander nicht heiraten, sie können sich nicht einmal daheim besuchen. Sie leben in verschiedenen Welten, die einen gehen zur Armee und arbeiten in High-Tech, die anderen halten an einem Leben fest, wie es vor vielen Generationen in Osteuropa einmal war. Und es gibt keine Brücke zwischen den einen und den anderen ...«

Kaniuk hat sich in Rage geredet. Es ist Samstagnachmittag, und auf der Mole im alten Tel Aviver Hafen bleiben die weltlichen Israelis unter sich. Man braucht ein Auto, um herzukommen, und natürlich fahren die Frommen am Schabbat nicht Auto. Sogar Ambulanzen und Feuerwehr dürfen nur unter bestimmten Auflagen fahren, bei unmittelbarer Gefahr für Leib und Leben.

»Dogmen und Demokratie gehen nicht zusammen. Demokratie bedeutet Pluralismus; ich akzeptiere dich, du akzeptierst mich. Aber die Orthodoxen sind nur bereit, mein Geld zu nehmen und ihre Kinder auf meine Kosten zu erziehen.«

Das jüdische Religionsgesetz, die Halacha, legt unter anderem fest, daß nur das Kind einer jüdischen Mutter jüdisch ist, auf den Vater kommt es nicht an. »Das war einmal«, sagt Kaniuk, »eine sehr fortschrittliche und humane Regelung, damit Kinder von Frauen, die bei Pogromen vergewaltigt wurden, nicht als ›Fremde‹ galten. Aber heute?« Joram Kaniuk ist mit einer Amerikanerin verheiratet, die nicht zum Judentum übergetreten ist. Er hat mit ihr zwei Töchter. »Sie wurden hier geboren, sie sind hier zur Schule gegangen, sie haben in der Armee gedient. Und sie gelten nicht als jüdisch! Aber jeder Schmock, der aus Brooklyn angeflogen kommt, wird sofort als Jude anerkannt und macht sich daran, mir zu erklären, was echtes Judentum ist!«

Das weltliche Tel Aviv und das fromme Jerusalem sind »zwei Welten, und dazwischen liegt ein Abgrund von dreihundert Jahren«; Eilat am Toten Meer »ist wie die französische Riviera«, und Bnei Brak, eine Stadt, in der nur Fromme leben, »ein Stück Mittelalter gleich neben Tel Aviv«; und weil, wie Kaniuk immer wieder sagt, keine Brücke über den Abgrund führt, »müssen wir uns trennen«, es geht nicht anders. »Ihr wollt an Dämonen glauben? Bitte sehr, aber ohne uns! Wir sind euch leid, wir haben von euch die Nase voll, wir können euch nicht ausstehen!«

Vor kurzem habe Rabbiner Ovadia Josef frommen Juden, die nachts unterwegs seien, empfohlen, laut »Kikeriki!« zu rufen, um Dämonen in die Irre zu führen. Denn Dämonen greifen nur nachts an, und wenn sie den Ruf »Kikeriki!« hören, glauben sie, die Nacht wäre schon vorbei und der Morgen angebrochen. Und erst vor ein paar Tagen habe sich der weise Rabbi mit der Frage beschäftigt, ob es erlaubt sei, am Schabbat ein Stück Zitrone in heißes Wasser zu geben. Er entschied, es sei nicht erlaubt, weil die Zitrone im heißen Wasser zische und Luftbläschen nach oben stiegen; das wäre verbotene Arbeit. Aber im kalten Wasser wäre es okay. »Und damit beschäftigt er sich den ganzen Tag und gilt als eine Autorität auf seinem Gebiet!«

Kaniuk hat eine CD-Rom, auf der der ganze Talmud gespeichert ist. »Ich lese jeden Tag den Talmud und die Bibel, es ist herrliche Literatur, eine tolle Übung fürs Denken, aber keine Anleitung fürs tägliche Leben.« Die Frommen »miniaturisieren das Judentum, aus einem intellektuellen Konzept wird eine Gebrauchsanweisung« für den Umgang mit Kleinkram. »Sie sitzen in den Jeschiwot und lesen Bücher, die vor Tausenden von Jahren geschrieben wurden, über ein Volk, das es nicht mehr gibt, in einer Situation, die nicht mehr existiert, und sie lösen Probleme, die keine mehr sind. Sie werden immer mehr. Und du fragst dich:

Wie kann das angehen in einem Land, in dem noch immer mehr Kultur und Wissenschaft pro Kopf produziert wird als in jedem anderen Land der Welt?«

Doch das wird nicht lang so bleiben, denn während die staatlichen Mittel für Kultur und Wissenschaft gekürzt werden, bekommen die religiösen Institutionen, in denen junge Männer die Heiligen Schriften studieren, immer mehr Geld. Sie sind vom Wehrdienst befreit und müssen für ihren Lebensunterhalt nicht arbeiten. Sie werden von den »Jeschiwot« versorgt, die wiederum vom Staat alimentiert werden, mit Milliardenbeträgen, die woanders fehlen. »Zu Ben Gurions Zeiten, Anfang der fünfziger Jahre, gab es höchstens 700 Jeschiwa-Studenten, heute sind es fast 200000, mehr als in ganz Osteuropa vor dem Krieg!« Er sei, klagt Kaniuk, von den Leuten eingeholt worden, »vor denen mein Großvater 1909 aus Odessa davongelaufen ist«.

Da hilft nur eines: Die Trennung von Staat und Religion. Da die Frommen aber einer solchen Regelung nicht zustimmen werden und sowohl der Likud wie die Arbeitspartei es sich mit den religiösen Parteien nicht verderben wollen, müssen zwei separate »entities« geschaffen werden. »Es wird sehr schwierig. Wir können eine UN-Truppe an der Grenze zwischen uns und den Palästinensern postieren. Aber sollen wir thailändische Soldaten zwischen Tel Aviv und Bnei Brak aufstellen, um Juden von Juden zu trennen?«

Das Ganze, sagt Kaniuk, sei »eine Komödie mit tragischen Folgen«. Aber es führe kein Weg an einer Teilung vorbei. »Es muß sein, wenn wir nicht wollen, daß Israel eine kurze Episode in der jüdischen Geschichte bleiben soll. Und ich möchte nicht die Träume meines Großvaters, meines Vaters und meine eigenen von einem demokratischen, pluralistischen Israel aufgeben.«

Kaniuks »worst case scenario« hört sich so an: Die Religiösen sind nicht in der Lage, sich aus eigener Kraft zu ernähren, sie sind auf die materielle Unterstützung durch die nicht-religiöse Mehrheit angewiesen. Aber sie haben eine hohe Geburtenquote und werden eines nicht allzu fernen Tages die Mehrheit im Lande stellen. Die nicht-religiöse Minderheit, ausgepumpt und demoralisiert, wird weder imstande noch willens sein, die Frommen weiter auszuhalten. »Sie werden sich dann an die Palästinenser wenden, und die Palästinenser werden sich ihrer dankbar annehmen. Und bald wird es nur noch eine jüdische Autonomie innerhalb eines palästinensischen Staates geben. Bye, bye, Israel.«

Kaniuks Vision hört sich absurd an, ist aber in sich vollkommen logisch. Zur höheren Geburtenrate der Religiösen kommt noch hinzu, daß mehr religiöse als säkulare Juden nach Israel einwandern und daß für säkulare Juden das Leben in einer von den Frommen dominierten Gesellschaft unerträglich wird, weswegen schon heute viele von Jerusalem nach Tel Aviv ziehen, was der einfachste Weg ist, ins Ausland zu fahren, ohne das Land zu verlassen. So könnte es relativ schnell zur Bildung einer religiösen Mehrheit kommen, für die nur zählt, im Heiligen Land zu leben und zu lernen, und der Demokratie, Pluralismus, weltliche Gerechtigkeit nicht viel bedeuten.

Zionistische Symbole auch nicht. »Die israelische Fahne ist nur ein Stecken mit einem Lappen dran«, erklärte der religiöse Jerusalemer Stadtrat Chaim Miller im Herbst 1996, immerhin stellvertretender Bürgermeister der Stadt.

»Vielleicht war alle Mühe vergeblich«, sagt Kaniuk, »wir wollten hier kein neues Ghetto, kein großes Schtetl im Nahen Osten, aber es läuft alles darauf hinaus.« Wenn man auf einen hohen Berg steigen und Israel durch ein Fernglas betrachten könnte, würde man auf »ein Irrenhaus« schauen. »Nichts ergibt einen Sinn, aber wir leben hier mitten in einem Drama, und das ist faszinierend.«

Eine gute Idee kommt selten allein. Etwa zur selben Zeit, da Joram Kaniuk sein Manifest »Laßt uns auseinandergehen« niederschrieb, entwarf Ze'ev Chafets einen konkreten Plan zur Teilung des Landes, den er als dreiteiligen Artikel in dem Magazin »Jerusalem Report« veröffentlichte. Seine Ausgangsthese war, daß der Bürgerkrieg, vor dem in Israel alle warnen, bereits begonnen habe. Eine große Anzahl orthodoxer Denker und Rabbiner habe zu erkennen gegeben, daß sie eine Demokratie westlichen Stils mit Bürgerrechten und Gewaltenteilung für unvereinbar mit den Gesetzen Gottes und der Thora halten würde. »Wir sind nicht ein Volk, sondern zwei Völker; die Trennungslinie verläuft zwischen jenen, die von der Thora regiert werden, und jenen, die in einer modernen Demokratie leben möchten.«

Entsprechend müßten die beiden Staaten verfaßt sein. Der eine eine Demokratie nach westlicher Art, in dem die Trennung von Staat und Religion und die Freiheit der Religionsausübung für Juden, Christen und Moslems in der Verfassung garantiert wäre; der andere eine Theokratie nach jüdischem Recht, darauf fixiert, die Ankunft des Messias vorzubereiten. »Die Schaffung zweier jüdischer Staaten erscheint heute praktischer, logischer und leichter durchführbar als die Gründung Israels vor fünfzig Jahren. Man braucht nur ein wenig Vorstellungskraft.«

Das religiöse Judäa rund um Jerusalem mit den Exklaven in Bnei Brak und Safed wäre immerhin größer als Singapur, Malta oder Luxemburg; das säkulare Israel, bestehend aus dem Galil, der Küstenebene und dem Negev, etwa so groß wie Kuwait. Die nationalen Ressourcen würden ebenfalls geteilt werden, jedes der beiden Länder wäre für seine Finanzen, für Ökonomie, Verteidigung und Kulturpolitik selbst verantwortlich. Bei offenen Grenzen wären freier Waren- und Personenverkehr kein Problem.

Das, so Chafets, wäre die Alternative zu einem Bürgerkrieg der Juden: »Zwei unabhängige Staaten, verbunden durch Geschichte, Familienbande und ökonomische Interessen, Seite an Seite koexistierend, gütlich, aber getrennt.« Chafets beschloß sein Szenario mit einem bei Theodor Herzl geliehenen Satz: »Wenn wir nur wollen, ist es kein Traum.«

Chafets, 1947 in Pontiac/Michigan geboren, lebt seit 1967 in Israel. Er ist sowohl amerikanischer wie israelischer Staatsbürger, seine politischen Grundsätze hat er aus den USA mitgebracht: Recht auf freie Rede, strikte Trennung von Staat und Religion, Schutz der Privatsphäre vor staatlichen Eingriffen.

Zu Hanukka stellt er einen Weihnachtsbaum in seiner Wohnung auf, und zu Pessach, wenn alle nur Matzen essen, friert er eine Großpackung Pitabrote in seinem Eisschrank ein. »Ich sage den Frommen nicht, wie sie leben sollen, und die sollen sich alle Ratschläge an mich verkneifen.«

Ebenso wie Joram Kaniuk meint auch Chafets: »Es gibt keine Brücke zwischen ihnen und uns«, und: »Wir bezahlen sie, damit sie uns ausnehmen.« In nur fünf Jahren habe sich die Zahl der Jeschiwa-Studenten, die von staatlichen Zuwendungen leben würden, verdoppelt. Aber er geht noch weiter: »Die Religiösen versperren uns nicht nur die Straßen zu den Kinos am Freitagabend, sie blockieren auch den Weg zu einem Frieden mit den Palästinensern.« Es gebe eine »säkulare Mehrheit für ein palästinensisches Gemeinwesen neben Israel«: Die weltlichen Israelis seien bereit, sich mit den Palästinensern zu verständigen, die religiösen Juden nicht. »Wenn sie unbedingt in Hebron bleiben wollen, dann sollen sie es tun. Aber ich werde nicht für sie kämpfen und mein Leben riskieren.«

Wer soll die Juden dann beschützen?

»Gott!«

Joram Kaniuk sagt, er sei in den letzten Jahren öfter in Berlin als in Jerusalem gewesen. Ze'ev Chafets lebt in Jerusalem, hat sich aber vorsichtshalber schon eine Wohnung in Tel Aviv gekauft, wo er die Wochenenden verbringt. Irgendwann wird er mit seiner Familie ganz nach Tel Aviv umziehen. »Und wenn wir dann richtige Juden sehen möchten, werden wir zu Besuch nach Jerusalem kommen.«

Fahrt zur Höhle

Nadja und Ruth Matar tragen denselben Namen, sind aber miteinander nicht verwandt. Nadja hat Ruths Sohn David geheiratet, verbringt allerdings mehr Zeit mit ihrer Schwiegermutter als mit ihrem Mann. »Sie ist wunderbar, ich habe mit ihr großes Glück gehabt«, sagt Nadja über Ruth. »Sie ist phantastisch, was habe ich mit ihr für ein Glück gehabt«, sagt Ruth über Nadja. Absolut ideal wäre es gewesen, wenn die beiden Frauen einander geheiratet hätten, denn sie lieben und schätzen sich nicht nur, sie haben auch dieselben politischen Ansichten und Ziele. Gemeinsam haben sie im Mai 1993, also noch vor Oslo, die Bewegung »Frauen für Israels Zukunft« gegründet, die wegen der grünen Mützen, die von den Frauen bei ihren Aktionen getragen werden, von den Medien das Etikett »Frauen in Grün« verliehen bekamen.

Einmal im Jahr, zum Chanukka-Fest, organisieren die »Frauen in Grün« eine »Gala Family Party« in Hebron. Sie chartern einige Busse und fahren mit ihren Freunden in die Stadt der Patriarchen und einstige Hauptstadt Judäas, eine knappe Autostunde südlich von Jerusalem. »Um unsere Verbundenheit mit den tapferen jüdischen Familien in Hebron zu demonstrieren«, sagt Ruth. »Um uns an ihnen ein Beispiel zu nehmen, um frische Kräfte zu schöpfen«, sagt Nadja.

»Welcome on the Hebron Special!« ruft Ruth ins Bordmikrofon. Sie trägt, wie alle Teilnehmer und Teilnehmerinnen des Ausflugs, die grüne Mütze der »Frauen in Grün« mit dem Aufdruck »Israel halev scheli« (Israel – mein Herz), und sie spricht wie alle Teilnehmer und Teilnehmerinnen des Ausflugs englisch, das heißt amerikanisch. Hinter mir sitzt Batia, eine pensionierte Lehrerin aus Monsey im US-Bundesstaat New York, sie hat vor einem Dreivierteljahr »Aliya« gemacht, ist nach Israel ausgewandert und verzehrt nun glücklich ihre Rente in Jerusalem.

Neben mir sitzen Kenny und Sandy, ein Ehepaar wie aus einem Film von Woody Allen. Sie war Bibliothekarin an einer Public school, er Sozialarbeiter im Public social service. Vor einem Jahr haben sie ihre Wohnung in Riverdale, Bronx, für ein Apartment in Jerusalem aufgegeben. Nun danken sie »Gott, daß wir in der Lage sind, hier zu leben, denn hier gehören wir hin«.

Der einzige Eingeborene an Bord ist Motti, der Busfahrer. Kaum hat der Bus die Stadtgrenze passiert, spricht Kenny die »Tfilat haderech«, das Gebet, das fromme Juden zu Anfang einer jeden Reise aufsagen.

Dann erzählt Ruth eine Geschichte aus der »dunkelsten Zeit der Rabin-Peres-Regierung«, als die »Frauen in Grün« ein paar Busse gechartert hatten, um nach Hebron zu fahren, und als sie in der Nacht vor dem Ausflug von einer »unbekannten Person« angerufen wurde, die ihr mitteilte, es würden am nächsten Morgen keine Busse bereitstehen. »Soll das ein Witz sein!?« fragte Ruth den anonymen Anrufer, worauf der sagte: »Eines Tages wirst du mir noch dankbar sein, daß ich euch gewarnt habe«, und auflegte. Diese schlimmen Zeiten »sind nun – Gott sei Dank – vorbei«, auch wenn man noch keinen Grund zum Jubeln hätte. »We shall overcome one day ..., wie wir in der alten Heimat immer gesungen haben.«

Mit an Bord sind auch fünf Kisten mit Spielzeug der Marke »Fisher Price«, die von den amerikanischen Unterstützern der »Frauen in Grün« gespendet wurden, Geschenke für die Kinder in Hebron. »Ich hoffe, wir werden einen phantastischen Tag zusammen erleben!« ruft Ruth ins Mikrofon; der grüne Aufdruck auf ihrem weißen T-Shirt: »Never Underestimate the Power of a Woman in Green!«, soll nicht als leere Drohung verstanden werden.

Auf halbem Wege, bei der Tankstelle an der Kreuzung zum »Gusch Etzion«, macht der Fahrer eine Pause und holt sich einen Kaffee. Ruth geht von Bord und tauscht den Platz mit Nadja, die bis dahin im zweiten Bus für Stimmung und Moral gesorgt hat. Nadja, im fünften Monat schwanger, ist ein Energiepaket, als würde sie mit Duracell-Batterien angetrieben, eine Mischung aus Bette Midler und Inge Meysel. »Boker tov!«, guten Morgen, schreit sie auf hebräisch in den Bus und: »Is anyone here who does not understand English?« – Natürlich nicht. Und weiter geht die Reise mit englischen Untertiteln in Richtung Hebron.

Während ich mit mir kämpfe, den Bus nicht vollzukotzen, weil ich die Schaukelei nicht vertrage, steht Nadja neben dem Fahrer mit dem Rücken zur Fahrtrichtung und verbreitet »good vibrations« wie ein Profi-Animateur im Club Med. »Man sagt, alle Wege führen nach Rom. Das stimmt nicht. Alle Wege führen nach Hebron in die Machpela«, die Höhle der Patriarchen, in der Abraham, Isaak und Jakob begraben liegen. Leider habe die Regierung »90 Prozent von Hebron an die PLO-Terroristen übergeben«, aber »alle Verträge sind widerrufbar, nur nicht unser Bund mit Gott«.

Und sie überspringt viertausend Jahre mit einem einzigen Satz: »Wer hat gestern ferngesehen?« Im zweiten Kanal wurde ein Programm mit Schimon Peres ausgestrahlt, eine Art Fernsehgericht über das Abkommen von Oslo; im Studio saß eine Gruppe von Schülern, die ein Urteil sprechen sollten, und natürlich war alles manipuliert zugunsten von Oslo und Peres, denn »so sind unsere Medien eben«.

Doch einen Tag vorher gab es in »Ha'aretz« einen hochinteressanten Artikel zu lesen, »Warum wir Netanjahu hassen«, geschrieben von einem linken Autor; und da stand drin, daß die Linken Netanjahu deswegen nicht ausstehen können, »weil er so erfolgreich« ist. »Ihr müßt die Geschichte lesen, zum erstenmal sagt ein Linker die Wahrheit über Bibi«, freut sich Nadja und bietet an, jedem Interessierten den Text per E-Mail zu schicken.

Und schon sind wir in Hebron, direkt vor der Machpela, angekommen. Sunny, ein älterer Mann aus Queens, springt aus dem Bus und baut sich mit seiner Sony-Handycam vor der breiten Treppe auf, die zur Machpela führt. Er filmt das schloßartige Monstrum, das Juden wie Moslems heilig ist, und die Soldaten, die es bewachen. Den Kommentar spricht er live dazu: »... wie gut wir hier beschützt werden.« Zwei Beobachter der TIPH – Temporary International Presence Hebron –, ein Ingenieur aus der Türkei und eine Studentin aus Norwegen, schauen aus einiger Entfernung zu. Die TIPH-Truppe ist seit vier Jahren temporär in Hebron stationiert. Ihre Angehörigen fahren mit weißen Opel Corsa durch die Gegend und beobachten die Lage in der Stadt – mehr nicht.

Ruth und Nadja haben sich inzwischen zu einem Joint-venture vereinigt. Ruth hat ein tragbares Megafon geschultert, Nadja erklärt die Lage. »Die Juden, die in Hebron leben, sind die Makkabäer von heute, sie sind die Helden des jüdischen Volkes!«

Eine der Helden und Heldinnen ist die 23jährige Jifat, die – ihre drei Monate alte Tochter Zippora wie einen Rucksack verkehrt herum auf die Brust geschnallt – die Gruppe durch das jüdische Hebron führt. Hier habe vor viertausend Jahren die jüdische Geschichte angefangen. Die Machpela, die Höhle der Patriarchen, sei der Eingang zum »Gan Eden«, zum Paradies. Leider müsse man mit der »Demütigung« leben, »daß Juden nicht überall in der Machpela beten können«, 73 Prozent der Höhle seien in der Hand der Araber und nur 27 Prozent in der Hand der Juden.

»It's a shame«, es ist eine Schande, flüstert eine Frau hinter mir, die sich, kaum daß sie aus dem Bus gestiegen ist, eine weiße Mütze mit der Aufschrift »Hebron – jetzt und für alle Zeiten« im Andenken-Shop vor der Machpela gekauft und aufgesetzt hat.

Hebron ist eine geteilte Stadt; etwa 20 Prozent werden von Israel kontrolliert, 80 Prozent unterstehen der palästinensischen Autonomie. In ganz Hebron leben etwa 150 000 Araber, im israelisch kontrollierten Teil, einschließlich der Kasbah, sind es schätzungsweise 10 000. Anders als in Bethlehem, Ramallah und Nablus hat sich Israel nicht völlig aus Hebron zurückgezogen, weil es in Hebron eine jüdische Bevölkerung gibt: genau 55 Familien mit etwa 450 Menschen, die in vier separaten Quartieren leben: Avraham Avinu (Unser Vater Abraham), Beit (Haus) Hadassa, Beit Schneerson und Tel (Hügel) Romeida. Dazu kommen etwa 150 Studenten, die in der »Jeschiwa Schawei Hevron« (Die Rückkehrer nach Hebron) im alten Beit Romano lernen und wohnen. Alles in allem hausen rund sechshundert Juden in Hebron. Um ihre Sicherheit zu garantieren, sind weit mehr israelische Soldaten in der jüdischen Enklave stationiert. Das Hebron-Abkommen sieht genau vor, wo sich die jüdischen Bewohner aufhalten, welche Wege sie benutzen dürfen und welche nicht.

»Uns ist es verboten, in die Kasbah zu gehen«, klagt Jifat, »während die Araber sich in unserem Teil der Stadt frei bewegen können.«

Allerdings, die meisten arabischen Geschäfte in der König-David-Straße im israelisch kontrollierten Teil sind geschlossen. Die Armee läßt arabische Autos nicht durchfahren und kontrolliert auch die Fußgänger. Die Lage ist vollkommen absurd.

»Darf ich in die Kasbah gehen?« frage ich einen israelischen Soldaten an einer Sperre zwischen dem israelischen und dem palästinensischen Territorium.

»Wenn du Jude bist, dann nicht.«

«Und wenn ich Tourist bin?«

»Dann ja.«

»Und wenn ich ein jüdischer Tourist bin?«

»Dann auch nicht.«

Nur – welcher Verrückte möchte schon freiwillig in die Kasbah gehen? Hebron mag eine heilige Stadt sein, der Eingang zum Paradies, es ist eine Stadt, in die man seinen ärgsten Feind nicht verbannen würde: trostlos und heruntergekommen, schmutzig und schäbig. Der Fanatismus steht wie Nebel in der Luft, man kann ihn förmlich riechen und in den Gesichtern der Menschen lesen. Um hier leben zu wollen, muß man von Todessehnsucht erfüllt sein und alles verachten, was das Leben angenehm macht. Die Araber, die hier geboren wurden, kennen nichts anderes, haben keine Alternative. Aber was ist es, das die Juden hierher zieht?

Das Pogrom von 1929. Ende der zwanziger Jahre lebten etwa 600 000 Araber und 150 000 Juden in ganz Palästina; in Hebron waren es rund siebenhundert Nachkommen spanischer Juden, die im 16. Jahrhundert eingewandert waren. Am 24. August 1929 wurden 67 Juden vom arabischen Mob massakriert, die Verletzten und Überlebenden retteten sich nach Jerusalem. Seitdem gab es keine jüdische Gemeinde in Hebron, bis 1968 eine Gruppe von Juden zum Pessach-Fest ein Hotel in der Stadt mietete und sich hinterher weigerte, die Stadt zu verlassen. (Siehe das Interview mit Eljakim Ha'etzni, S. 75 f.)

Jifat, die 1974 in Ramat Gan bei Tel Aviv geboren wurde, steht vor dem Eingang zur Avraham-Avinu-Synagoge, die originalgetreu rekonstruiert wurde, und gibt das Pogrom von 1929 in allen Einzelheiten wieder. Der erste Ermordete hieß Schmuel Rosenholz; das Oberhaupt der jüdischen Gemeinde, Eliezer Slonim, wurde wie ein Stück Vieh abgeschlachtet. Sie lebt das Massaker durch und beendet ihre Schilderung mit dem Satz: »Es sollte das Ende der jüdischen Gemeinde in Hebron werden, aber ...« Und sie hebt die Arme in die Höhe, als wollte sie sagen: Schaut, was wir inzwischen wieder aufgebaut haben.

»Oh, boy ...«, seufzt die Frau mit der Mütze »Hebron – jetzt und für alle Zeiten«, als sei sie bei dem Pogrom dabeigewesen. Sie heißt Florette, wurde vor etwa fünfzig Jahren in Ägypten geboren, lebt in London und besucht mit ihrem sechzehnjährigen Sohn Avi, der eine Kippa trägt, Freunde in Jerusalem.

»Mein Traum wäre es, in Israel zu leben, aber mein Mann verträgt das Klima nicht, und außerdem hat er Flugangst.«

Jifat deckt ihre Tochter Zippora mit einem Tuch zu und geht in Richtung Beit Hadassa. Eine Ausstellung im Keller des alten jüdischen Krankenhauses von Hebron dokumentiert »die Geschichte der Befreiung der Stadt von jordanischer Herrschaft« im Jahre 1967 und später. Jifat erzählt die Geschichte ebenso anschaulich, wie sie das Pogrom von 1929 geschildert hat. 1975 sei ein wichtiges Jahr gewesen. Da habe eine Frau aus dem benachbarten Kirjat Arba, Sarah Nachschon, ihren ein paar Wochen alten Sohn Avraham Jedidia durch Tod im Kindbett verloren. Sie habe das tote Kind auf den Arm genommen und sei damit zu Fuß zum alten jüdischen Friedhof in Hebron gegangen, auf dem seit 1929 kein Jude mehr beerdigt wurde. Israelische Soldaten hätten sich ihr in den Weg gestellt, sie aber habe ihnen das tote Kind entgegengehalten und gerufen: »Avraham wurde vor viertausend Jahren in Hebron begraben, und ich werde meinen Sohn Avraham ebenfalls in Hebron begraben!« Diese Tat, so Jifat, habe »den Juden den Weg geöffnet, in Hebron begraben zu werden«.

Atemlos vor Bewunderung hören die Besucher zu. Und kaum haben sie einmal Luft geholt, erzählt Jifat die nächste Heldentat. Anfang 1979 hätten sich ein Dutzend Frauen aus Kirjat Arba mit über dreißig Kindern in das leerstehende Beit Hadassa eingeschlichen und seien dort über ein Jahr geblieben, »unter schrecklichen Bedingungen, gegen den Widerstand der Armee, die alles unternommen hat, um sie zu vertreiben«. Die Heldin dieser Aktion hieß Schoschana

Peretz, sie sei zum Zeitpunkt der Besetzung im neunten Monat schwanger gewesen und wollte zur Entbindung in ein Krankenhaus fahren. Worauf ihr von dem zuständigen Armee-Kommandeur gesagt wurde: »Du kannst gern fahren, aber wir lassen dich nicht wieder zurück ins Haus!« Daraufhin sei sie im Beit Hadassa geblieben und habe mit Hilfe der anderen Frauen eine Tochter entbunden – die den Namen Hadassa bekam.

Ein Seufzer der Erleichterung füllt den Kellerraum von Beit Hadassa, als sei plötzlich bekannt geworden, daß Anne Frank noch am Leben wäre. Jetzt sind die Besucher in der richtigen Stimmung, sich einen Film über das jüdische Hebron anzuschauen. Während im Hintergrund ein als König David verkleideter Statist stumm Harfe spielt, erzählen die Protagonisten, wie befriedigend, sinnvoll und spirituell anregend das Leben in Hebron sei. Nachdem ein kleines Mädchen »Ich möchte Ärztin werden und in Hebron arbeiten« gequäkt hat, kommt der Nachspann und ganz zum Schluß ein Hinweis auf den Produzenten des Films: »Hebron Funds, Incorporated; Kew Gardens, Queens, N. Y.«

Warum denn nur so wenige jüdische Familien in Hebron leben würden, will jemand wissen. »Ganz einfach«, sagt Jifat, »wir haben keinen Platz, um mehr Häuser zu bauen.«

Draußen scheint die Sonne, und die Soldaten, die das Beit Hadassa bewachen, langweilen sich. Ein schmächtiger junger Mann mit krummem Rücken – beim Gehen zieht er ein Bein nach – leiht sich bei einem der Soldaten dessen Gewehr aus, hängt es sich um und läßt sich damit von einem Freund fotografieren. Er ist vor fünf Jahren aus Sydney eingewandert, wohnt im Zentrum von Tel Aviv und lebt davon, daß er einen Teil seiner Wohnung an Touristen vermietet. »Australien ist langweilig«, sagt er, »es gibt kein Hebron in Australien.« Ob er in der Armee dienen möchte? »Die würden mich nicht nehmen, die haben mich nicht einmal gemustert«, knurrt er, während er sich die Straße zum Tel Romeida hinaufschleppt.

Hier leben sieben Familien in Caravans, einige bereits seit vierzehn Jahren. Auch Tel Romeida ist ein historischer Ort, Jischai, König Davids Vater, soll hier begraben liegen. Die historische Ruine wird ebenso von der Armee bewacht wie die sieben Caravans auf dem steilen Weg dorthin. Inoffizieller Sprecher der kleinen Tel-Romeidá-Gemeinde ist Baruch Marzel, ein berüchtigter Rechtsextremist, führender Aktivist der inzwischen verbotenen Kach-Partei, ein Mann, dessen Vorstrafenregister noch länger ist als sein Bart.

»Unternimmt Netanjahu genug, um die jüdischen Einwohner von Hebron zu schützen?« wird er von Chaim gefragt, der vor einem Jahr aus Chicago eingewandert ist.

»Es gibt keinen Unterschied zwischen der Politik von Rabin und der von Netanjahu«, antwortet Marzel.

»Und was machen Sie?« will eine Frau aus den USA wissen, die ebenfalls die grüne Mütze (»Israel – mein Herz«) trägt.

»Ich versuche, dem jüdischen Volk zu helfen«, sagt Marzel.

»Aber wovon leben Sie?« setzt die Frau nach.

»Ich kümmere mich um die heiligen Stätten in Judäa und Samaria«, antwortet Marzel, während das Handy in seiner Hand klingelt.

»Ist es nicht unglaublich«, sagt Chaim aus Chicago, »daß dieser Mann von der israelischen Presse als Terrorist verleumdet wird?«

Eine »heilige Stätte«, um die sich Baruch Marzel kümmert, ist das Grab von Baruch Goldstein in Kirjat Arba. Das kann Chaim, der Neuzugang aus Chicago, nicht unbedingt wissen. Er hat in den USA als Buchhalter gearbeitet und versucht nun, als »Makler im Internet« eine Nische zu finden. »Israel ist die Heimat aller Juden, there is no place like home«, sagt er auf dem Rückweg vom Tel Romeida zur Avraham-Avinu-Synagoge, wo Miriam Levinger, die Frau des Rabbiners Mosche Levinger, einen Vortrag über »Leben in Hebron – eine Herausforderung« halten wird.

»Rebbetzin« Levinger wurde vor sechzig Jahren in New York geboren, sieht aus wie siebzig und bewegt sich wie eine rüstige Achtzigjährige, die ihre Einkäufe noch allein erledigt. Ob es an den elf Kindern liegt, die sie zur Welt gebracht hat, oder am Leben in Hebron, das die Menschen schneller altern läßt, ist schwer festzustellen. Jedenfalls ist sie die Mutter Courage von Hebron und Kirjat Arba, der Prototyp der tapferen Siedlerfrau. Als vor Jahren bei einem Anschlag in Hebron ein Mensch verletzt wurde, hat sich die gelernte Krankenschwester geweigert, Erste Hilfe zu leisten – in der irrigen Annahme, der Verletzte wäre ein Araber. Es war ein Jude, und Miriam Levinger rechtfertigte ihr Verhalten mit einem Satz wie: Das konnte ich nicht wissen. Ihr Mann, Mosche Levinger, hat mal eigenhändig einen Araber erschossen, wurde daraufhin verhaftet, was er als eine grobe Ungerechtigkeit empfand, und zu einer kurzen Haftstrafe verurteilt, die er nur zum Teil absitzen mußte; er hatte, fand das Gericht, in vermeintlicher Notwehr gehandelt.

Nun steht die »Rebbetzin« auf der »Bima« der Avraham-Avinu-Synagoge, wo sonst aus der Thora gelesen wird, und erzählt, wie alles angefangen hat. Als sie 1956 nach Israel kam, da hatte sie das Gefühl, daß sie »den Neubeginn der jüdischen Geschichte verpaßt« hatte. »Ich war nicht in Israel, als hier Geschichte gemacht wurde, es war schon alles gelaufen.«

Zwölf Jahre später, bei der berühmt gewordenen Pessach-Feier in Hebron, da sagte sie sich: »Okay, das ist jetzt die nächste Runde, und diesmal bist du mit dabei.« Und die »Rebbetzin« lacht, wie sonst nur in Filmen gelacht wird, in denen Patienten erzählen, wie sie die Pfleger bei der Tablettenausgabe überlistet und statt Valium Captagon bekommen haben.

Es folgt die Chronik der Rückkehr der Juden nach Hebron: das Hotel, die Zeit in einer Baracke auf dem Armee-Gelände, die Eroberung von Beit Hadassa durch ein Dutzend Frauen und ihre Kinder. »Ich habe die Geschichte schon tausendmal erzählt, und ich werde sie noch tausendmal erzählen.« Als einmal ein Kind zum Zahnarzt mußte, da trat die Regierung in Jerusalem zu einer Sondersitzung zusammen und beschloß, das Kind dürfe zum Zahnarzt gehen und anschließend ins Beit Hadassa zurückkehren. »Das war alles sehr interessant und sehr aufregend.«

Die »Rebbetzin« hat sich warmgeredet: Man habe Mosche Dayan gegen Jigal Alon ausgespielt; einmal sei Arik Scharon zu Besuch gekommen, ein andermal Raymonda Tawil, die jetzige Schwiegermutter von Arafat; und als eines Tages Soldaten anrückten, um einen Gasofen abzuholen, der in das Beit Hadassa reingeschmuggelt worden war, da hätten sich zwei Frauen auf den Ofen gesetzt, und sie, die »Rebbetzin«, habe gesagt: »It's a package deal.« Der Ofen blieb, die Soldaten zogen ab. »Wir hatten Spaß und Spiele.«

In der Bronx, wo sie aufgewachsen ist, habe sie »alles über Puertorikaner und Neger gelernt«, in Hebron »alles über die Araber«, sie wisse genau, worin sich Juden und Araber unterscheiden. »Wenn ein Jude lügt, merkt man es ihm an. Wenn ein Araber lügt, sieht man es ihm nicht an.« Hebron war von Anfang an eine »mission impossible«; nun würden sechstausend Juden in Kirjat Arba und einige hundert mitten in Hebron leben. »Wenn man ein Realist sein will, muß man an Wunder glauben; unsere Aufgabe im Leben ist es, das Unmögliche zu versuchen; was daraus wird, ist nicht unsere Sorge, es liegt in Gottes Hand …«

In Amerika habe sie »die Leere der Gesellschaft« kennengelernt, das Leben hatte »keine Bedeutung, keinen Sinn«, alles »war nur Fassade, nichts war echt, dafür aber käuflich«; in Hebron zu leben und Teil der jüdischen Geschichte zu sein ist dagegen »eine Erfüllung«. So eine Chance bekommt man nicht oft geboten. »Wenn ich vor achtzig, neunzig Jahren geboren worden wäre, wäre ich eine Kämpferin im Warschauer Ghetto geworden.« Allerdings: »Warschau war eine traurige Geschichte, das hier ist eine glückliche.«

Nein, sie würde Hebron »gegen keinen anderen Ort auf der Welt tauschen«, nicht mal gegen die Bahamas. Und die »Rebbetzin« lacht wieder, wie nur ein Mensch lachen kann, der noch nie an sich gezweifelt hat.

Die jährliche Gala Family Chanukka Party in Hebron geht zu Ende. Ruth Matar steht am Eingang zum Gutnick Center, das den Namen seines australischen Sponsors trägt, und schaut über Hebron, das allmählich in der Dämmerung versinkt. »So eine unglaubliche Stadt, und wir haben sie weggegeben. Was für ein Verbrechen!«

Ihre Schwiegertochter Nadja gibt über Lautsprecher bekannt, daß die Busse nach Jerusalem demnächst abfahren werden.

»Was für eine Frau«, sagt eine New Yorkerin, die als Delegierte zum zionistischen Kongreß nach Jerusalem gekommen und ein wenig länger geblieben ist, um sich im Land umzusehen, »was für eine Frau, unsere Jeanne d'Arc …«

Florette aus London hat im Gutnick Center zwei Tüten voll mit Souvenirs eingekauft, die sie heimnehmen wird, T-Shirts, Mützen, Schlüsselanhänger, Bildbände und Videos über Hebron. »Ich bin fix und fertig«, sagt sie beim Einsteigen in den Bus zu ihrem Sohn Avi, »laß mich jetzt schlafen.«

Sunny schaut sich auf dem ausklappbaren Monitor der Handycam die Aufnahmen von Hebron an und ist schon bei seinen Freunden in Queens: »Die werden staunen …«

Kenny aus Monsey spricht wieder die »Tfilat haderech«, das Gebet der Reisenden: »Es sei Dein Wille, ewiger Gott, daß Du uns in Frieden führst und uns schützt vor allen unseren Feinden und Gefahren auf dem Weg …«

Die Fahrt von Hebron zurück nach Jerusalem geht vorbei an Halhul, El Arub und Bethlehem, Orten, in denen Palästinenser leben, die noch nie im Gutnick Center neben der Machpela in Hebron eingekauft haben. Wie bei jeder Butterfahrt nimmt der Wert der Einkäufe im Verhältnis zur Entfernung vom Ausgangsort zu. Vom spirituellen Gewinn, der erst ganz am Ende verbucht werden kann, ganz abgesehen.

»Dank Menschen wie euch«, sagt Ruth Matar, »wird die Erlösung kommen. Und eines Tages werden wir Hebron wiedergewinnen.«

Marc am Pool

Man kann die jüdischen Touristen, die nach Israel reisen, grob in zwei Gruppen einteilen. Die einen kommen nach Jerusalem, die anderen nach »Jeruschalajim« – so heißt die Stadt auf hebräisch, und wenn es das einzige hebräische Wort ist, das die Jerusalem-Besucher fließend aussprechen können.

Wer »Jerusalem« sagt, meint die Hauptstadt Israels, die Altstadt, die Neustadt, den Mix aus Kulturen und Religionen, den arabischen Schuk und den jüdischen Markt »Mahane Jehuda«. Wer dagegen »Jeruschalajim« sagt, meint die Heilige Stadt, die Klagemauer, den Ölberg und den Tempelberg und zeigt schon die ersten Anzeichen von religiösem Wahn.

Auch Marc kommt nach »Jeruschalajim«. Er spricht ein halbes Dutzend Sprachen, darunter auch Hebräisch, ist Mitte Dreißig und der Mann, den sich jede Mutter für ihre Tochter wünscht. Gut erzogen, Doktor der Jurisprudenz, erfolgreicher und gut verdienender Rechtsanwalt aus der Schweiz, der sich auf die Verwaltung von Nachlässen bedeutender Künstler spezialisiert hat. Außerdem ist er ein bekennender Zionist: »Governor« im Beirat des Israel-Museums, was ihn zum kostenlosen Eintritt berechtigt, »Board Member« bei der »Jerusalem Foundation«, nur um die wichtigsten Ämter zu nennen, mit denen er versucht, »Israel zu helfen«.

Doch alle Liebe zu Israel hält ihn nicht davon ab, jeden Morgen von »Jeruschalajim« aus seinen Broker in Zürich anzurufen, um sich nach dem Kurs seiner Aktien zu erkundigen. Erst danach hört er »Radio Israel« und liest »Yedioth« und »Ma'ariv«.

Ein Nebenprodukt der Ehrenämter, mit denen er Israel zu helfen versucht, ist, daß er viele prominente Israelis kennt. Vom Autotelefon aus wählt er die Auskunft, 144, und möchte die Nummern von Amnon Rubinstein und Dan Meridor wissen, die er zwar hat, aber gerade nicht bei sich. »Lo raschum«, sagt die Frau von der Auskunft, nicht verzeichnet. »Seltsam«, sagt Marc, »bei uns in der Schweiz stehen alle Minister und Abgeordneten im Telefonbuch.«

Ja, Israel ist eben ein wenig anders als die Schweiz. Und damit Marc mehr vom Land mitbekommt als nur das Israel-Museum und den nächsten Empfang bei der »Jerusalem Foundation«, schlage ich ihm vor, nach Hebron mitzukommen, um sich die jüdische Gemeinde dort anzusehen. Wir könnten bei einem Busausflug der »Women in Green« mitfahren. Einfacher und bequemer geht's nicht.

»Prima Idee«, sagt Marc, »ich komme mit.«

Eine Stunde später hat er eine Frage: »Ist es gefährlich?«

»Was?«

»Die Fahrt nach Hebron.«

»Ich weiß es nicht, niemand kann es wissen.«

»Gibt es eine bewaffnete Eskorte?«

»Wahrscheinlich nicht.«

»Aha.«

Nach einer weiteren Stunde hat Marc noch eine Frage: »Bist du mir sehr böse, wenn ich nicht mitkomme?«

»Nein, ich bin nicht böse. Nicht jeder muß in Hebron gewesen sein.«

Am nächsten Tag fahre ich mit den »Women in Green« nach Hebron, verbringe einen ganzen Tag mit Halb- und Totalverrückten und bin am Abend wieder in Jerusalem. Marc ist in »Jeruschalajim« geblieben. Kurz vor Beginn der Nachrichten kommt er heim, strahlend, aufgekratzt, glücklich. »Ich hatte einen phantastischen Tag!« ruft er, ohne zu fragen, ob und wie ich die Fahrt nach Hebron überlebt hätte.

»Schön«, sage ich, »warst du wieder im Israel-Museum?«

Nein, Marc war den ganzen Tag in der Knesset, hat sich zuerst von der Besuchertribüne die Debatte angehört, dann hat er Dan Meridor und Amnon Rubinstein getroffen und mit ihnen geplaudert. »Wir haben in der Cafeteria der Abgeordneten gesessen, Peres und Scharon waren auch da, ich hab' sie von ganz nah gesehen!«

Da kann ich nicht mithalten, ich habe in Hebron nur Baruch Marzel und »Rebbetzin« Levinger getroffen.

Zwei Tage später gebe ich Marc noch eine Chance. Die »Temple Mount Faithful« wollen zu den Gräbern der Makkabäer bei Modi'in fahren, dann vor dem »Orient-Haus« gegen die Präsenz der PLO in Jerusalem demonstrieren und schließlich versuchen, auf den Tempelberg zu gehen, um dort zu beten. Das wird ein spannender Ausflug werden.

Ich sehe eine Frage in Marcs Gesicht, die er sich nicht zu stellen traut. »Ich weiß nicht, wie gefährlich es ist«, sage ich, »aber es wird bestimmt Krawall geben.«

Marc überlegt kurz. »Ich komme mit«, sagt er, als würde er sich zum Dienst bei der Schweizer Garde im Vatikan melden.

Am nächsten Tag stehen wir früh auf und fahren mit Marcs Wagen quer durch die Stadt zum Treffpunkt der »Temple Mount Faithful« auf dem Parkplatz vor dem Kongreßzentrum »Binjanei Ha'uma«. Ein paar der »Getreuen« warten schon dort. Marlene aus Natanja hält ein Flugblatt hoch, Daniel, ein Straßenmusiker aus Jerusalem, zeigt einen Brief vor, den er gerade an »Bibi« geschrieben hat. Marc schaut die beiden an, als möchte er wissen, ob E. T. auch mitkommen wird. Während ich einen Schwatz anfange, geht er drei Schritte zurück. Nach fünf Minuten flüstert er mir zu: »Ich komme doch lieber nicht mit, wir sehen uns heute abend ...« Und tschüß.

Immerhin, diesmal hat er es bis zum Treffpunkt geschafft.

Am Abend finde ich in meiner Wohnung einen handgeschriebenen Zettel auf dem Tisch. Marc bedankt sich »für alles« und teilt mir mit, er sei ab sofort im Hotel Dan in Tel Aviv zu erreichen. Dort gebe es auch einen wunderbaren Pool, den ich bestimmt genießen würde, wenn ich mal zu Besuch käme.

Das war ein kurzer Besuch in »Jeruschalajim«, denke ich mir, nun sitzt Marc am Pool vom Hotel Dan in Tel Aviv und überlegt, was er noch »für Israel« tun könnte. Und wenn er wieder daheim ist, wird er erzählen, wie toll es in »Jeruschalajim« in der Cafeteria der Knesset war. Denn »Zionismus« war schon immer ein Synonym für »Kaffeehaus«. Bei einer Unterhaltung im Wiener Café »Landtmann« wurde Max Nordau, die rechte Hand Theodor Herzls, gefragt, welches Amt er nach der Gründung des »Judenstaates« gern annehmen würde. Nordau überlegte keine Sekunde: »Botschafter in Wien.«

Alle wollen nur das eine

*P*rohibition ist gut für den Alkoholhandel, Prostitution bringt dort am meisten ein, wo sie illegal ist, und Krieg ist eine prima Grundlage für allerlei Umtriebe mit dem Frieden. Israel befindet sich seit dem Tag seiner Gründung im Krieg mit seinen arabischen Nachbarn. Daran haben auch die Abkommen mit Ägypten, Jordanien und der PLO wenig geändert. Die kriegerischen Aktionen wurden nur verlagert: von der Peripherie des Landes ins Landesinnere. Wenn es nicht irakische Scud-Raketen sind, die mitten in Tel Aviv einschlagen, dann sprengen Selbstmordkommandos Busse in die Luft oder reißen Kaffeehausbesucher und andere unbeteiligte Passanten mit in den Tod. In einer Gegend, in der man sich täglich mehrmals mit »Der Friede sei mit Euch!« grüßt – »Schalom alejchem« auf hebräisch, »Salam alaikum« auf arabisch –, hat man zugleich gute Chancen, Opfer eines Anschlags zu werden. Mal greift ein fanatischer Moslem einem Busfahrer auf der Strecke Tel Aviv–Jerusalem ins Lenkrad und steuert den Bus in den Abgrund: 14 Tote. Mal richtet ein fanatischer Jude ein Blutbad unter betenden Moslems in der Machpela von Hebron an: 29 Tote. Natürlich handeln beide im höheren Auftrag, und wenn sie Glück haben, treffen sie sich im Himmel, wo sie miteinander darum wetteifern werden, wer dem Allmächtigen das Fußbänkchen zurechtrücken und den Bart kämmen darf.

Unter solchen Umständen haben Friedensinitiativen Konjunktur. Es gibt in Israel etwa so viele »peace movements« wie politische Parteien, wobei es noch einfacher ist, eine Friedensbewegung zu gründen als eine politische Partei. Die bekannteste ist natürlich »Peace Now« (Frieden jetzt), die 1978 von 350 Armee-Offizieren mit einem Brief an Menachem Begin initiiert wurde und einige wirklich eindrucksvolle Massenkundgebungen organisiert hat. Weniger bekannt, dafür kleiner und feiner ist der »Gusch Schalom« (Block des Friedens) um den Journalisten Uri Avnery, ein rationales Gegenstück zum »Gusch Emunim« (Block der Gläubigen), dem 1974 gezeugten ideologischen Kern der Siedlerbewegung. Dann gibt es noch zwei religiöse Friedensbewegungen, »Oz w Schalom« (Kraft und Frieden), 1971 gegründet, und »Netiwot Schalom« (Wege zum Frieden), 1982 entstanden, die seit 1984 zusammenarbeiten. Sie wurden von religiösen Juden gegründet, die nicht an Aktionen von »Peace Now« teilnehmen konnten, weil diese meist am Schabbat stattfinden.

In Tel Aviv arbeitet das 1982 gegründete »International Center for Peace in the Middle East«, ein akademisches Forum, das Konferenzen veranstaltet, das Magazin »New Outlook« herausgibt und Studien über die Lage im Nahen Osten produziert. Der Sohn von Jitzhak Rabin, Juval Rabin, ist der Sprecher einer jungen Bewegung, die sich »Dor scholem doresch schalom« nennt, ein Wortspiel, das soviel wie »Eine ganze Generation fordert den Frieden« bedeutet. Ebenfalls neu sind das »Shimon Peres Center« und die »Stiftung Jitzhak Rabin«, die sich beide vorgenommen haben, mit internationalen Konferenzen, Begegnungen und Studien den Frieden im Nahen Osten zu verwirklichen.

An der Tel Aviver Universität arbeitet das »Steinmetz Center for Peace Research«, das College Giwat Hawiwa unterhält das »Jewish-Arab Center for Peace«, an dem Lehrer fortgebildet werden. Der Abgeordnete und frühere stellvertretende Außenminister Jossi Beilin führt eine Initiative mit dem Namen »Peaceful Departure from Lebanon«. Der »Rabbinical Congress for Peace«, eine lose Vereinigung von 250 Rabbinern, interpretiert die Heilige Schrift gegen das Abkommen von Oslo und will »keinen Zentimeter Land« aufgeben. Und »Peace for Generations« ist grundsätzlich für den Frieden, aber gegen den Friedensprozeß.

Es ist mehr als erstaunlich, daß bei so vielen Initiativen der Frieden im Nahen Osten so flott vorankommt wie eine Ente bei dem Versuch, mit einem Rudel Störche mitzufliegen. Obwohl inzwischen auch die Palästinenser auf den Geschmack gekommen sind. Im Dezember 1997 wurde in Ramallah das »Al Quds Peace Center« (Friedenszentrum Jerusalem) gegründet, das, von Norwegen finanziert, Recherchen und Seminare über den Frieden fördern möchte.

Doch das ist noch immer nicht alles. Frieden mit anderen kann nur schließen, wer mit sich selber in Frieden lebt. Deswegen bemühen sich immer mehr Israelis darum, »Brücken zu bauen« – zwischen religiösen und säkularen Juden, europäischen und orientalischen, »Vatikim« (Altbürgern) und »Olim hadaschim« (Neueinwanderern). Am 15. Dezember 1997 wurde in Jerusalem das »Nachshon Wachsman Center for Tolerance and Understanding« gegründet, um Toleranz und Verständigung zwischen Juden und Juden zu befördern. (Nachshon Wachsman war ein israelischer Soldat, der von palästinensischen Terroristen im Oktober 1994 entführt und ermordet wurde.) Ministerpräsident Benjamin

Netanjahu und Oppositionsführer Ehud Barak unterzeichneten feierlich eine Deklaration mit dem Titel »Frieden in Israel« – nur um sich am nächsten Tag ebenso anzugiften, wie sie es all die Tage zuvor schon getan hatten.

Frieden im Nahen Osten ist also kein Zustand, sondern bestenfalls eine Absicht, eine Art Schimmer am Horizont. »Die Israelis und die Palästinenser wissen nicht, worüber sie reden, wenn sie von ›Frieden‹ sprechen«, sagt der palästinensische Journalist Jamil Hamad, »sie kommen mir vor wie ein Mann, der sein ganzes Leben allein gelebt hat und mit achtzig plötzlich anfängt, von den Freuden des Familienlebens zu schwärmen.«

Doch es reicht allemal für eine boomende »cottage industry«, die Begegnungen, Seminare, Konferenzen, Resolutionen und Anträge auf Förderung durch ausländische Stiftungen produziert. »Peace is the name of the game«, und wie bei allen Gesellschaftsspielen ist Mitmachen wichtiger als Gewinnen.

Die Sache hat außerdem noch eine internationale Dimension. In und rund um Israel sind fünf internationale Friedenstruppen stationiert, die den Frieden überwachen und garantieren sollen: UNTSO, UNDOF, UNIFIL, TIPH und MFO. Nirgendwo sonst in der Welt sind mehr Soldaten auf so kleinem Raum für den Frieden aktiv.

UNTSO, United Nations Truce Supervision Organization, wurde im Juni 1948 etabliert, um den Waffenstillstand zwischen Israel und seinen Gegnern herbeizuführen und zu überwachen. Damit ist UNTSO noch immer beschäftigt. 1990 waren 291 »Observer« aus zwanzig Staaten (darunter Argentinien, Chile und Neuseeland) im Auftrag der UNTSO unterwegs, meistens am Strand von Tel Aviv und Ein Gedi am Toten Meer. Von 1948 bis Ende 1989 hat der Einsatz der UNTSO über 310 Millionen Dollar gekostet.*

UNDOF, United Nations Disengagement Observer Force, wurde im Juni 1974 etabliert, um den Waffenstillstand zwischen Israel und Syrien und die Truppenentflechtung auf den Golan-Höhen zu überwachen. 1990 dienten 1338 Soldaten aus Österreich, Kanada, Finnland und Polen in der entmilitarisierten Zone zwischen Israel und Syrien. Von 1974 bis Ende 1990 hat der Einsatz der UNDOF 452 Millionen Dollar gekostet.

UNIFIL, United Nations Interim Force in Lebanon, wurde im März 1978 etabliert, um Israels Rückzug aus dem Südlibanon zu überwachen und »Frieden und Sicherheit« in der Region wiederherzustellen. 1990 dienten 5904 Soldaten aus Finnland, Frankreich, Ghana, Irland, Italien, Nepal, Norwegen, Schweden und den Fiji-Inseln im Südlibanon. Von 1978 bis Mitte 1990 hat der Einsatz der UNIFIL eine Milliarde und 763 Millionen Dollar gekostet.

MFO, Multinational Force and Observers, wurde nach dem Friedensabkommen zwischen Israel und Ägypten 1982 etabliert, um die Grenze im Sinai zu überwachen. Der Aufbau der Truppe hat über 200 Millionen Dollar gekostet, 1997 lag das Budget bei nur noch 51 Millionen Dollar. 2100 MFO-Angehörige aus elf Staaten (USA, Kanada, Kolumbien, Uruguay, Italien, Norwegen, Frankreich, Ungarn, Australien, Neuseeland und den Fiji-Inseln), unterstützt von einigen hundert ägyptischen Hilfskräften, sind buchstäblich damit beschäftigt, ihre Allradautos durch die Wüste zu fahren und sich den Sand aus den Augen zu reiben.

* Über neuere Zahlen verfügt das UN-Büro in Jerusalem leider nicht.

Die skurrilste aller Friedenstruppen ist vermutlich die TIPH – Temporary International Presence in Hebron, die Anfang Mai 1994 aufgestellt wurde, »um Stabilität und normales Leben in der Stadt« wiederherzustellen, nachdem Baruch Goldstein Ende Februar 1994 das Blutbad in der Machpela angerichtet hatte. Italien, Dänemark und Norwegen stellten das erste Kontingent, das bis zum 8. August 1994 diente. Anfang Mai 1996 kam TIPH zurück nach Hebron, eine Multikulti-Truppe aus Norwegern, Italienern, Dänen, Schweden, Schweizern und Türken. Das TIPH-Mandat wird alle drei Monate erneuert, die TIPH-Beobachter fahren unbewaffnet in ihren weißen Opel Corsa durch die Stadt, sie dürfen »nicht in Auseinandersetzungen eingreifen«, sondern sollen nur beobachten und »berichten, was passiert, so klar wie möglich«. Die hauptamtlichen Beobachter sind Zivilisten – Ingenieure, Polizisten, Studenten –, die sich über einen bezahlten Abenteuerurlaub im Nahen Osten freuen. Es ist immer was los in Hebron, doch gibt es nicht viel zu tun.

Im November 1997 waren 132 TIPH-Beobachter in Hebron präsent, darunter 21 Frauen. Sie wohnen in angemieteten Wohnungen, »getrennt nach Geschlechtern, aber gemischt nach Nationalitäten«; sie bereiten sich ihre Mahlzeiten selber zu und treffen sich in einer Cafeteria, die zum Selbstkostenpreis betrieben wird. Wegen der bunten Lätzchen, die die »Observer« anfangs trugen, damit sie von den Juden nicht für Araber und von den Arabern nicht für Juden gehalten wurden, bekam die TIPH-Truppe den Kosenamen: True Italian Pizza in Hebron.

So auffällig die Sechs-Länder-Armee auftritt, ihr Budget ist ein Geheimnis. Jedes Land bezahlt seine Teilnehmer, die

Gemeinkosten hingegen werden im Verhältnis der nationalen Kontingente geteilt.

»Ich darf Ihnen nicht einmal einen Hinweis geben, was die Operation kostet«, sagt der TIPH-Pressesprecher.

Rechnet man freilich mit 5000 Dollar pro Kopf und Monat, einschließlich der Ausgaben für Verwaltung, Miete, Autos, Reisen, Kommunikation und Kleidung, was eine eher bescheidene Schätzung ist, kommt man immerhin auf rund acht Millionen Dollar pro Jahr. Das ist nicht unangemessen, wenn man bedenkt, daß die TIPH-Truppe nichts nutzt, aber auch keinen Schaden anrichtet.

Bis hierhin ist der Nahost-Konflikt schon eine Arbeitsbeschaffungsmaßnahme von globalem Format. Man könnte argumentieren, daß ohne die vielen internationalen Truppen die Lage noch schlimmer wäre. Aber der Beweis dafür läßt sich nicht erbringen. Auch das Gegenteil ist möglich. Die Präsenz der UN-Armeen zementiert den Status quo und ermöglicht es den Konfliktpartnern, sich aus der Verantwortung zu stehlen. Daß auf dem Golan Ruhe herrscht, ist nicht das Verdienst der UNDOF-Truppe; Israel und Syrien haben einfach kein Interesse an einer Eskalation. Im Libanon dagegen hat die UNIFIL-Truppe keinen Katjuscha-Angriff auf Nordisrael verhindert und die Israelis von keinem Vergeltungsschlag auf südlibanesische Dörfer abgehalten. Und die UNTSO-Mannschaft ist so überflüssig wie ein Erster-Hilfe-Kasten im Gepäck von Arnold Terminator/Schwarzenegger.

Mit dem Geld und dem Personal, das in die Verwaltung des israelisch-palästinensischen Konflikts gesteckt werden, hätte das Drama im Nahen Osten auch gelöst werden können. Das wird vor allem am Beispiel der UNRWA deutlich.

Die United Nations Relief and Works Agency for Palestine Refugees in the Near East nahm ihre Tätigkeit im Mai 1950 auf, um den Palästinensern zu helfen, die nach der Gründung Israels aus ihrer Heimat vertrieben wurden. In der ersten Statistik aus dem Jahre 1950 sind 914 221 Flüchtlinge registriert. Nach 47 Jahren, 1997, waren es 3 417 688. Kümmerten sich anfangs 5973 UNRWA-Mitarbeiter um die Flüchtlinge, waren es 1997 nicht weniger als 20 506. Damit war die UNRWA der größte internationale Arbeitgeber im Nahen Osten. 1951 lag das Budget bei 35,6 Millionen Dollar, 1996 waren es 354,1 Millionen. Jahr für Jahr wurde immer mehr Geld ausgegeben, um immer mehr Flüchtlinge zu versorgen. So sind in fast fünfzig Jahren zig Milliarden ausgegeben worden, damit Flüchtlinge Flüchtlinge bleiben. Jeder Student der Volkswirtschaft im zweiten Semester kann ausrechnen, wieviel es gekostet hätte, die vertriebenen Palästinenser zu rehabilitieren – weniger als die jahrzehntelange Konservierung ihres Elends gekostet hat.

Natürlich wird kein Palästinenser, der vierzig Jahre in einem Flüchtlingslager gelebt hat, sagen: »Okay, nun ist genug, es führt kein Weg nach Yafo, steigen wir aus der Geschichte aus und fangen neu an.« Je länger ein sinnloses Leiden andauert, um so stärker wird der Wunsch, es mit Sinn zu erfüllen: »Eines Tages werden wir doch wieder in Yafo leben.« Die Palästinenser sind nicht das einzige Volk auf der Welt, dem schreckliches Unrecht zugefügt wurde – da gibt es noch die Kurden, die Armenier, die Krim-Tataren und ein paar andere –, sie sind aber das einzige Volk, das an die Möglichkeit der Rückkehr zum historischen Status quo ante glaubt und in diesem Glauben von seinen geistigen Führern, politischen Beschützern und schwadronierenden

Blutsverwandten bestärkt wird. Während der Kernsatz der jüdischen Lebensphilosophie lautet: »Warum denn einfach, wenn es auch kompliziert geht? Leben ist banal, Überleben eine Kunst«, halten sich die Palästinenser an die Regel: »Warum sollten wir heute etwas annehmen, das wir auch in fünfzig Jahren noch ablehnen werden? Zeit hat keinen Wert, und Leiden ist eine Tugend.«

Zwei hysterische Kollektive, die beide ein gestörtes Verhältnis zur Wirklichkeit pflegen und mit Fakten freihändig umgehen, haben sich gesucht und gefunden. Nur daß die Israelis derzeit noch den längeren Hebel bedienen und den Gang der Ereignisse bestimmen. Was aber auf Dauer nicht so bleiben muß. Sowohl die Israelis wie die Palästinenser sitzen im falschen Zug, und von Station zu Station sitzen sie falscher und falscher.

In zwanzig Jahren wird sich die Zahl der Flüchtlinge noch einmal verdoppelt haben. Die UNRWA wird noch immer Schulen, Kliniken und Jugendzentren betreiben und Mehl, Salz und Öl an Bedürftige verteilen; die UNTSO den Waffenstillstand von 1948 überwachen, die UNDOF den Golan kontrollieren, die UNIFIL im Südlibanon auf Streife gehen, die TIPH die Lage in Hebron beobachten, die MFO die Wanderdünen im Sinai zählen. Vielleicht wird noch die eine oder andere Friedenstruppe dazukommen.

Arafat hat Ende 1997 vorgeschlagen, an der Grenze zwischen Israel und dem zukünftigen Palästina eine multinationale Armee zu stationieren. Netanjahu hat den Vorschlag abgelehnt, aber das muß nicht das letzte Wort in der Sache gewesen sein. Denn nur dort, wo sich alle nach Frieden sehnen, macht der Krieg noch wirklich Spaß.

»Fuck the enemy!«

*J*edes Jahr werden in Israel 40 000 bis 50 000 Autos geklaut. Die meisten landen in den palästinensischen Autonomiegebieten, vor allem in Gaza. Der Tatbestand ist bekannt, wird aber weitgehend ignoriert, denn alle profitieren davon: die Palästinenser, weil sie an ordentliche Autos kommen, die israelischen Versicherungen, weil sie einen Grund haben, ihre Tarife laufend zu erhöhen, und der israelische Finanzminister, weil er horrende Abgaben auf alle eingeführten Autos kassiert. Ein VW-Golf kostet in Israel soviel wie ein Mercedes in der Bundesrepublik. Nur ab und zu gibt es eine kleine Aufregung, wenn zum Beispiel ein palästinensischer Unterhändler zu einem Treffen mit israelischen Unterhändlern in einem Volvo vorfährt, der mal einem der anwesenden Israelis gehört hat, und dieser seinen Ex-Wagen wiedererkennt.

Der organisierte Auto-Klau ist praktisch das einzige Gebiet, auf dem die israelisch-palästinensische Zusammenarbeit klappt. Jüdische und arabische Gangster arbeiten friedlich und effektiv Hand in Hand; sobald die Autos in Gaza angekommen sind, werden sie von der palästinensischen Autonomiebehörde gegen eine Gebühr als geklaut registriert und für den Verkehr zugelassen. So macht auch die Finanzverwaltung der Palestinian Authority (PA) einen kleinen Gewinn.

Und niemand gibt sich die geringste Mühe, die Sache zu verschleiern. Im Gegenteil! Man kann die Autos, die in Gaza unterwegs sind, anhand der Nummernschilder auseinanderhalten: Taxen haben grüne Schilder mit weißen Nummern, legale Autos weiße Schilder mit grüner Schrift, die geklauten weiße Schilder mit schwarzer Schrift, wobei bei den geklauten noch zwischen den Autos unterschieden wird, die von Privatleuten (Nummer und zwei Buchstaben) oder von Mitarbeitern der Autonomiebehörde (Nummer und drei Buchstaben) gefahren werden. Die Mitarbeiter der PA müssen für die Zulassung ihrer Autos keine Gebühr zahlen. Sie genießen eine Art Beamtenprivileg. Die Minister der PA fahren Autos mit roten VIP-Nummern. Es hat alles seine perfekte Ordnung.

Früher, erzählt ein Palästinenser und meint damit die Zeit vor dem Einzug Arafats im Sommer 1994, als noch der ganze Gaza-Streifen von Israel besetzt war, kamen Israelis und Palästinenser auf andere Weise miteinander ins Geschäft. Israelische Zuhälter brachten israelische Nutten nach Gaza, wo Alkohol und Sex schon immer zu den knappen und begehrten Gütern gehörten. Die Preise waren okay, und die israelischen Profi-Frauen machten Sachen, von denen Palästinenserinnen nicht einmal wissen, daß es sie gibt. Am meisten begehrt (und am teuersten) war damals die »Soldaten-Nummer«. Die Frauen zogen israelische Armee-Uniformen an, und die palästinensischen Freier konnten endlich ihren Traum ausleben: »to fuck the enemy«.

Damit ist es nun vorbei, aber Autos klauen macht auch Spaß, fördert die Mobilität, stärkt die Wirtschaft und hebt das Selbstbewußtsein. »Fuck the enemy!« gilt noch immer, wird aber nicht mehr ganz wörtlich genommen.

Das Volk Israel lebt
Unterwegs mit Käpt'n Brummbär

Marlene ist schon um fünf Uhr morgens aufgestanden, um den ersten Bus nach Jerusalem nicht zu verpassen. Sie wohnt in Natanja, eine halbe Autostunde nördlich von Tel Aviv. Nun ist es kurz nach acht, und sie hockt auf einem Stein auf dem Parkplatz vor dem Kongreß-Centrum »Binjanej Ha'uma«, einen getigerten Rucksack zwischen den Beinen, eine große Plastiktasche am linken Arm und eine Fahne in der rechten Hand. Die nicht mehr ganz junge Frau ist klein und zierlich, sieht wie Edith Piaf aus und war mal »High-School Teacher« in Manchester, bevor sie vor fünfzehn Jahren nach Israel zog. Seit zwei Jahren schreibt sie ein Buch, damit »die Welt erfährt, was in Israel vor sich geht«. Sie hat noch keinen Verleger, dafür ein großes Vorbild: »Kennst du ›Exodus‹ von Leon Uris?« – »Hmm.« – »Wir brauchen einen zweiten ›Exodus‹, wir brauchen einen zweiten Leon Uris, aber alles, was wir haben, das bin ich!«

Neben ihr hockt Daniel. Er wohnt in Jerusalem und konnte deswegen ausschlafen. Sein T-Shirt endet dort, wo sein Bauch die maximale Wölbung erreicht. Er könnte als Käpt'n Brummbär bei Kindergeburtstagen auftreten, wenn er nicht jeden Tag in der Fußgängerzone »Ben Jehuda« selbstgedichtete Lieder singen und dazu auf einer Bongo-Trommel den Takt schlagen würde. Vor zwölf Jahren ist er aus Washington, D.C., nach Israel gekommen, war mal

Buchhalter und würde gern wieder in seinem alten Beruf arbeiten. In den letzten Tagen hat er einen Brief an »Bibi« Netanjahu geschrieben, ihn aber noch nicht abgeschickt, weil er sich »vorher mit ein paar Freunden beraten« wollte. »Bibi« soll den Friedensprozeß einfrieren, bis Juden das Recht haben, auf dem Tempelberg zu beten. Außerdem wünscht sich Daniel, daß »viel mehr US-Juden nach Israel einwandern«, was sie aber erst tun werden, »wenn sich die wirtschaftliche Lage in den USA verschlechtert hat«.

Es ist 8.30 Uhr, und der Bus, auf den Marlene und Daniel warten, sollte längst auf dem Parkplatz eingetroffen sein. »Wir sind in Israel«, sagt Marlene, »alle Zeitangaben sind unverbindlich.« Mickey, ein junger Mann aus den USA, macht sich auch Gedanken um den Zeitplan. »Werden wir um ein Uhr wieder zurück sein?« Er muß zum Flughafen, sein Flieger startet um vier Uhr. Der Ausflug mit den »Temple Mount Faithful« soll Abschluß und Höhepunkt seiner dritten Israel-Reise werden. »Ich bin ein christlicher Zionist«, sagt Mickey, Baptist und Sportreporter bei einem Sender in Anniston/Alabama, »was für die Juden wichtig ist, ist auch wichtig für mich.« Der einzige Unterschied ist nur: »Ich glaube, Jesus war der Messias, während die Juden glauben, der Messias wird erst kommen.«

Doch das sind Petitessen, gemessen an dem Verlangen, das Marlene aus Natanja/Manchester, Daniel aus Jerusalem/Washington und Mickey aus Anniston/Alabama vereint: Der »Harhabajt« (Tempelberg) soll von arabischer Herrschaft befreit, den rechtmäßigen Besitzern, das heißt: den Juden, zurückgegeben und der Dritte Tempel gebaut werden, um die Ankunft des Erlösers vorzubereiten, sei es nun das erste Mal für die Juden oder das zweite Mal für die Christen. Hauptsache: Er kommt bald.

Auch wenn es auf jede Minute ankommt, der Bus verläßt den Parkplatz vor dem »Binjanej Ha'uma« erst um zehn Uhr, mit achtzig »Temple Mount Faithful« an Bord, und bahnt sich seinen Weg mühsam durch den dichten Verkehr Richtung Westen. Es ist der letzte Tag des Chanukka-Festes, das an den Aufstand und den Sieg der Makkabäer im Jahre 140 v. Chr. gegen die Hellenen erinnert. Es war der letzte große Sieg einer jüdischen Mannschaft gegen einen übermächtigen Gegner, wenn man von einem kürzlich gewonnenen Basketballspiel gegen eine europäische Auswahl absieht. Entsprechend aufgekratzt ist die Stimmung im Bus, als wären Bayern-München-Fans nach einem gewonnenen Auswärtsspiel gegen Juventus Turin auf der Heimreise. Die Fahrt geht nach Modi'in, auf halber Strecke zwischen Jerusalem und Tel Aviv, zu den Gräbern der Makkabäer.

»Liegt Modi'in in Judäa oder in Samaria?« frage ich Howard, der neben mir sitzt. Er ist 1989 aus Montreal nach Israel eingewandert, von Beruf Rechtsanwalt und vertritt eine Gruppe von Akademikern, die sich »Professors for a Strong Israel« nennen, vor dem Obersten Gericht. Sie klagen gegen den Vertrag von Oslo, der, sagt Howard, »völkerrechtswidrig ist«. Daran könne es keinen Zweifel geben, auch das Oberste Gericht werde zu diesem Schluß kommen, nur: Ob Modi'in in Judäa oder in Samaria liegt, wisse er nicht genau.

»In Judäa«, sagt Daniel, der schräg hinter mir sitzt.

»In Samaria«, sagt Chava eine Reihe vor mir.

Tatsächlich liegt Modi'in innerhalb der Grenzen von

1967, also weder in den befreiten noch in den besetzten Gebieten, sondern in »Israel proper«. Der kürzeste Weg nach Modi'in führt freilich durch ein Gebiet, das bis 1967 zu Jordanien gehörte. Aron, der Tourguide, kennt sich in der Gegend aus, weiß, welches Dorf schon in der Bibel vorkommt und wo das Grab des Propheten Schmuel Hanavi liegt, wann immer er aber das Wort »Aravim« (Araber) ausspricht, verzieht er das Gesicht, als habe ihm jemand Rizinusöl in den Kaffee geschüttet. Und was immer in »Oslo-Schmoslo« beschlossen wurde, es hat keine Gültigkeit, weil es in der Bibel anders steht.

In Modi'in angekommen, stürzen die »Treuen vom Tempelberg« aus dem Bus, entfalten ihre Fahnen und verteilen sich über die Felsen, unter denen die Makkabäer ruhen sollen. »Wir sind hergekommen«, ruft Gerschon Salomon ins mitgebrachte Megafon, »um der Welt eine Botschaft zu verkünden: Mit dem Tempelberg steht und fällt die jüdische Souveränität im Heiligen Land! Wer den Harhabajt aufgibt, der gibt das ganze Land Israel auf!«

Aber es geht um noch mehr. »Israel ist nicht nur Dizengoff*, es ist Nablus, Hebron, Jericho, Jenin, Gaza und der Golan. Wir werden nach Gaza und nach Hebron zurückkehren, und auch nach Nablus und nach Jericho und überallhin, weil das Land uns, *uns* gehört, *und nur uns!* Wir sind die Nachkommen der Makkabäer, und wir werden unseren Kampf fortsetzen, bis die israelische Fahne über dem Harhabajt weht, auf der Spitze des Dritten Tempels!«

Gerschon Salomon, der Armin Müller-Stahl verblüffend ähnlich sieht, wurde 1940 in Jerusalem geboren, »in einer

* Ausgehmeile von Tel Aviv

Familie, die seit zweihundert Jahren hier lebt«; er war mit einer Armee-Einheit am Fuß der Golan-Höhen stationiert, als er bei einem Angriff der Syrer noch vor dem Sechs-Tage-Krieg ein Bein verlor. Seitdem lebt er von einer Invalidenrente, beschäftigt sich mit Geschichte und will den Bau des Dritten Tempels genau an der Stelle erzwingen, an der heute zwei Moscheen, der Felsendom und Al-Aksa, stehen. Trotz seines Schicksals ist sein Vertrauen in Gott unerschüttert. »Wir sind wie die Makkabäer eine kleine Gruppe, aber Gott ist mit uns, und er wird immer mit uns sein. Wir sind die Generation der Erlösung, und bald werden wir sehen, wie der General des Volkes Israel, der Gott von Abraham, Isaak und Jakob, alle unsere Feinde besiegen und das wahre Königreich Gottes errichten wird!«

Marlene, Daniel und die anderen »Temple Mount Faithful« schwenken Fahnen, während Mickey, der Baptist aus Alabama, zwar kein Hebräisch versteht, aber ahnt, worum es geht: »Ich glaube auch, daß dieses Land allein den Juden gehört und daß sie einen historischen, politischen und geistigen Anspruch auf den Tempelberg haben.« Morgen wird er wieder daheim in Anniston sein, und dann wird er im Internet die Homepage der »Temple Mount Faithful« besuchen, um zu erfahren, wie es mit dem Projekt »Dritter Tempel« vorangeht.

Gerschon Salomon hat inzwischen seine Rede beendet und das Megafon an Jehoschua Douieb übergeben. Der wurde vor 76 Jahren in Tunis geboren und kam 1948 nach Israel, nachdem er von den Briten ein Jahr lang auf Zypern interniert worden war. Er sieht wie ein Zwillingsbruder von Heinz Rühmann aus, war 35 Jahre Archivar im Gesundheitsministerium und ist seit zehn Jahren pensioniert.

Das heißt, er hat viel Zeit. Jeden Freitag von ein bis zwei Uhr mittags demonstriert er auf dem Platz vor dem King's Hotel in der King-George-Straße gegen Oslo, gegen die PLO und vor allem gegen »die Frauen in Schwarz«, die jeden Freitag an derselben Stelle seit Jahren für den Rückzug aus den besetzten Gebieten, für Verhandlungen mit den Palästinensern und für den Frieden demonstrieren. »Ich trete ganz allein gegen sie alle an«, sagt er voller Stolz. Nun hält er das Megafon mit beiden Händen fest und singt das »Lied der Makkabäer«: von dem Schwert, das nicht ruhen wird, wenn die Feinde das Land bedrohen. Dann rollen die Erben der Makkabäer ihre Fahnen wieder ein und fahren mit dem Bus zurück nach Jerusalem, zur nächsten Kundgebung vor dem »Orient House« in Ost-Jerusalem, dem inoffiziellen Sitz der PLO.

Mosche Weissfisch, der wie ein Doppelgänger von Peter Lorre aussieht, hält es vor Freude kaum auf seinem Sitz aus. »Wir haben eine Überraschung für die vorbereitet ...« Mehr will er nicht verraten.

Mosche wurde 1937 im damals deutschen Liegnitz geboren, seine Eltern emigrierten 1939 nach Shanghai, nach dem Krieg zogen sie weiter in die USA. 1993 packte er die Koffer und machte sich auf den Weg nach Israel, zusammen mit seiner 87 Jahre alten Mutter. Sie sagte: »Mosche, wohin du gehst, da will auch ich hingehen.« Seine Frau dagegen blieb in Queens. Mosches Mutter starb mit 88, »genau an ihrem Geburtstag«. Mosche strahlt, als habe der Allmächtige seiner Ma einen besonderen Gefallen erwiesen.

In den USA hat Mosche im »Garment District« von Manhattan gearbeitet, Tuche zugeschnitten und ausgefahren. Dreißig Jahre hat er Beiträge für die »Union« bezahlt, nun bekommt er von der Gewerkschaft eine kleine Rente nach Israel nachgeschickt. Viel ist es nicht, aber es reicht, zumal das Leben in Bet El, einer Siedlung bei Ramallah, nicht teuer ist. »Seit vier Jahren werde ich jeden Schabbat zu allen drei Mahlzeiten eingeladen. Seit ich in Bet El angekommen bin, habe ich noch nie an einem Schabbat zu Hause gegessen. Wo sonst kann man so wunderbare Menschen finden?«

Natürlich sind nicht alle Menschen in Israel so wunderbar. Die Abgeordnete Schulamit Aloni zum Beispiel habe dieser Tage gesagt, die Siedler wären Imperialisten. »Wie kann ich in meinem eigenen Land ein Imperialist sein?« ruft Mosche, als gäbe es jemanden im Bus, der nicht seiner Meinung wäre.

Als Mosche Weissfisch vor nur vier Jahren aus Queens in sein eigenes Land umzog, da wurde es noch von Jitzhak Rabin regiert, der zwar in Israel geboren, aber im Begriff war, »das Land zu zerstören«. Da konnte Mosche nicht untätig bleiben. »Ich wollte ihm in den Arm fallen. Ich wollte ein Hindernis auf dem Weg zum Frieden sein, um Israel für das jüdische Volk zu retten. Denn das Land gehört nur dem jüdischen Volk und sonst niemandem.«

Die Araber, die im Land leben, könnten »individuelle, aber keine nationalen Rechte« erhalten, das heißt, sie dürften darüber abstimmen, »wie der Müll eingesammelt wird und wieviel Steuern sie zahlen möchten«, nicht aber über Fragen der Grenzen und bei der Wahl des Ministerpräsidenten.

Dennoch hält Mosche den Frieden für »keine schlechte Idee«. Aber es müßte ein »Frieden mit ordentlichen Staaten sein, nicht mit einer Gang von Halsabschneidern«, verglichen mit der »die US-Mafia wie eine Gruppe von Engeln aussieht«. Es gäbe nichts, worüber Israel mit der PLO verhandeln sollte. »Würde Clinton Oklahoma an die Indianer zurückgeben oder Texas den Mexikanern?«

Noch bevor er eine Antwort auf seine Frage geben kann, biegt der Bus in die Ibn-el-Jarah-Straße in Ost-Jerusalem ein, wo er von einem größeren Polizeiaufgebot erwartet wird. Die Kundgebung findet nicht direkt vor dem »Orient House«, dem Quartier der PLO, statt, sondern in einem toten Winkel 50 Meter weiter.

Gerschon Salomon, der plötzlich nicht mehr wie Armin Müller-Stahl, sondern wie Clint Eastwood kurz vor einem Showdown aussieht, hält wieder eine Rede. »Wir sind hergekommen«, schreit er ins Megafon, »um Arafat und seiner Gang zu sagen: Es wird nie einen palästinensischen Staat geben, nie!«

»Nie, nie!« antworten die »Treuen vom Tempelberg«.

»Wir sind hergekommen, um der Gang im Orient House zu sagen: Die Makkabäer leben noch immer, und euch wird es bald nicht mehr geben. Verlaßt unser Land, geht nach Hause!«

»Nach Hause, nach Hause!« wiederholen die neuen Makkabäer.

»Der Dritte Tempel wird auf dem Tempelberg gebaut werden. Amen!«

»Amen!« kommt das Echo aus der Menge.

»Netanjahu, wir haben auch eine Botschaft für dich: Die Geschichte hat dir eine Chance gegeben. Wenn du sie nicht nutzt, wird dich die Geschichte bestrafen und einen anderen Führer bestimmen. Eretz Israel l'am Israel w'lo l'Jischmael!« Was bedeutet: Das Land Israel nur für das Volk Israel und nicht für Ismael, den Sohn Abrahams und seiner Nebenfrau Hagar, den Urvater der arabischen Stämme.

Jetzt kommen Gerschon Salomon und seine Makkabäer richtig in Fahrt. Während sie eine Stunde vorher in Modi'in noch unter sich waren, wissen sie nun, daß im Orient House, gleich nebenan, der Erzfeind sitzt und hoffentlich zittert. Ein schwarzer Sarg aus Pappe wird aus dem Bus geholt und angezündet.

»Das ist das Ende des palästinensischen Staates!« schreit Mosche Weissfisch aus Queens/Bet El.

»Tod für Arafat«, kreischt Jossi, ein pickeliger Sechzehnjähriger auf hebräisch mit amerikanischem Akzent.

Und während der Pappsarg langsam verglüht, packt Jehoschua Douieb das Megafon, um ein weiteres patriotisches Lied zu singen: »Schtej gadot l'Jarden, so schelanu, so gam ken!« Zwei Ufer hat der Jordan, das eine gehört uns, das andere auch!

Eine halbe Stunde dauert das makabre Happening vor dem Orient House, dann steigen alle wieder in den Bus und fahren zur nächsten Station: Damaskus-Tor. Wieder hält Gerschon Salomon eine Rede, wieder rufen seine Makkabäer den Arabern zu: »Geht nach Hause!« Wieder schreien einige »Tod für Arafat!« und »Am Israel chaj!« (»Das Volk Israel lebt!«). Die Palästinenser auf dem Platz vor dem Damaskus-Tor nehmen von dem Geschehen keine Notiz, zumal Salomons Truppe von mit Maschinenpistolen bewaffneten Polizisten geschützt wird. Nur ein paar Touristen aktivieren ihre Videokameras, ohne genau zu wissen, was sie da aufnehmen.

Marlene, die mit ihrem hebräischen Namen »Malka«, Königin, heißt, steht derweil etwas abseits, schwenkt zwei Fahnen und tritt von einem Bein aufs andere. Sie muß mal. »Ich wollte im Orient House auf die Toilette, aber sie haben es mir nicht erlaubt.« Grausame Palästinenser lassen Königin Malka, die eben noch »Verlaßt unser Land!« gerufen hat, nicht mal das PLO-Klo benutzen? »Nein«, sagt Marlene, »es waren unsere Polizisten, die mir den Weg versperrt haben. Ich wollte höflich fragen, ich kann sehr charmant sein ...« Daran könne man erkennen, was das Abkommen von Oslo wert sei. »Die Palästinenser sind unsere Friedenspartner, und ich darf nicht einmal deren Toilette benutzen!« Sie habe, erzählt sie, ein Problem mit ihrer Blase, und »es bricht mir das Herz, weil mein Land weggegeben wird«. Sind die Briten im Begriff, sich aus Nordirland zurückzuziehen? »Nein«, stellt Malka klar, »es geht um Judäa und Samaria, das Herz Israels.«

Und was soll mit den Palästinensern passieren, die in Judäa und Samaria leben? Marlene-Malka, die noch immer ihren britischen Paß besitzt (»Aber ich benutze ihn nicht!«), hat eine Lösung anzubieten. »Es wäre gut, wenn sie ihren Staat in Saudi-Arabien bekämen. Sie haben dort Mekka und Medina und auch eine Stadt, die Arafat heißt. Und es gibt Land in Hülle und Fülle.«

Die »Treuen vom Tempelberg« haben ihre Kundgebung vor dem Damaskus-Tor beendet und machen sich auf den Weg zum Tempelberg, quer durch die Altstadt. Ich habe genug und gehe nur bis zu »Abu Schukri« mit, während die Karawane mit Gerschon Salomon an der Spitze weiterzieht. Was für ein Tag! Die Feier an den Gräbern der Makkabäer, die Demo vor dem Orient House, die Kundgebung am Damaskus-Tor: Ich habe mir Abu Schukris Humus und Falafel schwer verdient. Nach einer halben Stunde treffe ich die »Treuen vom Tempelberg« auf dem Platz vor der Klagemauer wieder. Sie wollten auf dem Tempelberg demonstrieren, aber das Mugrabi-Tor war geschlossen, und alles

Pochen und Rufen hat nichts geholfen. Es ist nämlich nicht nur letzter Hanukka-, sondern auch erster Ramadan-Tag, und die Moslems haben den seltsamen Wunsch, an ihrem Feiertag unter sich bleiben zu wollen.

Marlene-Malka war inzwischen auf der Toilette neben der Klagemauer und hat sich bei dieser Gelegenheit auch umgezogen. Sie trägt jetzt ein beiges Samtkleid mit einem goldenen Gürtel und goldene Sandaletten und sieht wie eine Tempelberg-Barbie aus. »Ich habe vorhin vergessen, etwas Wichtiges zu sagen: Viele hier fürchten sich vor den Arabern, ich aber fürchte nur Gott.«

Vor dem Tor, das zur Klagemauer führt, wartet der Bus. Erschöpft, aber zufrieden steigen die »Treuen vom Tempelberg« ein, um zur letzten Station des Tages zu fahren, dem US-Konsulat in West-Jerusalem, wo sie gegen die Einmischung der Amerikaner in israelische Politik protestieren wollen. Auch wenn ihnen der Zutritt zum Tempelberg verweigert wurde, die Mühe hat sich gelohnt. »Wir waren in den Ein-Uhr-Nachrichten«, sagt ein Tempeltreuer zu Gerschon Salomon.

Plötzlich stürzt Marlene-Malka nach vorne. »Anhalten!« schreit sie. »Ich habe meine Tasche auf der Toilette vergessen!« In der Tasche waren ihre Schlüssel, ihre Geldbörse, ihre Ausweise und ihre Visa-Karte. Arme kleine Königin Malka aus Natanja. Eben hat sie nur Gott gefürchtet, jetzt hat sie Angst, jemand könnte ihr die Wohnung ausräumen, bevor sie heimkommt.

Gerschon Salomon und seine Makkabäer mögen ihrem Ziel, den Tempelberg zu befreien, einen großen Schritt näher gekommen sein, doch Malkas glücklichster Tag war es nicht.

Herzls Alptraum

Jeden Morgen, gleich nach dem Aufstehen, noch bevor sie ihren Mann gesehen und ihre Kinder wachgeküßt hat, legt Nadja Matar, mit der wir schon zur Höhle gefahren sind, ein symbolisches Schmuckstück an, eine »Hundemarke« aus Blech, auf der die Namen von vier Soldaten stehen, die seit vielen Jahren irgendwo im Libanon oder in Syrien gefangengehalten werden, falls sie noch am Leben sind: Ron Arad, Zacharia Baumel, Jehuda Katz und Zwi Feldman, missed in action, kurz MIAs genannt. »Wenn wir eine stolze Regierung hätten«, sagt Nadja, während sie die Alumarke zwischen ihren Fingern reibt, »würde sie alle Gespräche mit der PLO von der Rückkehr unserer MIAs abhängig machen.«

Nadja Matar kam 1966 »durch einen historischen Irrtum« in Antwerpen zur Welt, in einer »säkularen, aber traditionsbewußten« jüdischen Familie, und war quasi von Geburt an bekennende Zionistin. »Noch bevor ich Mama oder Papa sagen konnte, konnte ich schon Israel sagen.« Mit 21 korrigierte sie den »historischen Irrtum«, wanderte nach Israel aus, lernte an der Jerusalemer Universität ihren Mann David kennen und zog 1989 nach Efrat, einer Siedlung, zwanzig Autominuten südlich von Jerusalem, an der Straße Hebron–Bethlehem. Mittlerweile 31, hat sie vier Kinder im Alter zwischen neun und zwei Jahren und ist zum fünftenmal schwanger. Sie hat Psychologie, Geschichte und Erziehung studiert, allerdings ihre Magisterarbeit über den Zweiten Tempel nicht abgeschlossen. Daran ist Jitzhak Rabin schuld, der 1992 zum israelischen Ministerpräsidenten gewählt wurde, weswegen Nadja Matar ihr beschauliches Leben als Hausfrau, Mutter und Studentin ändern mußte. Sie wurde politische Aktivistin »für das Land Israel« und ist seither zwischen Metulla und Dimona so bekannt wie Mutter Beimer in der Lindenstraße.

»Ich habe meinen Doktor in Windelnwechseln und Demonstrieren gemacht«, sagt sie, und es klingt, als habe ein Arbeiterkind auf dem zweiten Bildungsweg sein »summa cum laude«-Prädikat erkämpft. Ihr Terminkalender ist voll wie das Vorlesungsverzeichnis einer Volkshochschule. Nadja Matar moderiert dreimal in der Woche Programme im »Arutz 7«, dem Sender des »nationalen Lagers«, der zwar ohne Lizenz arbeitet, von den Behörden aber in Ruhe gelassen wird; jeden Montag erzählt sie in einem Londoner Privatsender, was in Israel gerade passiert. Sie gibt täglich Interviews, koordiniert die Arbeit der »Women in Green«, die sie zusammen mit ihrer Schwiegermutter Ruth Matar gegründet hat, organisiert Demonstrationen und bringt Politiker in Verlegenheit, wie zum Beispiel den US-Unterhändler Dennis Ross, den sie in einem Jerusalemer Hotel als »Court Jew« (Hofjude) beschimpft hat. Sogar wenn sie unterwegs ist, verbreitet sie unablässig die Botschaft, die sie gern als das 11. Gebot anerkannt sehen möchte: »Rettet Israel – Stoppt Oslo jetzt!« Ihr »Safari«-Mini-Bus von General Motors ist eine rollende Litfaßsäule.

»Save Israel! – Stop Oslo Now!« war auch die Parole, mit der Madeleine Albright bei einer ihrer Vermittlungsmissionen in Jerusalem begrüßt wurde. »You can't make peace with Arafat just as no one could make peace with Hitler.« Für den Fall, daß die US-Außenministerin die historische Parallele nicht verstehen sollte, wurde sie an ihre eigene Familiengeschichte erinnert: »Hitler gassed and burnt your grandparents ... because they were Jews. Arafat has the same virulent hatred of Jews!«

Seit dem Oslo-Abkommen ziehen die »Frauen in Grün« übers Land, veranstalten Straßenaktionen und »hauen auf die Pauke«, um die Israelis wachzurütteln. Das Abkommen von Oslo, sagt Nadja Matar, »ist ein Damokles-Schwert, das über unseren Köpfen schwebt«. Es bringt Israel »zurück zu den Auschwitz-Grenzen von 1967«. Sie sei inzwischen achtmal verhaftet und öfter von der Polizei geschlagen worden, aber für die Rettung von »Judäa und Samaria« ist kein Preis zu hoch, »das ist unsere Heimat, sie gehört uns, hier hat die jüdische Geschichte begonnen«. Doch es geht um weit mehr:

»Wenn ich für unser Recht kämpfe, in Hebron leben zu können, kämpfe ich für das Recht der Juden, überall leben zu dürfen, in Tel Aviv, in Frankreich, in Deutschland, in New York. Wenn eines Tages – Gott behüte – Jean-Marie Le Pen in Frankreich an die Macht kommt, wird er die Juden aus Paris vertreiben. Wir werden dann demonstrieren und sagen, er ist ein Antisemit. Und er wird sagen: ›Wieso bin ich ein Antisemit? Vor ein paar Jahren hat eure Regierung die Juden aus Hebron vertrieben, aus einer Stadt, die euch heilig ist. Und ich darf nicht dasselbe in Paris tun, wo ihr keine Wurzeln habt?‹«

Man merkt es Nadja an, daß sie von ihrem eigenen Argument beeindruckt ist. Wenn sie die Kraft dazu hätte, sagt sie, würde sie auch »in Hebron leben«, denn dort leben »die wirklichen Zionisten, die Helden von heute«; einmal in der Woche fährt sie hin, »um mit ihnen zu sein, mit ihnen zu sprechen«. Immerhin ist es ihr bewußt, »daß es ein Problem gibt: Zwei Völker streiten um dasselbe Stück Land, dasselbe Grundstück«. Das eine Volk ist »dreitausend Jahre alt, das andere weniger als vierzig Jahre«, und da sei es vollkommen klar, welches Volk die besseren Karten habe. »Manchmal ist es wie im Dschungel, wo die Stärkeren überleben, wir haben das Recht auf einen kleinen Platz in der großen Welt, der kleiner ist als New Jersey.«

»Aber immerhin größer als Rhode Island«, werfe ich ein.

»Das ist unser Land, und wir müssen es verteidigen«, fährt Nadja fort, »wir sind ein Volk, das viel gelitten hat, wir müssen weiter für unser Überleben kämpfen, wir können unserem Schicksal nicht entkommen.«

Und sie holt ein gerahmtes Schwarzweißfoto, das Ende der dreißiger Jahre in Holland aufgenommen wurde, und zeigt auf ein Paar in der Mitte der Aufnahme. »Das sind meine Großeltern. Von all diesen Menschen hier, es sind über fünfzig, waren nach dem Holocaust nur noch sechs am Leben, alle anderen sind in Auschwitz geblieben. Ich habe diesem Bild versprochen, daß ich alles unternehmen werde, damit so etwas nicht noch einmal passiert.«

Gewiß, man könnte als Jude in der Diaspora sehr angenehm leben, »aber wenn du etwas bewegen willst, wenn du an der Geschichte teilnehmen und Geschichte schreiben willst, dann geht es nur hier«. Auch wenn man »westliche Maßstäbe nicht an den Nahen Osten anlegen könnte«, wie es die israelischen Linken von »Peace Now« täten. Denn »hier haben wir es mit einer anderen Art von Demokratie als in Europa zu tun«, weswegen man den Arabern in Judäa und Samaria »kein Wahlrecht geben« dürfe. Wenn sie unbedingt wählen möchten, dann, bitte schön, zum jordanischen Parlament in Amman, schließlich seien siebzig Prozent der jordanischen Bürger auch Palästinenser. Und sie zeigt eine Karte aus dem Jahre 1920, bevor Palästina von den Briten geteilt und Jordanien kreiert wurde. Mit diesem »britischen Verrat« habe das Drama begonnen; Oslo sei nun der »Weg zum Selbstmord«. Wenn der Prozeß nicht gestoppt wird, »wird es in den nächsten fünf Jahren zu einem Krieg kommen, danach wird der ganze Nahe Osten anders aussehen, und ich kann nur hoffen, daß man uns dann noch auf der Landkarte findet«. Es werde im Nahen Osten »noch lange Jahre kein normales Leben geben«. Nur die israelische Linke sei überzeugt davon, »daß die andere Seite zum Frieden bereit wäre«.

Aber Rabin sei doch ein rechter Sozialdemokrat gewesen und ein Armeemensch dazu, weder ein blinder Linker noch ein Phantast? »Ich bin absolut gegen den Mord«, sagt Nadja, als wäre die Tat noch nicht geschehen, »aber die Tatsache, daß Rabin ermordet wurde, macht aus ihm keinen Heiligen und Oslo nicht koscher.«

Nadja hat es eilig. Der US-Unterhändler Dennis Ross ist im Anflug auf Israel und soll mit einer kleinen Demonstration empfangen werden. Dafür müssen Plakate gemalt und drei bis vier Dutzend »Frauen in Grün« zusammentelefoniert werden. Für Demonstrationen bis zu 49 Teilnehmern braucht man in Israel keine Genehmigung. »Deshalb nennt man uns auch die 49er.« – Was für ein Glück, denkt es in mir, daß die Obergrenze für genehmigungsfreie Demos nicht bei 69 Teilnehmerinnen festgelegt wurde.

Zwei Tage später steht Nadja Matar vor dem La Romme Hotel, in dem Dennis Ross logiert, und hält ein Plakat in die Höhe, auf dem zu lesen ist, Madeleine Albright, Dennis Ross und Martin Indyk seien die »Hofjuden« von US-Präsident Clinton. Neben ihr steht die Mutter ihres Mannes, Ruth Matar, und ruft: »Ross, go home, this is our home!« und »Israel is not for sale!«

Ruth Matar wohnt nur fünf Minuten vom La Romme Hotel entfernt, in Jemin Mosche, einem malerischen Viertel gegenüber der Altstadt. »Als wir hier 1977 einzogen, war es ein pittoresker Slum«, inzwischen ist es eine teure Gegend, die vor allem von US-Juden als Zweitwohnsitz geschätzt wird. Der Blick auf die Altstadt und den Zionsberg gegenüber vermittelt die Nähe zur Geschichte, der Swimmingpool vom King David Hotel gleich um die Ecke trägt im Sommer wesentlich zur Lebensqualität bei.

Ruth Matar wurde 1929 in Wiener Neustadt geboren, kam im Juni 1939 mit einem »Kindertransport« nach Schweden, während ihre Eltern nach Italien flohen, wo sie bis 1944 in der Illegalität lebten. Nach dem Krieg emigrierten sie in die USA, 1947 traf Ruth ihre Eltern in New York wieder. Sie besuchte die Schule und das College und heiratete einen Anwalt mit Yale-Abschluß, der ursprünglich Wolovsky hieß und seinen Namen in »Matar« geändert hatte (»Regen« auf hebräisch) – zur Erinnerung an die Familie seiner Mutter, die »Regen« hieß und im Holocaust ermordet wurde.

Ruth Matar betreibt in ihrem geräumigen Haus in Jemin Mosche eine Galerie, in der sie selbstentworfenen Schmuck und handgeschriebene »Ketubot«, reichverzierte Hochzeitsurkunden, anbietet. »Hier haben Nadja und ich im Mai 1993, also noch vor Oslo, die ›Frauen in Grün‹ gegründet«, ganz am Anfang seien es zwölf Frauen gewesen, inzwischen habe man »in Israel rund 5000 Mitglieder und in den USA bereits 22 Filialen«; 1995 seien zu einer Demo vor Rabins Haus 20000 Demonstranten gekommen, »nach Polizeiangaben«, in Wahrheit seien es viel mehr gewesen. Doch die Unterstellung, die »Frauen in Grün« könnten ein feministisches Projekt sein, weist sie von sich. Neulich sei eine Reporterin der Zeitschrift »Ms.« dagewesen und schwer enttäuscht wieder abgereist. »Unser Programm ist ganz einfach: Wir wollen ein jüdisches Land für unsere Kinder und Enkel.« Wer immer dieses Ziel gefährdet, »der bekommt es mit uns zu tun«. Deswegen haben die »Frauen in Grün« nach dem Teilrückzug aus Hebron auch vor Netanjahu demonstriert: »Du hast uns etwas versprochen, wir haben dir geglaubt, du hast uns betrogen.«

Der Rückzug aus Hebron sei »eine Tragödie« gewesen. Allerdings gibt Ruth Matar zu, daß sie selbst niemals in Hebron leben möchte. »Ich würde dort Platzangst kriegen, mich eingeschlossen fühlen.« Sie empfindet »Schuldgefühle« gegenüber den jüdischen Siedlern, die in Hebron ausharren, und fragt sich, »wie sie es schaffen, unter solchen Umständen durch den Tag zu kommen«, umgeben von feindlichen Nachbarn und Straßen voller Schmutz. »Sie sind die Helden von heute.« Ja, es sei unfair, die Helden aus der Entfernung zu bewundern, ohne ihr Schicksal zu teilen, aber »es wäre noch unfairer, sie nicht zu unterstützen, sie allein zu lassen«.

Da Ruth Matar noch immer einen amerikanischen Paß hat – bei den letzten Wahlen stimmte sie für Clinton, »was ein Fehler war« –, ist sie für die Pflege der Beziehungen zu Freund und Feind in den USA zuständig. Sie hält Kontakt zu den 22 Filialen der »Women in Green« in Amerika, deren

Aufgabe es ist, »Druck auf die Regierung zu machen, um die amerikanische Nahost-Politik zu beeinflussen«. Doch zugleich, und ohne eine Sekunde zu zögern, sagt sie: »Wir sind eine Bananenrepublik der USA im Nahen Osten. Die Amerikaner sollten sich nicht in unsere inneren Angelegenheiten einmischen. Amerikanische Präsidenten werden nicht gewählt, um die Sicherheit Israels zu garantieren, sondern um amerikanische Interessen zu vertreten. Das haben viele in Israel noch nicht begriffen.«

Ein Widerspruch? Mitnichten! Als Einmischung in die inneren Angelegenheiten Israels gilt nur Kritik am Kurs der Regierung. Alles übrige wird gern gesehen, auch wenn es keinen Grund gibt, den USA gegenüber besonders dankbar zu sein. »Wir haben nur Anleihen bekommen, für die wir Zinsen zahlen mußten. Es waren Peanuts, verglichen mit dem, was Japan und Deutschland erhalten haben.«

Zur Zeit ist eine »Woman in Green«, Joyce Boim, auf Vortragstour in den USA unterwegs. Ihr Sohn David Boim wurde 1996 bei einem Terrorüberfall in der Nähe von Bet El getötet. Seine Mörder, sagt Ruth, sind bekannt, und die USA müßten von der PLO deren Auslieferung fordern. »David Boim war ein amerikanischer Bürger. Wir haben einen Anspruch auf amerikanischen Schutz, auch wenn wir in Israel leben. Aber unsere Behörden machen aus politischen Gründen die Augen zu und unternehmen nichts.«

Und während sie als Amerikanerin, die seit über zwanzig Jahren in Israel lebt, amerikanischen Schutz einfordert und sich zugleich amerikanische Einmischung in die inneren Angelegenheiten Israels verbietet, rechnet sie nach, daß Rabin »keine jüdische Mehrheit« in der Knesset hatte, um das Abkommen mit der PLO zu schließen. Nur mit Hilfe einiger arabischer Abgeordneter sei er auf 61 Stimmen gekommen. Nicht alle israelischen Araber seien schlecht, aber viele wären als »fünfte Kolonne« in Israel aktiv. Und was die Palästinenser in Judäa und Samaria angehe – »Habe ich wirklich das Wort benutzt? Ich meinte: die Araber« –, so wären die meisten erst in diesem Jahrhundert eingewandert, weil es hier Arbeit gab. Da sei ein Blick auf die Schweiz hilfreich. »Du kannst dort viele Jahre leben und arbeiten und wirst nicht als Staatsbürger anerkannt.«

Die Wirklichkeit ist eine flexible Masse, die man sich je nach Bedarf zurechtkneten kann. So wird ein ganzes Land zum Abenteuerspielplatz und Geschichte zum Kaufhaus mit saisonalen Sonderangeboten. Wer zu spät geboren wurde, um am Aufstand im Warschauer Ghetto teilzunehmen oder wenigstens auf der »Exodus« mitzufahren, bekommt nun die Chance, sich als Held zu bewähren. Und statt Ladendiebe in Wyoming zu fangen, nimmt man sich den Nahost-Gesandten des US-Präsidenten, Dennis Ross, zur Brust, was natürlich viel mehr Spaß macht.

»Guten Abend, liebe Zuhörer, was hatten wir für eine ereignisreiche Woche. Unser Außenminister, David Levy, ist zurückgetreten, der Haushalt wurde angenommen, und Dennis Ross, der Schick-Jingl* von Mr. Clinton, ist in Israel eingetroffen.«

Jeden zweiten Mittwoch moderiert Ruth Matar ein Abendprogramm im »Arutz 7« (Kanal 7), dem Piratensender des »nationalen Lagers«. Sie wechselt sich dabei mit ihrer Schwiegertochter Nadja ab, die ebenfalls zweimal im Monat an der Reihe ist. Doch im Prinzip ist es egal, ob Ruth

---

* Jiddisch: Laufbursche

oder Nadja am Mikrofon im »Arutz 7«-Studio in Bet El sitzt. Die Botschaft ist dieselbe, der Tonfall der gleiche und die andere irgendwie immer dabei.

Diesmal erzählt Ruth von der Demo gegen den »Laufburschen« Dennis Ross vor dem LaRomme Hotel, an der auch Nadja teilgenommen hat, und daß sie am Tag nach der Demo von Nadja angerufen wurde – mit einer Geschichte »that really made my day«. Hat Ross unter dem Eindruck der Demo das Land verlassen? Ist Sarah Netanjahu zur Nachfolgerin des zurückgetretenen Außenministers ernannt worden? Hat Yassir Arafat seine Bereitschaft erklärt, den palästinensischen Staat auf dem Mars zu errichten? Nichts von alledem. Nadja ist am Telefon und erzählt ihrer Schwiegermutter und den Hörern von »Arutz 7«, wie sie nach der Demo vor dem Hotel aufs Klo mußte und die »Restrooms« im Hotel benutzen wollte. Unterwegs dorthin wurde sie von Sicherheitsbeamten gestoppt und stand plötzlich direkt vor Dennis Ross. »Ich schaute ihn an und rief: Dennis, verrate nicht dein Volk, verrate nicht das jüdische Volk! Du bist auch ein Jude, und wage es nicht, ein Hofjude zu sein. Liefere uns nicht an den Massenmörder Arafat aus …« Dreißig lange Sekunden, während Ross auf den Aufzug wartete, schrie sie ihre Parolen dem »Schick-Jingl« ins Gesicht. »Es war ein tolles Gefühl, meine erste Begegnung mit Dennis Ross. Er sah verwirrt aus, weil er im Grunde seines Herzens wußte, daß es die Wahrheit war.«

Obwohl Ruth die Geschichte schon kennt, ist sie eine Weile sprachlos, als habe sie soeben erfahren, sie sei über Nacht zum fünfzehntenmal Großmutter geworden. Dann sagt sie: »Heißt es nicht irgendwo in den Schriften, daß es verboten ist, Menschen in peinliche Situationen zu bringen? Aber ich denke, das gilt nicht für Dennis Ross.«

»Das sehe ich genauso«, stimmt Nadja ihrer Schwiegermutter zu, »unsere Aufgabe ist es, ›Gewalt!‹ zu schreien und solchen Hofjuden wie Albright, Ross und Indyk zu sagen, daß es immer Juden gegeben hat, die ihr Volk verraten und für fremde Mächte gearbeitet haben, und daß damit jetzt Schluß sein muß.«

Ruth und Nadja sind sich vollkommen einig. So wie es ist, kann es nicht weitergehen. Israel ist eine Bananenrepublik der USA im Nahen Osten, die politische Abhängigkeit des Landes von den USA ein nationales Unglück.

Bevor Ruth sich über dieses Thema mit Ezra Sohar unterhält, Medizinprofessor an der Tel Aviver Universität, Sprecher der »Professoren für ein starkes Israel« und Autor des Buches »Israel – eine Konkubine im Nahen Osten«, legt sie schnell noch ein Lied auf, nämlich »Hagolan schelanu tamid«, der Golan ist ewig unser, gespielt und gesungen von Michael Sacofsky, »der zufällig mein Schwiegersohn ist«.

Sacofsky, von Beruf Anwalt, sorgt nebenbei mit seiner Band »Michael Sacofsky and Orchestra« auf Hochzeiten und anderen Festen für vaterländische Stimmung. Er wurde in England geboren und hat Ruth Matars jüngste Tochter geheiratet. Da seine Eltern gerade zu Besuch in Israel sind, wollte Ruth ihnen eine Freude machen und spielte deswegen Michaels Golan-Song.

Und nächsten Mittwoch sitzt wieder Nadja im Studio. Ihr Gesprächspartner ist Mosche Feiglin, Gründer der Organisation »Zo Artzeinu« (»Das ist unser Land«). Er hat noch zu Rabins Zeiten gewalttätige Demonstrationen organisiert und wurde deswegen vor kurzem wegen Aufruhrs und Störung der öffentlichen Ordnung zu sechs Monaten verurteilt, die er freilich nicht absitzen muß, sondern in einer Anstalt für Geistesgestörte abdienen kann. »Es ist heute schwer zu sagen, wer sind die normalen Leute, und wer sind die Verrückten«, witzelt er ins Mikrofon.

Feiglin, das scheint sicher, gehört zu den Normalen, denn er hat soeben wieder eine Organisation ins Leben gerufen, diesmal für »authentische jüdische Führung«. Israels wichtigstes Problem sei nicht der Frieden oder die Sicherheit, sondern der Mangel an »jüdischer Identität«. Und »Bibi«, sagt Feiglin, sei nicht weniger gefährlich für das Land, als es Rabin war. »Wir haben nicht den jüdischen Staat in Israel, wir haben hier nur den Staat der Juden. Wir wollen aus dem Staat der Juden einen jüdischen Staat machen, auf der Grundlage jüdischer Werte.« – Was »jüdische Werte« sind und wie der »jüdische Staat« aussehen soll, sagt Feiglin nicht, denn so etwas versteht sich bei »Arutz 7« von selbst.

Theodor Herzl hatte einst einen Traum. Er nannte ihn den »Judenstaat«. Im »Versuch einer modernen Lösung der Judenfrage«, vor hundert Jahren erdacht und veröffentlicht, war von jüdischen Werten nicht die Rede, dafür von einer zivilen Gemeinschaft: »Der Glaube hält uns zusammen, die Wissenschaft macht uns frei. Wir werden daher theokratische Velleitäten unserer Geistlichen gar nicht aufkommen lassen. Wir werden sie in ihren Tempeln festzuhalten wissen, wie wir unser Berufsheer in den Kasernen festhalten werden ...«

Der »jüdische Staat«, den Feiglin anstelle des »Judenstaates« verwirklichen möchte, wäre nicht die Fortsetzung der alten Idee, sondern Herzls Alptraum.

Alles oder nichts
Von der Theorie der Tugend

Die Palästinenser haben, wie die Israelis, ein extrem gut entwickeltes kollektives Gedächtnis. Erinnern sich die Juden an den Auszug aus Ägypten, an die Zerstörung des Ersten und des Zweiten Tempels, die Untaten der Kreuzfahrer im Rheintal und die Vertreibung aus Spanien, als wäre alles letztes Jahr passiert, so reicht die Erinnerung der Palästinenser zwar nicht ganz so weit zurück, kreist aber vorzugsweise auch um Katastrophen: das Blutbad von Deir Yassin, den Massenmord von Kfar Kassem, das Massaker von Sabra und Schatilla, den Tag der Balfour-Erklärung, den Tag der Märtyrer der palästinensischen Revolution, den Tag, an dem die Intifada begann, usw. ... Der palästinensische Kalender ist voll mit Gedenktagen aus der jüngsten Geschichte, an denen palästinensische Jugendliche maskiert durch die Straßen paradieren, um zum Schluß eine israelische Fahne zu verbrennen und »Mit Feuer und Blut werden wir dich befreien, Palästina!« zu rufen.

Ein Datum freilich bindet Israelis und Palästinenser zusammen, macht sie zu Partnern wider Willen, ob sie sich gegenüberstehen oder einander den Rücken zuwenden: der Vertrag von Oslo vom September 1993, mit dem direkte Verhandlungen zwischen Israel und der PLO aufgenommen wurden. »Vor Oslo« und »nach Oslo« sagen Israelis ebenso wie Palästinenser, wenn sie die historische Wendemarke meinen. »Oslo« wurde zum Synonym für Fortschritt und Rückschritt, für Krieg und Frieden, für Kapitulation und Rebellion. Vor Oslo war die PLO die einzige legitime Vertretung der Palästinenser in den besetzten Gebieten, nach Oslo ist sie es noch immer, nur scheint das gerade das Problem zu sein.

»Oslo war eine Hoffnung für Leute, die nichts von der Situation verstehen«, sagt Abdul Sattar Kassem, Professor an der An-Najah-Universität in Nablus. »Ich habe mir keine Hoffnungen gemacht, und heute denke ich, die Situation wird sich noch verschlechtern. Wenn du begriffen hast, wie im Nahen Osten die Dinge geregelt werden und wie die palästinensische Führung funktioniert, dann ist es auch einfach zu verstehen, warum die Ergebnisse nicht den Erwartungen entsprechen. Es hat mit der palästinensischen Führung zu tun. Die Israelis haben den Palästinensern und den arabischen Staaten von 1967 an klar gesagt: Wenn ihr das Problem lösen wollt, gibt es nur einen Weg, direkte bilaterale Verhandlungen zwischen Israel und den arabischen Staaten. Golda Meir hat den Palästinensern schon 1973 eine Autonomie angeboten, Menachem Begin machte das gleiche Angebot 1977, noch vor dem Abkommen von Camp David. Und Anfang der achtziger Jahre hat die Zivilverwaltung versucht, Autonomie in den besetzten Gebieten mit Hilfe der ›Village Leagues‹* einzuführen. Aber die PLO war dagegen und hat alle bedroht, die bereit waren, das israelische Angebot anzunehmen.«

Abdul Sattar Kassem, 1948, dem Gründungsjahr Israels, in einem arabischen Dorf bei Tulkarem geboren, unterrich-

* Von Israel geförderte Vereinigungen; als Gegengewicht zur PLO gedacht.

tet politische Wissenschaft. Er hat in Kairo und in den USA studiert, zwei MA- und einen BA-Titel erworben und an der Universität von Missouri mit einer Arbeit über die »Theorie der Tugend« promoviert.

»Das Problem war nicht die Autonomie an sich. Das Problem war, daß die PLO die Verhandlungen über die Autonomie führen wollte. Die PLO wollte präsent sein. Es war keine Frage der Prinzipien, sondern der Form. Statt den ›Village Leagues‹ zu erlauben, mit Israel zu verhandeln, wollte Arafat selbst am Verhandlungstisch sitzen. 1979 habe ich ein Buch geschrieben, in dem ich vorhersagte, daß die PLO Israel anerkennen wird. Daraufhin gab es einen Aufschrei in den palästinensischen Organisationen, wie ich es wagen könnte, so etwas zu behaupten ... Arafat – er ist die palästinensische Führung, es gibt niemanden außer ihm, vielleicht wird er von seiner Frau geführt, ich weiß es nicht –, praktisch hat er allein das Sagen. Das war immer sein Ziel, und das muß man wissen, um die Situation zu verstehen. Die sogenannte Revolution war nur ein Mittel zum Zweck. Wir hatten nie eine wirkliche Revolution.«

Abdul Sattar Kassem ist kein religiöser Fundamentalist, steht aber politisch der Hamas nahe. Unter seinen Kollegen und Studenten genießt er großes Ansehen, weil er als unbestechlich gilt. Zwei Jahre »administrative detention« (Inhaftierung ohne Prozeß und Urteil) unter der israelischen Besatzung hat er genutzt, um Hebräisch zu lernen und zwei Bücher zu schreiben: »Leben im Gefängnis« (1986) und »Tage im Negev« (1989).

»Die Intifada war keine Revolution, sondern eine Protestbewegung. Die PLO hätte aus der Intifada eine Revolution machen können. Aber sie haben die Intifada nur ausgenutzt, um ihre diplomatischen Ziele zu verfolgen: die Anerkennung durch Israel und die USA. Und als es soweit war, da haben sie das Selbstbestimmungsrecht der Palästinenser geopfert. Im Abkommen von Oslo ist davon keine Rede. Ich habe immer gewußt, daß Arafat darauf nicht bestehen wird. Das Selbstbestimmungsrecht war nur eine Parole für den Hausgebrauch. Was haben wir schon erhalten? Das, was die Israelis uns bereits 1973 und 1977 angeboten haben, genau betrachtet, noch weniger. Sie haben einfach die Autonomie-Idee recycelt, während die PLO immer mehr nachgegeben hat, bis von ihren ursprünglichen Forderungen kaum etwas übriggeblieben ist.

Und so wird es weitergehen! Glaubst du, sie werden auf Jerusalem als palästinensischer Hauptstadt bestehen? Nein! Sie werden die Massen mit Parolen füttern, die Leute werden begeistert sein und Arafat bejubeln, und am Ende wird er sagen: Die USA sind gegen uns, die Europäer setzen sich für uns nicht ein, unsere Lage ist schlecht, laßt uns nehmen, was uns gegeben wird!«

Außer den Büchern über seine Erfahrungen mit der Besatzung hat Abdul Sattar Kassem auch eine Biographie von Schah Reza Pahlewi und des palästinensischen Nationalhelden Is-a-Din al-Kassem geschrieben, außerdem eine größere Anzahl Artikel für arabische Zeitungen. Seit Oslo wird er in den palästinensischen Zeitungen, die von Arafat kontrolliert werden, nicht mehr gedruckt. Für sein letztes Buch »The Road to Defeat« (Der Weg zur Niederlage) hat er noch keinen Verleger gefunden.

»Wenn wir angenommen hätten, was uns schon in den siebziger Jahren angeboten wurde, hätten wir uns viele Schmerzen und Opfer erspart. Camp David war für die

Palästinenser besser als Oslo. Sogar die ›Village Leagues‹ wären besser gewesen. Ich bin sicher, Mustafa Dudin, der Chef der ›Village Leagues‹, hätte für die Palästinenser mehr herausgeholt, wenn er mit den Israelis verhandelt hätte, als Arafat geschafft hat. Aber das durfte nicht sein, denn Arafat wollte unbedingt der Führer bleiben, der einzige, der im Namen der Palästinenser verhandeln darf. Er sprach von der Rückkehr der Flüchtlinge, von der Freilassung der Gefangenen, er sagte, es würde viel Geld in die West Bank und nach Gaza fließen, wir würden das Hongkong oder das Singapur des Nahen Ostens werden. So viele Versprechen! Mir war immer klar, daß er nur den Clown spielte, aber die Palästinenser dachten, daß er es ernst meinte. Und die Massenmedien haben ihn unterstützt, die amerikanischen, die europäischen, sogar die israelischen. Alle haben ihn unterstützt! Warum? Weil er genau das tat, was von ihm erwartet wurde. Die Amerikaner und die Europäer wollten, daß Israel die Supermacht bleibt und die ganze Region kontrolliert, während die Palästinenser sich mit ein paar Menschenrechten begnügen sollten. Aber ich, als Palästinenser, ich habe auch politische Rechte. Und da sind vier Millionen Flüchtlinge, die unter schrecklichen Bedingungen leben. Ich habe mein Land verloren, für mich geht es um alles oder nichts. Aber das war nie die Haltung von Arafat. Deswegen wurde er schon in den siebziger und achtziger Jahren unterstützt, obwohl er als Terrorist verschrien war. Frankreich hat ihm eine Radiostation gegeben, Radio Monte Carlo. Es ist seine Station. Wie kommt es, daß jemand, der als Terrorist galt, immer Geld zur Verfügung hatte? Schau dir an, wie Hamas heute behandelt wird. Jeder Cent, der an Hamas geht, wird kontrolliert. In den siebziger und achtziger

Jahren hat niemand aufgepaßt, woher Arafat sein Geld bekam. Sie haben den Mann gebraucht, weil sie wußten, daß er eines Tages der Held der Stunde sein würde. Ich habe immer damit gerechnet, daß er ein Abkommen mit Israel schließt – ich wußte nur nicht, wie es heißen würde –, ein Abkommen, das Israel legitimieren würde, ohne daß die Rechte der Palästinenser anerkannt würden. Und genau das ist passiert. Nun spricht er über einen palästinensischen Staat. Aber wie kann er einen Staat auf der Grundlage von Korruption aufbauen? Er praktiziert Korruption, er ist der Meister der Korruption.«

Das Argument, Korruption sei keine palästinensische Spezialität, so was gebe es in jedem Staat, wird von Abdul Sattar Kassem nicht akzeptiert.

»Ja, es gibt überall Korruption. Aber wir haben sie in unseren Knochen, und das ist etwas anderes; sie ist Teil unseres Lebens, wo immer du hinschaust. Wenn ich einen Job bei der palästinensischen Verwaltung haben möchte, brauche ich einen Vermittler, der mir den Job besorgt. Es geht nicht ohne ihn. Er hat Zugang zu Arafat, und Arafat unterzeichnet alle Arbeitsverträge. Dafür bekommt der Vermittler einen Teil meines Lohns. Das Budget der palästinensischen Behörde lag im letzten Jahr bei achthundert Millionen Dollar. Dreihundert Millionen davon sind durch Korruption verlorengegangen. Gibt es so etwas noch in einem anderen Land? Drei Achtel des offiziellen Haushalts gehen durch Korruption verloren! Und dann gibt es noch einen Haushalt, den nur Arafat kontrolliert, etwa hundert Millionen Dollar. Er benutzt das Geld, um politische Unterstützung zu kaufen. Ich könnte zu ihm gehen und sagen: Ich möchte heiraten, aber ich habe kein Geld, dann würde er mir zwei-

oder dreitausend Dollar geben … In jeder Ecke unserer Gesellschaft hast du Korruption. Unsere Tradition fördert Korruption, Stammeswesen und Korruption gehören zusammen. Arafat hat das System nicht erfunden, aber er hat die Korruption auf die Spitze getrieben …«

Während die Studenten der An-Najah-Universität ihre Seminare besuchen, werden in dem Dorf Asira, ein paar Kilometer außerhalb von Nablus, von der israelischen Armee zwei Häuser zerstört und zwei mit Beton »versiegelt«; hier sollen die Selbstmordattentäter gewohnt haben, die auf dem Mahane-Jehuda-Markt und in der Ben-Jehuda-Straße in Jerusalem bei zwei Anschlägen zwanzig Menschen mit sich in den Tod rissen.

»Arafat spielt Präsident, und die israelische Armee macht gleich nebenan, was sie will. Hier in Nablus glaubt niemand daran, daß wir unabhängig sind. In Nablus sind wir autonom, sonst leben wir unter Belagerung. Vor Oslo konnte ich mich überall in der West Bank bewegen und sogar nach Israel fahren. Jetzt kann ich nicht einmal nach Ramallah, wenn die Israelis die Stadt absperren. Letztes Jahr ist mein Onkel in Tulkarem gestorben, und ich konnte nicht an seinem Begräbnis teilnehmen, weil Tulkarem gesperrt war. Man durfte nicht rein und nicht raus. Wir leben wie auf einem Archipel und können oft nicht von einer Insel zur anderen fahren, weil Israel das Meer kontrolliert.«

Vor ein paar Jahren habe ein israelischer General Abdul Sattar Kassem zu sich bestellt und ihn gefragt, ob er eine Lösung für den Konflikt wüßte.

»Ich sagte ihm, das Recht auf Rückkehr der palästinensischen Flüchtlinge sei die Grundlage für die Lösung des Konflikts. Daraufhin fragte er: Und wohin sollen die Juden gehen? Ich sagte: Geht zur Hölle! Habt ihr gefragt, wohin die palästinensischen Flüchtlinge 1947/48 gehen sollen? Euch war es egal, also ist es mir auch egal. Aber das war nur eine Antwort an den General. Er war ein großer, starker Mann und hatte zwei Atomwaffen unter seinen Armen, und ich war nur ein armer, kleiner Palästinenser. Deswegen hat er diese Antwort verdient. Trotzdem: Ohne eine Lösung des Flüchtlingsproblems wird es keine Lösung des ganzen Konflikts geben. Und wenn von Menschenrechten die Rede ist, muß vor allem von den Flüchtlingen gesprochen werden. Wenn ich derjenige wäre, der verhandeln sollte, würde ich den Amerikanern und den Israelis sagen: Laßt uns zuerst das Flüchtlingsproblem lösen, und danach können wir über Politik reden. Solang mein Volk in Lagern im Libanon, in Syrien, Jordanien, in der West Bank und in Gaza leben muß, wird es keine Lösung des Konflikts geben.«

Was wäre die Lösung?

»Die Rückkehr der Flüchtlinge. Nichts anderes.«

Wohin?

»Überallhin. Wo immer ihre Häuser vor 1948 waren. Wenn die Israelis so und so viele Juden im Laufe der nächsten Jahre aufnehmen wollen, dann sollen sie auch die Palästinenser aufnehmen, die vertrieben wurden. Wenn Palästina für die Juden groß genug ist, dann ist auch genug Platz für die Palästinenser da. Ich schätze, daß zwei Millionen Flüchtlinge zurückkehren würden, alle aus dem Libanon und jeder zweite aus Syrien.«

Wäre Arafat in der Lage, fürs erste eine halbe Million Flüchtlinge in der West Bank und in Gaza zu absorbieren?

»Arafat ist mit seinem Apparat nicht mal in der Lage, die Menschen zu versorgen, die jetzt in der West Bank und in

Gaza leben. Glaub mir, die israelische Besatzung war demokratischer als Arafats Regime, ich meine es wirklich. Unter der Besatzung konnte ich Bücher schreiben und veröffentlichen, unter Arafat kann ich es nicht. Wenn ich einen Artikel veröffentlichen will, muß ich ihn nach London schicken. Ich habe sogar im israelischen Gefängnis Bücher geschrieben, die unter der Besatzung erschienen sind.«

Abdul Sattar Kassem kann Arafat einfach nicht leiden. Der Vorsitzende der PLO werde allenfalls als Fußnote in die palästinensischen Geschichtsbücher eingehen, wie Amin al-Husseini, der Mufti von Jerusalem. Ganz anders dagegen Yahyah Ayasch, »der Ingenieur« aus Gaza. Er hat vier Bomben gebaut, die von Selbstmordkommandos gezündet wurden und einige Dutzend Israelis töteten, bevor ihn der israelische Geheimdienst mit Hilfe eines als Minibombe präparierten Handys unschädlich machte.

»Yahyah Ayasch ist jetzt schon eine Legende, und er wird es in der Zukunft noch mehr. Er hat ein neues Kapitel begonnen. Die PLO, mit all ihrem Geld und allen ihren Organisationen, war nicht in der Lage, eine einzige Bombe zu bauen. Dieser Mann hat es aus eigenem Antrieb gemacht, und obwohl es nur kleine Bomben waren, hatten sie doch eine große Wirkung, waren politisch sehr mächtig. Und natürlich haben die Palästinenser gejubelt, als sie sahen, was er bewirkt hatte. Plötzlich hatten die Israelis Angst, lebten in ständiger Furcht vor Terror. Und alles wegen Yahyah Ayash. Das hat die PLO mit ihren 50 000 Sodaten nicht geschafft. Yahyah Ayasch hat ganz allein Angst und Schrekken in Israel verbreitet! Die Palästinenser leben seit Jahrzehnten in ständiger Angst vor den Israelis, und nun sind sie die Ursache von Angst für die Israelis! Das ist natürlich ein schönes Gefühl. Wir sind machtlos, wir können nichts tun, und auf einmal kommt Yahyah Ayasch, und nicht nur Israel dreht durch vor Angst, die ganze Welt macht sich in die Hosen. Präsident Clinton beruft eine internationale Konferenz gegen Terror nach Scharm el-Scheich ein. Vier Bomben von jeweils fünf Kilo Sprengstoff reichten aus, um eine weltweite Panik auszulösen. Natürlich denken die Palästinenser, Yahyah ist ein Held, der die Ehre der Palästinenser gerettet hat. Er hat mit zwanzig Kilo Sprengstoff mehr erreicht als die PLO mit allen ihren Initiativen im Laufe vieler Jahre. Die PLO stellte keine Gefahr für Israel dar. Doch Yahyah war eine wirkliche Gefahr. Er hat den Krieg nach Tel Aviv und Jerusalem gebracht. Solche Terrorakte, wie sie von den Israelis genannt werden, richten großen Schaden in der israelischen Gesellschaft an. Viele Israelis fragen sich, ob es nicht klüger wäre, das Land zu verlassen, bevor sie beim Busfahren von einer Bombe zerrissen werden. Sicherheit ist die Frage der Fragen für Israel. Wenn es keine Sicherheit gibt, entstehen soziale, wirtschaftliche, psychologische Probleme. Die ganze Gesellschaft wird destabilisiert.«

Und dann macht Abdul Sattar Kassem, der in Kairo und in den USA studiert und über die »Theorie der Tugend« promoviert hat, eine Rechnung auf, die alle Tugenden des Nahen Ostens in sich vereinigt.

»Viele Palästinenser sagen: Wenn wir anders gekämpft hätten, hätten wir mehr erreicht. Zweitausend Palästinenser sind in der Intifada gestorben. Wenn wenigstens auch eintausend Israelis gestorben wären, hätte es einen gewaltigen Druck auf die Regierung gegeben, und dann hätten sich die Israelis aus den besetzten Gebieten zurückgezogen. Aber es sind eben nur zweitausend Palästinenser und keine eintau-

send Israelis gefallen. Arafat hat die Toten und das Blutvergießen für seine öffentlichen Auftritte benutzt, um die
Aufmerksamkeit der Welt auf sich zu ziehen. Wir haben ge-
blutet und nichts erreicht. Und die Israelis haben zuwenig
bezahlt. Sie sind bis jetzt billig davongekommen. Ich lebe
hier in einem Gefängnis, und die Israelis amüsieren sich in
Tel Aviv. Warum? Ist das gerecht?«

Egal, wer welchen Preis bezahlt hat, beide Seiten sind
überzeugt, daß sie in Notwehr gegen die andere handeln. Die
Israelis wehren sich gegen den Terror der Palästinenser, und
die Palästinenser reagieren nur auf den Terror der Israelis.

»Für viele Palästinenser sind die Libanesen Helden, weil
sie so entschlossen gegen Israel kämpfen. Sie schauen in
den Libanon und fragen sich: Warum können die Libanesen, was wir nicht können? Sind sie intelligenter? Sind sie
mutiger? Und sie sagen sich: Wir sollten genauso kämpfen.
Deswegen hat die Führung von Hamas beschlossen, Selbstmordkommandos nach Israel zu schicken. Ich selbst mag
es nicht, daß Menschen auf diese Weise getötet werden.
Aber als Palästinenser, der viel leiden mußte, schmeichelt es
meinen Gefühlen, wenn auch die Israelis leiden. Man kann
solche Aktionen nicht gutheißen, egal ob sie von den Israelis oder den Palästinensern unternommen werden. Aber der
Terrorismus, unter dem wir leben, ist viel brutaler als der
Terrorismus, den wir gegen andere praktizieren. Israel ist
ein terroristischer Staat. Er wurde mit Terror aufgebaut.
Und er setzt noch immer Terror ein, wenn zum Beispiel
Häuser von Palästinensern demoliert werden. Ist das etwa
nicht Terror? Deswegen befürworten die meisten Palästinenser Kommando-Aktionen gegen Israelis. Das ist die Situation. Nicht erfreulich, aber es geht nicht anders.«

Nach einer über dreißigjährigen Zwangsehe reden Israelis und Palästinenser noch immer entschlossen aneinander vorbei.

»Die Israelis verstehen uns nicht. Sie wollen uns nicht verstehen. Sie wissen, wir hassen sie, wir wollen mit ihnen nicht leben, wir möchten sie umbringen. Sie wissen es, aber sie wollen es nicht wahrhaben. Sie sagen: Es kann eine Koexistenz, es kann Frieden geben. Ich habe ihnen immer wieder gesagt: Wenn ihr Koexistenz und Frieden wollt, dann müßt ihr den Palästinensern ihre Rechte zurückgeben. Umgekehrt verstehen die Palästinenser die Israelis auch nicht. Sie begreifen nicht die Probleme der Juden. Sie verstehen nicht, wie die israelische Gesellschaft funktioniert. Sie sehen nur ihr eigenes Elend. Jede Seite ist mit sich selbst beschäftigt.«

Schlechte Aussichten?

»Es wird zu einer Radikalisierung kommen. Viele Palästinenser sagen: Wir haben die friedliche Lösung versucht, und sie hat uns nichts gebracht. Also versuchen wir es wieder mit kriegerischen Mitteln. Wenigstens wird es keine Ruhe in der Region geben, und solang es keine Ruhe gibt, wird unser Problem auf der Tagesordnung bleiben.«

Doch sind die Israelis nicht das einzige Problem, mit dem die Palästinenser leben müssen. Im August 1995 wurden vier Kugeln auf Abdul Sattar Kassem abgefeuert, und am Abzug war kein Israeli, sondern ein Palästinenser, der im Auftrag von Arafat handelte. Kassem zeigt auf die inzwischen verheilten Wunden und sagt, zwei Stunden nach dem Anschlag habe er schon gewußt, wer geschossen habe und wer die Hintermänner seien. Der Täter sitzt inzwischen in einem israelischen Gefängnis, aber nicht weil er Abdul Sattar Kassem ermorden wollte, sondern weil er Autos geklaut hatte. Und Arafat, sagt Kassem, wird so lange im Amt bleiben, bis die Israelis seinen Nachfolger bestimmt haben.

»Die Israelis bereiten Abu Mazen als Nachfolger für Arafat vor, und sie bereiten uns auf Abu Mazen vor. Die Israelis haben immer unsere politischen Führer kreiert. Als ich im Gefängnis war, wurde ich vom israelischen Geheimdienst gefragt, ob ich nicht ein politischer Führer werden wolle. Sie sagten ganz klar: Wir machen aus dir eine bedeutende Persönlichkeit. Ich fragte: Wie? Sie sagten, sie würden über mich im Radio und im Fernsehen berichten, und wenn ich aus dem Gefängnis käme, würden zwanzig TV-Teams draußen auf mich warten, und die Menschen würden mich auf Händen tragen. Ich fragte: Was ist der Preis? Was müßte ich dafür tun? Und sie sagten: Halte Reden! Sag deinen Leuten, du willst Palästina befreien, du willst einen palästinensischen Staat. Rede, aber mach nichts wirklich, so wie Arafat. Wir machen aus dir einen politischen Führer, so wie wir aus dem und dem in Jerusalem einen politischen Führer gemacht haben. Und sie haben mir einen Namen genannt. Ich bin sicher, auf diese Weise sind viele unserer politischen Führer gemacht worden. Hör dich auf der Straße um, frag die Palästinenser, was sie von unserer politischen Führung halten. Die meisten werden sagen: ›Es sind Agenten Israels oder der USA.‹ Wir haben keine echte politische Führung, niemanden, dem wir trauen, auf den wir uns verlassen können. Arafat? Während des Libanon-Krieges 1982 wußten die Israelis, wo Arafat sich gerade versteckte. Der Offizier, der Arafats Spur folgte, sagte später, er habe strikte Order gehabt, nicht zu schießen. Sie haben erst geschossen, nachdem Arafat seine Verstecke verlassen hatte, so daß er sagen konnte, er sei durch ein Wunder davongekommen. Die Palästinenser haben keine Geheimnisse, und die Israelis sind überall. Sie haben Arafats Büro in Gaza infiltriert, sie hören und sehen alles. Die palästinensischen Organisationen sind für sie ein offenes Buch.

Wenn wir in zwanzig Jahren noch am Leben sind, werden viele Dinge ans Licht kommen, von denen wir heute noch keine Ahnung haben. Und ich fürchte, eines Tages – mach das Tonbandgerät aus, hast du es abgeschaltet? – wird es ein Monument für Yassir Arafat in Tel Aviv geben.«

Sein oder Nichtsein
Die Logik hinter dem Wahnsinn

*R*abbi Fruman ist per Anhalter unterwegs. Am Nachmittag hat er in Otniel, einer Siedlung südlich von Hebron, unterrichtet. Dann stellte er sich an die Straße, streckte den Arm in die Luft, und schon nahm ihn jemand mit. Allerdings nur bis Kirjat Arba. Nun steht er am Tor der Siedlung und wartet auf den nächsten »Lift«. Es ist nach vier Uhr, und um diese Zeit fahren mehr Autos nach Kirjat Arba rein als raus. Rabbi Fruman hat's eilig, er will nach Jerusalem, zu einem Treffen mit dem sephardischen Oberrabiner.

»Danke fürs Mitnehmen«, sagt er, während er den Gurt anlegt und den Sitz seiner suppenschalengroßen Kippa überprüft. »Ich bin Rabbi Menachem Fruman aus Tekoa.«

»Und ich bin derjenige, mit dem Sie übermorgen eine Verabredung haben.«

»Was für ein Zufall, was für eine kleine Welt«, freut sich der Rabbi von Tekoa, klappt ein Buch auf, das er unter dem Arm gehalten hat, und fängt an, laut zu lesen. Es ist »Breschit«, das Erste Buch Mose, die Geschichte der Weltschöpfung. Während wir durch die einsetzende Dämmerung Richtung Jerusalem fahren, vorbei an Hebron, Halhul und Bethlehem, vertieft er sich in einem Wochenabschnitt der Genesis. Der Rabbi lernt, und Gott lenkt.

Kurz vor Jerusalem klappt Rabbi Fruman das Buch zu. Er hat eine Frage, für die es in der Genesis keine Antwort gibt.

»Was ist wichtiger: Nachrichten machen oder über Nachrichten berichten?«

Wir fahren durch Gilo und Katamon nach Beit Vagan, einer Gegend, in der vor allem fromme Juden leben, darunter auch der sephardische Oberrabiner. Der hat, erzählt Rabbi Fruman, einen Brief an Ayatollah Ali Khamenei im Iran geschrieben; er, Fruman, werde den Brief abholen, ihn von einem befreundeten Knesset-Abgeordneten ins Arabische übersetzen lassen und Yassir Arafat mitgeben, der demnächst nach Teheran zum islamischen Gipfeltreffen fährt. Und »im esrat ha'schem«, mit Gottes Hilfe, werde Arafat eine Antwort mitbringen. Rabbi Fruman ist so begeistert, als würde er an die fünfzig Kapitel der Genesis ein weiteres Kapitel dranhängen.

»Wir sehen uns übermorgen in Tekoa!« ruft er beim Aussteigen vor dem Haus von Oberrabiner Eliahu Bakschi-Doron. »Im esrat ha'schem!«

Mit Gottes und mit Arafats Hilfe wird der sephardische Oberrabiner des »kleinen Satan«, so nennen die Ayatollahs den zionistischen Erzfeind, dessen Namen sie nicht einmal aussprechen, das Staatsoberhaupt und die höchste religiöse Autorität Irans seiner kollegialen Hochachtung versichern und einen Gedankenaustausch über religiöse Fragen anregen. Denn, davon ist Fruman ebenso fest überzeugt wie von der Tatsache, daß Gott die Welt in sechs Tagen erschaffen hat, »wenn Politiker nicht weiterwissen, müssen religiöse Führer aktiv werden«.

Rabbi Menachem Fruman, 1945 in Kfar Hassidim bei Haifa geboren, sieht wie ein altgewordener Hippie aus, der sich in Kalifornien als Guru selbständig gemacht hat. Lachende Augen, die dunkel umrandet sind, ein Bart, der die halbe Brust bedeckt, ein weißes Hemd, an dem ein paar Knöpfe fehlen, schwarze Hosen, die kurz unterhalb der Waden aufhören, dazu Schuhe, die drei Nummern zu groß scheinen und kein Paar sein wollen, setzen sich zu einer Erscheinung zusammen, die sogar nach israelischen Maßstäben extrem »casual« ist. Man muß schon sehr viel Gott- und Selbstvertrauen haben, um sich so außer Haus zu wagen. Doch das ist nur die Hülle, in der ein Geist steckt, der weiß, worauf es ankommt.

Frumans Eltern sind bereits 1935 aus Polen nach Palästina gekommen. Der Vater war ein Hassid, Zionist und Sozialist, für den Beten, Arbeiten und die Welt-Verbessern gleich wichtig waren. Am 1. Mai habe er sich eine »rote Kippa« aufgesetzt und sei bei der Demo mitgelaufen. Frumans Frau Hadassa dagegen ist die Tochter deutscher Bürger mosaischen Glaubens, die der Rabbi »Junkerjuden« nennt. Daß sie mit Mädchennamen »Mittwoch« heißt, findet er auch nach fast 25 Jahren Ehe noch immer komisch.

Fruman hat in einer Fallschirmjägereinheit der israelischen Armee gedient, Philosophie und jüdische Geschichte an der Jerusalemer Universität studiert, bevor er 1977 zum Rabbiner ordiniert wurde. Seine religiösen Exerzitien absolvierte er an der Jeschiwa »Merkaz Harav Kook«, dem spirituellen Zentrum des nationalreligiösen Aufbruchs nach dem Sechs-Tage-Krieg. Folgerichtig gehörte er 1974 zu den Mitbegründern des »Gusch Emunim« (Block der Gesetzestreuen), der »das ganze Land Israel« unter jüdischer Souveränität behalten und besiedeln will, wenn es sein muß, auch gegen die Politik der gewählten Regierung.

Seit 1980 ist Fruman Rabbiner in Tekoa, einer Siedlung für 250 Familien, zwanzig Autominuten südöstlich von Jerusalem, mitten in der judäischen Wüste. Hier hat im 8. Jahrhundert v. Ch. der Hirte und Prophet Amos Schafe gehütet und über Gott und die Welt nachgedacht. Gegenüber von Tekoa steht das Herodion, eine palastartige Festung, die Herodes, der letzte jüdische König von der Römer Gnaden, in Form einer Frauenbrust bauen ließ. Wer in dieser Gegend nicht gläubig wird oder wenigstens anfängt, Visionen zu haben, der lebt am falschen Ort.

Rabbi Menachem Frumans Vision heißt nicht »Peace Now!« (»Frieden jetzt!«), hört nicht auf den Namen »Oslo« und ist nicht auf amerikanische Vermittlung angewiesen. Sein Programm lautet: »Israel in Palästina, Palästina in Israel. Zwei Flaggen, zwei Hymnen, zwei Parlamente, zwei Präsidenten, zwei Regierungen.« Statt das Land zwischen Israelis und Palästinensern zu teilen, soll es zwei Staaten auf demselben Territorium geben, mit einer Hauptstadt für beide: Jerusalem, »als Garantie für zivilisiertes Benehmen«.

Fruman weiß, daß es ein bis jetzt einmaliger Versuch wäre, ein absolutes Novum in der Geschichte der Völker. Er ist sich der Risiken einer solchen Konstruktion bewußt, doch wie sagte es sein Lehrer, der große Rabbi Zwi Jehuda Kook: »Je größer die Idee, um so größer auch die Gefahr.« Und er spricht von einem »menschlichen Staat«, der den »Nationalstaat« ablösen soll, weil »diese Idee vollkommen veraltet ist«. Alles, was Israelis und Palästinenser dafür aufgeben müßten, wäre »ein wenig von unserem und ihrem nationalen Ego«. Teilung bedeute Haß, religiöser Dialog dagegen sei »das Tor zur Koexistenz«.

Fruman begann den Dialog vor fast zehn Jahren, 1989, als er sich mit Feisal Husseini, Arafats Mann in Jerusalem, traf. Da gab es »einen Riesenaufruhr« im »Gusch Emunim«, und selbst seine engsten Freunde mochten kein gutes Wort für ihn einlegen. Dann suchte und fand Fruman Kontakt zu den Radikalsten unter den Radikalen, Hamas-Leuten wie Mahmud Zahar und Jamil Hamami, Schülern von Hamas-Gründer Scheich Ahmed Yassin. Schließlich besuchte er den inhaftierten Scheich Yassin dreimal im Gefängnis und hatte mit ihm »stundenlange Gespräche darüber, wie Religion als Brücke zum Frieden dienen könnte«. Yassin spricht nicht Hebräisch, Fruman kann nicht Arabisch, deswegen war bei den Unterhaltungen auch ein Übersetzer dabei; doch das war kein Hindernis, denn »wir haben in der Sprache unserer Herzen geredet«. Wenn er sich mit moslemischen Geistlichen trifft, muß ein bestimmtes Protokoll eingehalten werden. »Die ersten drei Stunden verbringen wir damit, Gott zu loben. Sie preisen Ihn, und ich preise Ihn. Das schafft eine positive Chemie der Gefühle und gegenseitigen Respekt. Danach können wir uns anderen Dingen zuwenden.«

Im Oktober 1997 besuchte Rabbi Fruman Scheich Yassin, den die Israelis gerade aus dem Gefängnis entlassen hatten, in dessen Heim in Gaza und übergab ihm einen Brief von Oberrabbi Eliahu Bakschi-Doron. Als er in Gaza ankam, war es eben Zeit für »Mincha«, das zweite der drei Gebete, die fromme Juden täglich beten. Fruman begrüßte Scheich Yassin und wandte sich sogleich Gott zu. Und als er mit dem Gebet fertig war, da war es Zeit für das dritte der fünf Gebete, die fromme Moslems täglich beten. Nun sprach Scheich Yassin zu seinem Gott. Und erst danach haben Fruman und Yassin sich miteinander unterhalten.

Das Gespräch war, gibt Fruman zu, nicht allzu ergiebig, weil es im Beisein von Reportern stattfand. Aber allein der Umstand, daß er von Yassin öffentlich in dessen Haus und

Hof empfangen wurde, war »ein gutes Zeichen« für die Zukunft. »Die Logik hinter dem ganzen Irrsinn ist, daß wir mit ihnen reden müssen, nicht obwohl, sondern weil sie gefährlich sind, weil sie Blut an den Händen haben. Wir müssen versuchen, sie zu verstehen, ihre Gedanken nachzuvollziehen, sensibel für ihre Empfindlichkeiten zu sein.« Es sei alles eine Frage der Zeit und der Geduld. Scheich Jamil Hamami – »Mein Freund Jamil Hamami« – habe ihm vor ein paar Jahren erklärt, die einzig mögliche Lösung des Konflikts sei die, daß die Juden aus Palästina verschwänden und dahin zurückgingen, woher sie gekommen wären. »Und letztes Jahr hat er mir zum jüdischen Neujahr seine Segenswünsche übermittelt und mich gebeten, alle Rabbis von Israel in seinem Namen zu grüßen.« Außerdem ließ Scheich Hamami Rabbi Fruman wissen, gehöre das Land nur Gott, »der es demjenigen gibt, den Er auswählt unter jenen, die an ihn glauben«. Für Fruman ein klares Zeichen, daß auch die Fundamentalisten der Hamas in der Lage sind, ihre Haltung zu überdenken.

»Ich bin ein primitiver Mensch, ein primitiver Rabbi und ein primitiver Jude«, sagt Menachem Fruman, während er seinen Bart geradestreicht, »aber ich weiß, die und wir denken ähnlich, und wir haben dasselbe Problem: Wie übersetzt man unsere Quellen in eine neue Sprache, wie paßt man sie der modernen Zivilisation an?« Schon bei Hamlet heißt es »To be or not to be«, und genau das sei »auch die Frage aller primitiven Religionen«.

Aber »Gusch Emunim«, der ideologische Kern der Siedlerbewegung, wurde doch nicht gegründet, um philosophische Fragen mit den Arabern zu diskutieren, sondern um »Eretz Israel« zu besiedeln?

»Gusch Emunim‹ ist die letzte romantische Bewegung auf unserer spirituellen Landkarte«, antwortet Fruman, »also laß uns auf romantische Weise miteinander reden.« Jedes Land habe eine besondere Natur, eine Seele; die wirke auf den Charakter der Menschen, die dort leben. »Das hier ist das Land der Propheten, das Land der Bibel, deswegen müssen wir hier einen prophetischen, einen biblischen Frieden erreichen. Der Frieden muß Teil der Natur, Teil der Seele dieses Landes werden.« Das bedeutet, man kann über den Frieden nicht auf englisch verhandeln, denn »die primitiven Juden und die primitiven Araber sprechen nur Hebräisch und Arabisch«, und in beiden Sprachen ist vom »Heiligen Land« und vom »Land Gottes« die Rede.

Wann also wird es im »Heiligen Land Gottes« den »biblischen Frieden« geben?

»Wenn der Allmächtige es will«, sagt Fruman auf hebräisch. Doch im selben Moment kommt er aus dem Futurum drei in die Gegenwart zurück. »Als ein primitiver Jude muß ich jetzt etwas sehr Primitives tun: beten.« Die Sonne geht unter, es ist Zeit für das »Mincha«-Gebet. Fruman geht in die kleine Synagoge von Tekoa, wo ein Handwerker das Dach repariert. Ohne sich an dem Krach zu stören, stürzt er sich ganz allein in ein Gespräch mit Gott, als wollte er den »biblischen Frieden« noch vor Anbruch der Dunkelheit erzwingen. Er wirft den Oberkörper hin und her, hat die Augen geschlossen und schreit sich die Seele aus dem Leib.

Seine beiden jüngsten Töchter, Liraz, sieben, und Arga, neun, nutzen die Abwesenheit des Vaters, um »Asoj« aus dem Garten ins Haus zu holen. »Asoj« – jiddisch für »Ach so!« – ist ungefähr drei Monate alt, und wenn er einmal groß ist, könnte aus ihm ein Labrador oder ein Bernhardiner oder eine Mischung aus beiden werden. Frumans Sohn Ajal, achtzehn, der bei der Gesellschaft zum Schutz der Natur arbeitet, hat den Hund irgendwo gefunden und nach Hause mitgenommen. Da das Tier nicht stubenrein ist und alles kleinbeißt, was es zwischen die Zähne bekommt, bleibt es meistens draußen vor der Tür.

Rabbi Menachem Fruman hat zehn Kinder, fünf Töchter und fünf Söhne, im Alter zwischen vier und 23 Jahren. Sieben leben noch in Tekoa und sorgen dafür, daß auch säkulare Kultur ins Haus kommt. Zwischen den heiligen Schriften stehen die CDs israelischer Popstars im Bücherregal: Judith Ravitz, Schlomo Artzi, Hava Alberstein und Arik Sinai. Ludwig van Beethoven koexistiert mit »20 Golden Oldies« von Pat Boone, Trini Lopez, Little Richard und Jerry Lee Lewis.

Nach fünfzehn Minuten ist Fruman wieder da, entspannt und munter, und »Asoj« muß in den Garten zurück. In der Dunkelheit sieht die Landschaft um Tekoa wie zur Zeit des Propheten Amos aus, hinter dem kegelförmigen Herodion hört die Welt auf. Aber nicht für Rabbi Fruman. Er hat einen Artikel für »Ha'aretz« geschrieben, »Frieden mit dem Islam«, der in der Wochenendausgabe erscheinen soll. »Ha'aretz« ist das Forum der liberalen Intelligenz, die Kommentatoren sind gegen Netanjahu und für einen Rückzug aus den besetzten Gebieten. Was hat ein Gründer des »Gusch Emunim« in diesem Ketzermilieu zu suchen?

»Nicht alle ›Gusch‹-Leute sind Narren. Einige sind es, aber immer mehr begreifen, was um sie herum passiert. Sie wachen jeden Morgen auf und sehen, daß es kein Traum, sondern die Wirklichkeit ist, mit der sie es zu tun haben. Gottes Wille geschieht, und wir müssen die Fakten akzeptieren.«

Natürlich, es gibt auch Siedler, die sich mit den Fakten, die Gottes Willen manifestieren, nicht abfinden wollen, »aber in jeder religiösen Gemeinschaft finden sich auch Häretiker«. In diesem Fall gilt nicht nur Gottes Wille, sondern auch ein Axiom von Karl Marx: »Das Sein bestimmt das Bewußtsein.« Die Straße, auf der die Einwohner von Tekoa jeden Tag nach Jerusalem und wieder zurück fahren, ist streckenweise die Grenze zu den »autonomen Gebieten« der Palästinenser, aus denen früher oder später ein palästinensischer Staat entstehen wird. »Und das begreifen selbst die größten Narren unter meinen Brüdern, den Siedlern.« Er, Rabbi Menachem Fruman aus Tekoa, wo einst der Prophet Amos gelebt habe, sei kein Prophet, sondern ein »realistischer Marxist«, der keine Utopien verfolge, sondern konkrete Ziele. »Wenn wir hier leben wollen, müssen wir Frieden haben. Und in dieser Gegend hat nur die Religion die Kraft, den Frieden durchzusetzen. Es muß hier geschehen, nicht in Oslo oder Washington.« Die »Halacha«, das jüdische Religionsgesetz, und die »Scharia«, das Gesetzbuch der Moslems, seien eine gute Grundlage, um »einen Staat nach den Gesetzes Gottes« aufzubauen.

Und deswegen spricht er mit Hamas-Führern, erklärt seinen Freunden vom »Gusch Emunim« das Konzept des biblischen Friedens und unterhält seit einigen Monaten diskrete Kontakte zu iranischen Geistlichen. Dabei kommt er sich vor wie ein Geologe, der nach Öl sucht und einige Tropfen im Gestein findet, die ihm Mut machen, weiter zu bohren. Nein, Arafat habe keine Antwort aus Teheran mitgebracht, aber da gebe es noch andere Kanäle. Und daß Scheich Yassin vor kurzen zum »Heiligen Krieg« gegen Israel aufgerufen hat, ändert nichts daran, daß er vorher einen

Waffenstillstand angeboten und damit »de facto Israel anerkannt« hat. Yassin sei eben »kein Mann der Wahrheit im
westlichen Sinn, dafür ein authentischer Moslem«.

So kann es noch eine Weile dauern, bis der Dialog zwischen den Dienern Gottes im Heiligen Land in Gang
kommt und Früchte trägt.

Deswegen verfolgt Rabbi Fruman eine andere Idee, die
sich schneller realisieren läßt: die Einrichtung einer »bi-
religiösen Hochschule«, hebräisch: Jeschiwa, arabisch:
Madrassa, »auf der Rabbis und Scheichs arabische und
jüdische Studenten unterrichten würden«.

Noch steht er mit seiner Idee ganz allein in der biblischen
Landschaft, wie ein Prophet ohne Gefolgschaft. Trotzdem:
»Eine solche Hochschule wäre für die Lösung unseres Konflikts mit den Palästinensern von großem Nutzen, und
außerdem wäre sie auch ein Labor für das friedliche Zusammenleben von Ost und West.«

Am nächsten Tag muß Menachem Fruman wieder nach
Otniel, wo er in einer ganz normalen Jeschiwa Talmud und
Thora unterrichtet. Er wird wieder per Anhalter fahren,
und er wird nicht lange warten müssen, bis ihn jemand mit-
nimmt, denn jeder kennt den Rabbi von Tekoa. Am Nachmittag muß er dann wieder nach Jerusalem, diesmal zur
Aufzeichnung einer Fernsehdiskussion mit einem Scheich
und einem griechisch-orthodoxen Bischof über Abtrei-
bung, Adoption und die Stellung der Frau in der Welt des
Glaubens. Das alles ist schön und wichtig, aber am liebsten
würde er seine jüdisch-arabische Hochschule, die »Jeschiwa/
Madrassa«, schon morgen eröffnen.

»Eine großartige Idee«, sagt er in ruhiger Selbsteinschätzung, »und dabei ist sie so primitiv.«

»Man kann nicht ewig Opfer bleiben«
Interview mit Jamil Hamad, 1983

Mitte März, Anfang April und Anfang Mai 1982 erschienen in der »Jerusalem Post« drei »Offene Briefe«: an Menachem Milson, den ersten Zivilgouverneur der West Bank, an Seine Majestät den König von Jordanien und an Yassir Arafat und die PLO. Als Verfasser zeichnete Abu Zerr el-Gaffari, wobei ein redaktioneller Nachsatz die Leser informierte, daß es sich um ein Pseudonym handelte. Alle drei Briefe fielen durch eine intime Kenntnis der Vorgänge in den besetzten Gebieten und ein unglaubliches Maß an Selbstbewußtsein auf. Abu Zerr el-Gaffari klärte den Chef der israelischen Zivilverwaltung über die Korruption in seiner Behörde auf und forderte einen »Dialog unter gleichen«: »Sie müssen in der Lage sein, sich Kritik anzuhören, Fehler zuzugeben, Ratschläge von uns anzunehmen und unsere Hoffnungen zu verstehen.«

Gegenüber König Hussein beschwerte sich Abu Zerr el-Gaffari über die schlechte Behandlung der Palästinenser durch jordanische Behörden, weswegen die meisten Einwohner der besetzten Gebiete einen eigenen Staat der Rückkehr in das Königreich vorziehen würden. Die Palästinenser hätten auch keine Lust mehr, »als Bauern in diplomatischen Spielen der Araber zu dienen«.

Der PLO schrieb Abu Zerr el-Gaffari ins Stammbuch, sie sollte endlich »die politische Wirklichkeit« anerkennen und sich vom Terrorismus verabschieden. »Wenn ihr wirklich glaubt, Palästina von den Israelis befreien zu können, dann sagt es uns. Wenn ihr dazu nicht in der Lage seid, dann solltet ihr noch heute am Verhandlungstisch Platz nehmen.« Die Palästinenser müßten damit aufhören, andere für ihr Unglück verantwortlich zu machen, Hilfe von Dritten zu erwarten, und statt dessen anfangen, einen »wirklich demokratischen Staat« zu planen.

In einem Dorf wie Jerusalem ist es nicht schwierig, jemanden zu finden, auch wenn er sich hinter einem Pseudonym versteckt. Im Mai 1982 saß ich Abu Zerr el-Gaffari in dessen Büro in der Saladdinstraße in Ost-Jerusalem gegenüber: Jamil Hamad, 1938 in Rafat, einem palästinensischen Dorf auf halbem Wege zwischen dem Mittelmeer und Jerusalem, geboren. 1948, nach der Gründung Israels, floh die Familie nach Bethlehem, 1967 wurden die Hamads wieder von den Israelis eingeholt.

Jamil Hamad hat in Damaskus Recht studiert, als Lehrer in palästinensischen Flüchtlingslagern und als Redakteur bei arabischen Zeitungen gearbeitet und irgendwann angefangen, für englischsprachige Zeitungen und Magazine zu schreiben – eine Stimme der Vernunft in einem Meer des Wahnsinns. Im Juli 1982, mitten im Libanonkrieg, machte er – unter seinem Namen – in der »New York Times« den Vorschlag, Palästinenser aus den besetzten Gebieten und der Diaspora sollten sich an einem neutralen Ort in Europa treffen, eine neue Nationalcharta ausarbeiten und Israel mit einer Friedensinitiative konfrontieren. Zugleich warnte er, Israels Politik in den besetzten Gebieten werde eine palästinensische Massenbewegung hervorbringen, die sich direkt gegen die Besatzer richten werde, »frei von der Bevormundung durch arabische Kräfte, die das palästinensische Problem für ihre eigenen Zwecke benutzen«. Fünf Jahre später brach die »Intifada« aus.

Das folgende Gespräch wurde 1983 geführt und blieb bis jetzt unveröffentlicht, da Hamad nur für sich spricht und niemanden repräsentiert.

Jamil, wenn Sie dazu in der Lage wären, was würden Sie tun, um den arabisch-israelischen Konflikt zu lösen?

Ich spreche lieber von einem israelisch-palästinensischen Konflikt. Dieser Konflikt kann nicht in einer Konferenz in Brüssel gelöst werden, in einem Luxushotel, wo sich die Vertreter beider Seiten treffen, miteinander verhandeln, ein Papier unterzeichnen – und danach ist alles gut. Dazu wurzelt dieser Konflikt zu tief in der Geschichte, und dazu sind auch zu viele Außenstehende inzwischen an ihm beteiligt. Wir haben es auf beiden Seiten mit einem Problem der Sicherheit zu tun. Aber es geht nicht nur um Sein oder Nichtsein, Grenzen und Geschichte. Es geht auch um Ökonomie, Religion und Emotionen. Wir haben es also mit einem sehr vielschichtigen Problem zu tun, dem wir uns mit viel Geduld nähern müssen.

Jeder, der anfängt, sich mit diesem Konflikt zu beschäftigen, muß viel Geduld haben. Und man muß auch mit den beiden Hauptprotagonisten dieses Konflikts, den Israelis und den Palästinensern, geduldig sein. Auch wenn sie Unsinn reden. Laß sie reden! Denn wer versucht, den Richter zu spielen, und zu einem Israeli oder einem Palästinenser sagt: »Du redest Unsinn!«, der wird zurückgewiesen. Man muß Verständnis für die Dummheiten und Albernheiten beider Seiten zeigen, darf sich nicht hinter die eine Seite stellen und die andere verurteilen. Dieser Konflikt hat uns beide, Palästinenser wie Israelis, zu der Überzeugung gebracht, daß wir Halbgötter sind, die keine Fehler machen. Fehler macht immer nur die andere Seite. Die Israelis sagen: »Die Palästinenser sind an allem schuld.« Und die Palästinenser sagen: »Die Israelis sind an allem schuld.« Das ist nicht die deutsche Art, mit einem Problem fertig zu werden, nicht die französische und nicht die englische. Es ist reiner Nahost-Stil.

Was heißt das: Nahost-Stil?

Das kann man nicht erklären. Das muß man fühlen. Es schmeckt nach Nahost, es riecht nach Nahost, es bewegt sich à la Nahost. Wir haben nicht nur anderes Wetter als in Europa, wir haben auch andere Ideen, eine andere Mentalität. Man kann mit uns nicht so umgehen, als wären wir in Bayern. Wenn Sie mit uns reden oder mit uns verhandeln, dann müssen Sie zu sich selbst sagen: »Ich lass' alles hinter mir, was ich in München, Wien oder Zürich über das Lösen von Konflikten gelernt habe. Ich versuche es jetzt auf die nahöstliche Art.« Dann werden Sie begreifen, was hier vor sich geht. Sie werden verstehen und mitreden können.

Das heißt, daß all die Europäer, die den Palästinensern und den Israelis gute Ratschläge geben, wie sie ihr Problem lösen sollen, ihre europäischen Standards anwenden, weil sie denken, auch dieser Konflikt könnte auf die europäische Art gelöst werden.

Das ist ein traditioneller europäischer Fehlschluß. Wenn Sie die Geschichte Europas lesen und die Haltung zur nicht-europäischen Welt verfolgen, dann war die Grundlage dieser Haltung immer eine koloniale Mentalität. »Ich bin hier, um dir das richtige Denken beizubringen, um dich zu erziehen, um dich auf meine Ebene emporzuheben; ich wohne schließlich im sechsten Stock, und du haust im Keller ...«

Obwohl Europa politisch und wirtschaftlich an Bedeutung verloren hat, hat es sich dennoch diese Art von geistiger Arroganz bewahrt. »Wir sagen dir, was du tun sollst, wir wissen es besser.« Aber das ist eine falsche Annahme. Sie als Europäer können gar nicht wissen, was ich tun soll, was für mich gut und richtig ist.

Und besonders der israelisch-palästinensische Konflikt paßt in keine Kategorie der bekannten Konflikte. Er ist etwas ganz Besonderes. Wie der Frieden zwischen uns, den Palästinensern und den Israelis, erreicht werden kann, das steht in keinem Buch, dafür gibt es keine Theorie, kein »Arbeitspapier«. Wir müssen uns an den Frieden heranarbeiten, Schritt für Schritt. Ich kann Ihnen deswegen nicht sagen: »In zwanzig Jahren wird es hier so und so aussehen«, und meine israelischen Freunde können das auch nicht. Wir reden hier nicht über die britische Anwesenheit in Nigeria oder die der Franzosen in Marokko. Wir reden über zwei nationale Bewegungen und über zwei Völker, die das *Recht* haben, hier zu leben, sich dieses Land zu teilen. Dazu gibt es keine Alternative.

Beide haben keine andere Wahl, als sich das Land zu teilen. Wie das geschehen soll, wie sie die Beziehungen zueinander gestalten werden – das ist eine Sache für sich. Weder die Juden noch die Araber haben es geschafft, die andere Seite zu eliminieren. Das geht nicht.

Aber es gibt Juden, die sagen, »die Araber haben kein Recht auf Eretz Israel«, und es gibt Araber, die sagen, »die Juden haben kein Recht auf Palästina«. Ihr Standpunkt ist im Vergleich dazu doch sehr »liberal«.

Beide Positionen – die Juden, die die Araber rausschmei-
ßen wollen, und die Araber, die die Juden ins Meer treiben
oder nach Rußland zurückschicken möchten –, beide Positionen sind völlig unrealistisch. Oberflächlich betrachtet,
auf den ersten Blick, scheinen sie auch gegeneinander ge-
richtet zu sein. Aber in der Praxis haben sie dieselbe Ge-
schäftsgrundlage; beide arbeiten sie in dieselbe Richtung,
sind Partner – ein Körper mit zwei sich ergänzenden Seelen
in der Brust. Darüber spricht niemand.

Warum eigentlich nicht?

Weil diese vordergründig entgegengesetzten Positionen
beachtet werden; es wird über sie geschrieben, sie geben
was her. Und sie verbreiten den Eindruck, daß es sich jeweils um die vorherrschenden Ideen handelt. Beide dienen
sie denselben Interessen und demselben Ziel: diesen Konflikt am Leben zu erhalten und den jeweiligen Repräsentan-
ten eine wichtige Rolle zu sichern. Stellen Sie sich einen
Moment mal vor, dieser Konflikt ist gelöst, und beide Seiten hören mit dem Gebrüll auf. Dann könnte es passieren,
daß an die sogenannten Führer Fragen gestellt werden:
»Wen hast du hinter dir, Rabbi X? Und für wen sprichst du,
Scheich XY?« Das wäre für viele Leute auf beiden Seiten
sehr unangenehm.

*Sie denken, daß dieser Konflikt vernünftig gelöst werden
kann?*

Es geht nicht anders. Ich mag Beispiele aus der Mathe-
matik. Ich würde die Sache gern mit mathematischen Mit-
teln angehen. Aber das funktioniert nicht. Wenn Sie diesen
Konflikt in zwei Monaten lösen wollen, dann sind Sie ein
Träumer. Wenn der Präsident der Vereinigten Staaten von
Amerika meint, daß er mit einer Pressekonferenz irgendwo

in Washington den Konflikt lösen kann, dann irrt er sich. Wenn der Ministerpräsident von Israel, der König eines arabischen Landes oder ein Funktionär der PLO ein Rezept zur Lösung des Konflikts hat, dann irrt sich jeder auf seine Weise. Der Konflikt kann *nur von innen her* gelöst werden, von den Israelis und den Palästinensern gemeinsam.

Was die israelische Seite angeht, zweifle ich, ob sie sich eine Lösung des Konflikts leisten kann. Der Konflikt schafft ein Zusammengehörigkeitsgefühl. Er schweißt die Israelis zusammen, und das gilt so ähnlich wohl auch für die palästinensische Seite. Überdies: Wenn der Konflikt gelöst wäre, müßte Israel damit anfangen, sich selbst zu definieren, die Grenzen, die Verfassung, die politischen Ziele, die über den Kampf gegen die äußere Bedrohung hinausgehen. So, wie es jetzt ist, ist noch nichts entschieden, alles ist im Fluß ... Das ist politisch sehr praktisch.

Theoretisch gebe ich Ihnen recht. Wir können das, was Sie eben gesagt haben, akzeptieren und uns damit abfinden, oder wir können fragen: »Wie wollen wir die Situation ändern?« Was Sie über Israel gesagt haben, könnte man mit einem Virus vergleichen. Der Virus wird stärker und stärker, greift den ganzen Organismus an. Was können wir dagegen tun? Wie können wir diesen Virus bekämpfen, seine Wirkung begrenzen? Ich sag' Ihnen, wie: mit einer Friedensoffensive! Einer sehr aggressiven Friedensoffensive. Wir müssen die Israelis überraschen, ihnen einen Schock versetzen. Das geht nicht mit Vorträgen, mit Erklärungen, mit all dem alten Kram: Resolution 242, die legitimen Rechte der Palästinenser ... Wir tauschen Land für Frieden, Frieden für Land. Das ist Literatur für eine Lesestunde in der UN.

Wenn ich der palästinensische Botschafter bei den UN wäre oder der israelische in Washington, würde ich mich aus diesem Wörterbuch bedienen. Das gehört zum Job, das ist Polit-Folklore. Aber wenn wir über wirkliche Lösungen reden, dann müssen wir die Israelis schocken, sie von einer Seite angreifen, von der sie es nicht erwarten. Ich gebe zu, daß die Juden im allgemeinen und die Israelis im besonderen ein Problem mit ihrer Sicherheit haben. Sie fühlen sich bedroht. Dieses Problem ist nicht in Palästina entstanden, es hat seine Wurzeln in einem anderen Teil der Erde. Ich verstehe dieses Gefühl.

Andererseits aber: Die beste Sicherheitsgarantie für Israel wären zufriedene Palästinenser. Wenn Israel einen Kompromiß, eine Einigung mit den Palästinensern erzielte, wäre auch die Frage seiner Sicherheit weitgehend gelöst.

Deswegen müssen wir den Israelis sagen: Was wollt ihr? Sicherheit? Bitte schön, nehmt sie euch. Ihr wollt sechsmal am Tag in der Machpela in Hebron, an Abrahams Grab, beten? Kommt her, kein Problem. Ihr wollt die frische Luft in den judäischen Bergen genießen? Herzlich willkommen! Ihr wollt mit uns leben? Seid unsere Nachbarn. Wir werden Brot und Salz mit euch teilen. Aber: Wenn ihr in der West Bank oder, wie ihr sagt, in Judäa und Samaria leben wollt, dann müßt ihr unter palästinensischer Souveränität leben; ihr müßt vor palästinensischen Gerichten erscheinen, ihr müßt euch an unsere Gesetze und Vorschriften halten, so wie wir uns an eure Gesetze und Vorschriften halten, wenn wir euch besuchen oder mit euch leben.

Dies wäre eine friedliche Offensive, eine Herausforderung an Israel. Aber wenn wir zu den Israelis immer nur: Nein, nein, nein! sagen, und die Israelis antworten uns:

Nein, nein, nein!, dann dienen wir der Theorie, daß sich keine Seite eine Lösung des Konflikts erlauben kann.

Gilt das auch für die palästinensische Seite? Und für die PLO?

Nicht nur für die PLO. Auch für die arabischen Regime. Für die ist der Konflikt sehr wichtig. Nehmen Sie nur das Öl. Die Ölproduzenten sollten den Palästinensern und den Israelis zwanzig Prozent von ihren Einnahmen als Provision geben, weil sie der Dummheit der Israelis und der Palästinenser die Verteuerung des Erdöls verdanken.

Aber die sogenannte Ölwaffe hat längst ausgedient.

Ja, die Ölproduzenten haben ihren Profit inzwischen gemacht. Aber es geht nicht nur ums Öl. Auch Europa ist an einer Fortsetzung des Konflikts interessiert. Die Europäer wollen ihre Produkte im Nahen Osten verkaufen. Die Franzosen verkaufen uns nicht nur Kosmetikartikel, sondern auch Kampfflugzeuge, und Deutschland möchte uns nicht nur Radios, sondern auch Leopard-Panzer verkaufen.

Die Europäer könnten auch ein Geschäft mit Radios und Videogeräten machen statt mit »Mirage« und »Leopard«.

Das ist eine idealisierende Haltung. Die in Europa regieren, machen sich keine Gedanken über den Export von Radios und Kosmetika, sondern sie wollen etwas für die Lösung ihrer wirtschaftlichen Probleme tun, und das geht eben mit Waffenverkauf schneller, und es bringt mehr ein. Wenn sie der einen Seite »Mirage« verkaufen, dann verkaufen sie der anderen ein Raketensystem zum Abschuß dieser »Mirage« und dann wieder der anderen Seite eine verbesserte »Mirage« mit verbesserter Elektronik und dann den anderen eine verbesserte Rakete gegen diese verbesserte »Mirage« und so weiter. Mit Video-Apparaten kann man das nicht machen, die veralten nicht so schnell.

Aber dieser Konflikt wird nicht nur im Interesse von Dritten fortgesetzt. Niemand zwingt Juden und Araber, sich gegenseitig die Köpfe einzuschlagen. Es scheint etwas in der Natur der beiden Parteien zu liegen, daß sie weitermachen ...

Kein Zweifel, wir sind nicht Gegenstand einer Verschwörung, aber, wie soll ich es sagen ... Sie beobachten zwei Mannschaften beim Spiel. Beide Teams machen Fehler. Sie gehen nun zu jeder Mannschaft und sagen dem Trainer: »Paß auf, dein Team wird das Spiel verlieren, weil ihr nicht die richtigen Schuhe habt. Oder nicht die richtigen Trikots. Oder das Feld müßte mit künstlichem statt mit echtem Rasen belegt sein«, und so weiter. Verstehen Sie? Natürlich liegt der Grund für diese Auseinandersetzung in der Dummheit der beiden Mannschaften, die von Dritten ausgenutzt wird.

Palästinenser und Israelis spielen ein sehr dummes Spiel. Und wir laden sogar Fernsehteams ein, um der ganzen Welt zu zeigen, wie dumm wir sind. Man kann diese Haltung sehr weit zurückverfolgen. Dieser arabisch/palästinensisch-israelische Konflikt ist ein Ergebnis zahlloser Fehler, begangen von beiden Seiten. Juden wie Israelis haben Fehler gemacht, Araber wie Palästinenser, und leider machen wir alle immer noch Fehler, bis heute. Geschichte wird durch Fehler geschaffen, nicht durch Verschwörungen. Doch beide Seiten, die Israelis und die Palästinenser, wollen von ihren Fehlern nichts wissen.

Wenn ich alle Fehler aufzählen wollte, die gemacht worden sind, ergäbe das mindestens drei dicke Bände. Ich will nur ein paar Beispiele nennen. Als sich die frühen Zionisten zu ihren ersten Kongressen trafen, träumten sie von einer jüdischen Heimstätte. Sie diskutierten nötige Vorbereitungen, gründeten Organisationen, entwarfen Pläne und zeichneten Landkarten. Nur an eines dachten sie nicht: wie sie mit den palästinensischen Arabern zusammenleben wollten. Sie stellten sich Palästina wie ein leeres Hotel vor, das von der Rothschild-Familie aufgekauft werden sollte, um Juden aus aller Welt Obdach zu bieten. Daß Palästina schon bevölkert war, wurde von den Zionisten vollkommen ignoriert. Sie haben sich auf diesen Konflikt überhaupt nicht vorbereitet!

Ein anderes Beispiel aus meiner eigenen Erfahrung. Ich war etwa acht Jahre alt, als mein Vater uns erzählte, in den dreißiger Jahren seien den palästinensischen Arabern sehr großzügige Angebote gemacht worden. Da gab es einen Plan, einen achtzehnköpfigen Rat für Palästina einzurichten, bestehend aus sechs Juden, sechs Christen und sechs Moslems. Praktisch hätte dies den Arabern die Mehrheit gegeben, weil die Christen hier in Palästina und in der arabischen Welt sich eher als Araber denn als Christen identifizieren. Es wären also zwölf arabische gegen sechs jüdische Stimmen gewesen. Und damals sagten die Araber nein.

Schauen Sie sich den Teilungsplan der Vereinten Nationen aus dem Jahre 1947 an. Wie klein Israel da war. Und wieder sagten die Araber nein. Der beste Verbündete des Zionismus und später Israels war das arabische, das palästinensische Nein. Viel besser als die Unterstützung durch die USA, die Sowjetunion oder Deutschland. Ohne das arabische und das palästinensische Nein hätten die Juden nie das erreichen können, was sie mit unserer Hilfe erreicht haben.

Das kann man mit mathematischer Genauigkeit nachweisen. 1917 hat der britische Außenminister Balfour an Lord Rothschild einen Brief geschrieben – einen Brief! –, der später als die Balfour-Declaration bezeichnet wurde. Rechtlich betrachtet, war diese sogenannte Balfour-Erklärung wertlos, ein Stück Papier, ein Brief eben, den der britische Außenminister einem reichen jüdischen Lord geschickt hat, mehr nicht. Vergleichen Sie mal diese sogenannte Balfour-Erklärung, mit der die Zionisten ihren völkerrechtlichen Anspruch auf Palästina begründeten, mit einem Dokument, das von dem Ministerpräsidenten von Israel, unserem Erzfeind, dem Präsidenten des größten arabischen Landes, und dem Präsidenten der Großmacht USA unterzeichnet wurde. Was ist der Brief von Lord Balfour gegen das Camp-David-Abkommen? Nichts! Was haben die Zionisten aus der Balfour-Erklärung gemacht? Und was haben wir aus dem Camp-David-Abkommen gemacht? In diesem Dokument heißt es ausdrücklich: Wir anerkennen die legitimen nationalen Rechte der Palästinenser, und zwar nicht nur der in der West Bank und in Gaza, sondern überhaupt. Auf das Dokument kann sich jeder Palästinenser berufen, der in Kuwait oder Australien oder Holland lebt. Und wir haben wieder, wie immer, nein gesagt.

Ich bin sicher, Mr. Begin war mit uns mehr als zufrieden, er war glücklich, daß wir es ihm so leicht gemacht haben. Hätten wir nämlich ja gesagt, hätten wir eine gute Chance gehabt, nach fünf Jahren über der West Bank die palästinensische Fahne zu hissen und unseren Staat auszurufen. Dieser Begin, der Schüler von Jabotinsky, der Träumer von einem großen Lande Israel, unterzeichnete ein Dokument, das mir das Recht gab, meinen eigenen Staat zu gründen! Und wer half Begin, daß es nicht soweit kam? Wir, die Palästinenser.

Aber warum? Sie haben vorhin von einer friedlichen Offensive gesprochen. Warum findet eine solche Offensive nicht statt? Ich würde mich nicht an die Syrer wenden, nicht an die Irakis; ich würde nicht versuchen, mit König Hussein ins Geschäft zu kommen. Ich würde mich mit Ihnen, Jamil Hamad, einigen wollen. Ich würde Ihnen sagen: »Wir geben euch die West Bank und Gaza, wir hören auf, uns gegenseitig zu bedrohen, und ihr hört auf, ganz Palästina zu fordern. Wir teilen uns den Kuchen. Wir wollen sicher sein, daß mit der Rückgabe von Hebron euer Anspruch auf Haifa erloschen ist, und ihr könnt sicher sein, daß wir nach Hebron und Ramallah nur kommen werden, um dort einzukaufen und zu essen.« *Wäre das ein Kompromiß?*

Das wäre ein sehr praktischer Ansatz und auch einer, der weniger Zeit und Kraft kosten würde. Mit den Palästinensern zu verhandeln wäre weniger anstrengend als mit 22 arabischen Staaten, den europäischen Ländern, den Vereinten Nationen, den Blockfreien usw.

Es wäre auch sinnvoll, weil Jamil Hamad unter israelischer Besatzung lebt und nicht König Hassan von Marokko.

Ja, das Problem dabei ist allerdings: Die Israelis wollen einen vollen Frieden mit nur ein bißchen Rückzug aus den besetzten Gebieten, und die Palästinenser wollen einen vollen Rückzug aus den besetzten Gebieten mit nur ein bißchen Frieden. Dies ist der Widerspruch, und wir müssen eine Formel zwischen diesen beiden Positionen finden. Der Frieden, über den ich rede, ist weder ein abstrakter noch ein perfekter Frieden. Es ist ein praktischer Frieden, ein Frieden nach nahöstlicher Art, wie zwischen Ägypten und Israel. Man liebt sich nicht, aber man schießt nicht aufeinander. Seit 1979 ist an der ägyptisch-israelischen Grenze kein Schuß mehr gefallen.

Wenn Sie meinen, daß die Israelis und die Palästinenser

einen Monat nach einem Friedensvertrag Tanzgruppen austauschen und Ausstellungen hin- und herschicken werden, dann träumen Sie einen Traum. Ich möchte damit anfangen, daß kein Mensch an der Grenze getötet oder verletzt wird. Für die ersten fünf Jahre wäre das schon ein Erfolg. Dann könnten kulturelle Beziehungen aufgenommen werden und nach weiteren fünf Jahren Handelskontakte, und fünf oder zehn Jahre später machen wir gemeinsame Projekte, in der Landwirtschaft zum Beispiel. Schritt für Schritt. Das kostet Zeit. Aber kein großes Unternehmen wird aus dem Stand komplett aufgebaut.

Ich will Ihnen ein Beispiel geben, mit Namen. Warum gehen Mr. Avneri und Mr. Peled nach Paris und nach Tunis, um dort Mr. Arafat zu treffen? Ich würde Mr. Avneri und Mr. Peled gern fragen, wie viele Palästinenser sie in der West Bank und in Gaza besucht haben. Ich bin nicht gegen Avneri, aber soll ich nach Harvard gehen, um mich mit einem Israeli zu unterhalten? Ich wäre stolz, und ich würde mich besser fühlen, wenn mich ein israelischer Politiker oder Professor hier in meinem Haus besuchte, statt daß ich ihn in Amsterdam oder Harvard bei einer Nahost-Konferenz treffe.

Aber auch die palästinensische Friedensinitiative bekommt keinen Boden unter die Füße.

Natürlich nicht. Wir haben unseren Teil der Verantwortung zu tragen. Unglücklicherweise stellen sich viele Palästinenser eine Lösung des Konflikts so vor, daß sie ihnen als Geschenk auf einem Silbertablett serviert wird. Viele fragen: »Warum machen die Amerikaner nicht dies? Warum machen sie das? Was tun die Europäer? Warum tun sie nicht mehr? Warum, warum, warum?« Wenn ich den Ursachen für dieses Phänomen in der palästinensischen Gesellschaft auf die Spur zu kommen versuche, dann stoße ich immer wieder auf dieselbe Ursache: Mangel an politischer Freiheit, an politischer Übung. Wir wissen nicht, was Demokratie, was Meinungsfreiheit ist. Und in einer solchen Tradition gedeihen am besten diejenigen Gruppen, die auf Gewalt, auf Zwang setzen. Sie sind niemandem Rechenschaft schuldig, müssen sich nicht verantworten.

Das ist eine Folge ewiger Fremdherrschaft.

Ja, es ist eine alte Geschichte. Auch die Israelis haben nur ihre Steuer-Regelungen in die West Bank gebracht, dazu Ausgehverbote und militärische Verordnungen. Die Regeln von Freiheit und Demokratie haben sie nicht exportiert. Die halten sie unter Verschluß.

Hinzu kommt, daß die palästinensischen Intellektuellen völlig frustriert sind. Sie stecken in einem Loyalitätskonflikt. Offiziell sind sie jordanische Bürger; sie betrachten sich aber als Palästinenser. Zugleich leben sie unter israelischer Besatzung. In einer solchen Situation müßte ein palästinensischer Intellektueller eigentlich sagen: »Hier ist mein jordanischer Paß, ich will ihn nicht. Hier ist mein israelischer Personalausweis, ich will auch ihn nicht. Ich verbrenne beide, als Protest gegen die Verweigerung meiner palästinensischen Identität.« Aber unsere Intellektuellen machen so etwas nicht. Zweihundert palästinensische Intellektuelle müßten sich vor dem Postamt in der Jaffa-Straße zu einer stillen, ruhigen Demonstration zusammenfinden. Sie müßten den Israelis sagen: »Wir wollen unsere eigene Identität. Wir sind für gegenseitige Anerkennung. Wir wollen in Frieden Seite an Seite mit Israel leben.« Das wäre ein Teil der Offensive, von der ich vorhin gesprochen habe, ein Angriff auf die israelische Psyche.

Warum demonstrieren die palästinensischen Intellektuellen in London, in Berlin, in Frankfurt oder sonstwo? Warum nicht hier?

Weil es dort leichter ist. Es ist wie die Suche nach Erdöl, nur umgekehrt. Jedermann weiß, man kann Erdöl nur in der Wüste finden. Als England anfing, in der Nordsee nach Öl zu bohren, haben alle gesagt, die Briten spinnen. Aber sie haben es geschafft. Und wir müssen damit anfangen, hier nach einer Lösung des Konflikts zu suchen, statt uns im Ausland auf Konferenzen zu treffen.

Der Mangel an demokratischer Erfahrung und die Frustration der palästinensischen Intellektuellen ... Aber das reicht doch nicht, um die Situation zu erklären.

Es gibt noch einen dritten Grund: die emotionale militärische Option (lacht) der PLO. Die hat den Palästinensern die romantische Illusion einer militärischen Lösung des Konflikts vorgegaukelt. Aber eine solche Annahme ist völlig unbegründet. Das ist so, als würde mir jemand sagen: »Deine Tante in Santiago ist gestorben, und sie hat dir fünf Millionen Dollar hinterlassen«; und man sagt es mir immer wieder, und ich glaube es. Nach fünfzehn oder zwanzig Jahren muß ich dann entdecken, daß ich nie eine Tante in Santiago hatte und daß meine Taschen immer noch leer sind. Der größte Fehler der PLO besteht darin, daß sie nicht laut und deutlich erklären will: Die militärische Option ist eine Fata Morgana, es gibt sie nicht wirklich. Tief im Herzen wissen die PLO-Führer das, aber sie geben es nicht zu. Und wir haben keine Röntgenapparate, um bei einem politischen, einem militärischen Konflikt in die Herzen der Menschen hineinzuschauen. Wir können nur darauf reagieren, was sie sagen.

Aber sie sagten eben, die Mehrheit der Palästinenser glaubt nicht an die Möglichkeit, die Juden aus dem Land zu treiben. Zugleich läßt sie sich von der PLO »romantische Illusionen« einreden. Wie geht das zusammen?

Ja, das ist ein Widerspruch, aber es geht zusammen. Das ist eben Logik nach nahöstlicher Art. Schauen Sie, wenn Taiwan sagt, es werde demnächst ganz China befreien, dann ist das vielleicht lächerlich, aber es gibt ein Taiwan. Dieser Staat existiert. Die PLO hat keinen Staat, ihre Kontingente sind zwischen Jemen und Algier zerstreut und unter Bewachung. Nach der Vertreibung aus Beirut, nach der Vertreibung aus Tripolis, nach all den Niederlagen und Erniedrigungen reden sie immer noch von einer militärischen Option. Und ich als Palästinenser zahle den Preis dafür. Ich und die anderen Leute in der West Bank.

Ich würde Mr. Arafat gern eine Frage stellen: »Wie wirst du es anstellen? Wie wirst du Palästina befreien? Ganz Palästina! Von wo aus? Von Tunis oder vom Südjemen aus?« Gut, vielleicht habe ich von Strategie keine Ahnung, aber mir kommt es vor, als wären wir beide irgendwo in der Wüste mit dem Auto unterwegs, der Benzintank ist fast leer, weit und breit ist keine Tankstelle, und Sie sagen mir: »Keine Angst, Jamil, wir werden ankommen. Glaub es mir, es wird schon gutgehen!« Ich möchte Mr. Arafat fragen, warum er unser Volk noch immer mit Illusionen bedient. Und ob er wirklich nicht weiß, daß diese Politik nur Israels Expansionismus fördert.

Ich weiß, was die Israelis denken: Wenn die Palästinenser glauben, daß sie Palästina Meter für Meter befreien werden, dann lassen wir sie in diesem Glauben, wir lassen sie träumen und ihre Luftschlösser bauen! Wir bauen derweil Siedlungen. Und wenn ich, Jamil Hamad, dann eines Tages aufwache, werde ich zweierlei entdecken: Ich habe die ganze Zeit geträumt, und nun ist nichts mehr übrig, wovon ich auch nur träumen könnte.

Aber wenn es so ist, warum geben die Palästinenser diese Politik der Illusionen und Träume nicht auf? Warum machen sie nicht ihre eigene Politik und bringen Israel auf die Weise in Verlegenheit, wie Sie es vorhin beschrieben haben?

Eine sehr gute Frage. Ich werde Sie Ihnen beantworten. Zuerst müssen wir die Bevölkerung von West Bank und Gaza in drei Gruppen einteilen. Da ist eine Gruppe, die man die schweigende Mehrheit nennt: der berühmte Mann auf der Straße; Leute, die sich um ihren Lebensunterhalt sorgen, arbeiten, ihre Familien ernähren müssen. Die kümmern sich nicht um Israel, um Arafat oder die arabischen Staaten. Aber sie sorgen sich um den Frieden und etwas, das für sie persönlich noch wichtiger ist als »der Frieden«: daß sie am frühen Morgen, wenn sie zur Arbeit gehen, nicht an Militärposten vorbei müssen, daß man sie nicht kontrolliert, daß es keine Ausgangsverbote gibt. Sie wollen als freie Menschen mit Würde kommen und gehen. Sie wollen auf dem Balkon sitzen, fernsehen, Kinder zeugen und nicht ständig die Besatzung vor Augen haben. Sie wollen nicht wie dumme Eingeborene behandelt, angebrüllt und herumgestoßen werden. Das ist die Mehrheit. Und daneben gibt es noch zwei weitere Gruppen ...

... Moment, diese Mehrheit wäre mit einer friedlichen Lösung des Konflikts einverstanden?

Ja, eine solche Lösung läge in ihrem Interesse.

Auch wenn das eine Anerkennung Israels bedeuten würde?

Diese Frage stellt sich den Menschen gar nicht mehr. Sie haben Israel längst anerkannt, de facto und auch vom Verstand her. Sie haben täglich mit Israel zu tun, für sie ist Israel keine Schlagzeile, keine Nachricht im Radio. Es ist etwas, das sie anfassen können, sehen können. Und wenn jemand kommt und ihnen sagt, Israel ist ein künstliches Gebilde, eigentlich gibt es kein Israel, dann lachen sie darüber. Es liegt in ihrem Interesse, Frieden mit Israel zu haben, in jeder Beziehung: psychologisch, ökonomisch, sozial – überhaupt.

Nun die anderen Gruppen. Da sind erst mal die sogenannten PLO-Anhänger, und Sie wissen genauso gut wie ich, was für ein weiter Begriff das ist. Dazu gehören die »Gemäßigten«, die hinter Arafat stehen, wie die »Radikalen« und die »Rejektionisten«, die Jibril, Hawatme und Habasch unterstützen. Es ist ein ganz großer Schirm, ich will mich da nicht in Details verlieren, weil die Sprecher dieser Organisation ihre Ideen ohnehin ständig der Weltpresse mitteilen. In dieser Beziehung sind die sehr großzügig ... Die dritte Gruppe ist das sogenannte pro-jordanische Lager ...

Sowohl die PLO-Anhänger wie das pro-jordanische Lager sind Minderheiten, gemessen an der »schweigenden Mehrheit«?

Zahlenmäßig ja, aber was das politische Gewicht angeht, nein. Das pro-jordanische Lager besteht vor allem aus der palästinensischen Bourgeoisie, Geschäftsleuten, die an guten Beziehungen zu Jordanien interessiert sind. Diese Leute sind allerdings politisch nicht sehr einflußreich, weil sie keinen Kontakt zu den Massen haben.

Im Gegensatz zu den PLO-Anhängern?

Ja, wenn man das pro-jordanische Lager mit dem PLO-Lager vergleicht, dann haben die PLO-Anhänger den besseren Kontakt zu den Massen, ganz sicher. Sie verstehen es, Druck auf die Menschen auszuüben, sie, wenn nötig, aufzuhetzen, Demonstrationen zu organisieren, und sei es nur mit zwanzig Leuten. Die »Jordanier« können das nicht. Und zwischen diesen beiden Gruppen sind Leute, die so denken wie ich: Pragmatiker, die meinen, daß etwas unternommen werden sollte, die Israel mit einer Friedensoffensive herausfordern und auf die Probe stellen wollen.

Unglücklicherweise ist eine solche Philosophie nicht populär, weder bei den Palästinensern noch bei den Israelis. Und auch nicht bei den Europäern und den Amerikanern. Warum? Für die Israelis ist es eine Provokation, die sie vor unangenehme Fragen stellt. Die Mehrheit der Palästinenser ist, wie ich eben sagte, unpolitisch und hat keine Übung im politischen Verhalten. Die politischen Gruppen sind auf ihre Richtung festgelegt. Und die Außenstehenden, die Europäer und die Amerikaner, wollen Slogans und Phrasen hören. Sie unterstützen jene, von denen sie die einfachsten Antworten bekommen.

Wenn die mich fragen, was ich will, und ich sage dann: »eine palästinensisch-demokratisch-sozialistische Regierung, einen unabhängigen palästinensischen Staat mit UN-Mitgliedschaft«, dann ist das Musik in den Ohren der Europäer. Unabhängig, demokratisch, sozialistisch, das sind deren Begriffe; das klingt gut. Wenn wir so reden, dann beweisen wir damit politische Reife. Und dann fragt mich niemand: »Jamil, wie wirst du das machen, erklär es uns mal konkret.« Niemand stellt eine solche Frage, weil alle von den Slogans so beeindruckt sind.

Wollen Sie keinen unabhängigen palästinensischen Staat?
Doch, aber er steht auf der Liste meiner Prioritäten ziemlich weit unten. Bevor wir soweit sind, müssen wir einen langen Weg zurücklegen. Wir müssen ganz von vorn beginnen. Wir müssen unsere Leute aufklären und organisieren, wir müssen in die Flüchtlingslager und die Dörfer gehen, den Leuten bei ihren täglichen Problemen helfen: Erziehung, Landwirtschaft, Kanalisation. Der Staat ist die letzte Stufe auf diesem Weg. Wir brauchen ein gesundes, gebildetes Volk, wir brauchen Schulen, Gewerkschaften, Bücher, Banken, eine funktionierende Müllabfuhr – verstehen Sie? Wir brauchen all das, was die Juden schon vor 1948 hatten, bevor sie ihren Staat gründeten. Sie waren darauf vorbereitet, wir sind es nicht. Wir sprechen über Selbstbestimmung, über unsere nationalen Ansprüche, aber wir sprechen darüber wie ein Koch, der keinen Ofen, kein Feuer und keine Töpfe hat.

Israel braucht diesen Konflikt, um sich daran festzuhalten. Vielleicht gilt etwas Ähnliches auch für die Palästinenser. Wenn man immerzu von großen Dingen spricht, dann hat man einen Grund, sich nicht um kleine zu kümmern.

Aber in unserem Fall ist es schlimmer. Die Israelis haben ihre Organisationen und Institutionen. Sie sind in einer viel besseren Lage als wir: Sie können sich irgendwelche Spinnereien abseits der Wirklichkeit eher erlauben. Sie haben schon ihre Piloten für die F 16, wir noch nicht einmal ein zentrales Postamt.

Wenn wir einen Staat wollen, wenn – es ist ein großes Wenn –, dann müssen wir hart arbeiten. Wir müssen dem jüdischen Beispiel folgen: Wir müssen die Wüste zum Grünen bringen, wir müssen ein Problem nach dem anderen lösen. Es reicht nicht, immerzu nur Lieder über das Schicksal der palästinensischen Flüchtlinge zu schreiben.

Die palästinensischen Bauern werden nicht ein einziges Problem weniger haben, wenn seine Exzellenz, der palästinensische Ministerpräsident, mit seinem Mercedes-Benz an ihnen vorbeifährt. Sie brauchen eine andere Medizin, sie müssen mit anderen Dingen versorgt werden.

... von wem?

Von den Palästinensern selbst! Ich kenne die Probleme meiner Leute besser als irgendein Außenstehender. Es ist *mein* Job, mit den Flüchtlingen in Dahaische zu reden ...

Ja, aber die Leute in Dahaische können die Wüste nicht zum Grünen bringen, sie haben einfach nicht die Mittel und die Möglichkeiten dazu. Wer soll es für sie tun?

Sie müssen ihre eigenen Organisationen aufbauen ...

... unter der Besatzung?

Unter der Besatzung, ja. Genau das versuche ich Ihnen zu erklären: daß es nicht darauf ankommt, mit einem Gewehr umgehen zu können, sondern die Lebensbedingungen zu verbessern, daß wir Häuser, Schulen, Ärzte, Kindergärten brauchen ...

Die Leute in Dahaische lesen nicht die »Jerusalem Post«, sie lesen wahrscheinlich nicht mal »Al-Fajr«. Wie erklärt Jamil Hamad den Flüchtlingen in Dahaische seine Ideen?

Ich erkläre ihnen mein Leben, meine Gefühle, meine Probleme. Das ist die eine Seite. Die andere ist: Ich rede mit den Palästinensern, nicht durch eine Zeitung, sondern direkt, privat und öffentlich. Ich versuche sie dahin zu bringen, daß sie über sich selbst nachdenken. Ich stelle ihnen Fragen. Und manchmal verwirre ich sie. Mit ganz konkreten Dingen.

Vor drei Tagen habe ich mit einem Bauern gesprochen, Vater von sechs Kindern. Ich fragte ihn: »Was machst du mit diesem halben Dutzend? Willst du, daß sie Ärzte, Ingenieure, Rechtsanwälte, Journalisten, Baumeister oder Bettler werden?« Er sagte, er habe darüber noch nie nachgedacht. Ich sagte, es sei ganz einfach, ein Kind zu machen, doch nun müsse er sich mal Gedanken machen über deren Zukunft ... Zwei Stunden später rief er mich von einem Nachbarn aus an, der ein Telefon hat, und sagte: »Jamil, du hast mir den Schlaf geraubt.« Ich fragte, warum. Er sagte: »Du hast eine düstere Zukunft gezeichnet.« Ich sagte: »Du mußt dich darauf einstellen, daß deine Söhne die Drecksarbeit für die Israelis machen werden. Und glaub ja nicht, daß sie mal Kellner im King David Hotel werden. Selbst ein Kellner im King David Hotel muß ein wenig Englisch, Französisch und Deutsch können ...« Darauf sagte er: »Ich will, daß sie etwas lernen und später gute Jobs haben.« Und ich sagte: »Dann fang an, dir Gedanken darüber zu machen, wie du sie erziehen sollst ...« So rede ich mit meinen Leuten, versuche, ihnen ihre Lage bewußt zu machen.

Es gehört wohl mit zu dem Konflikt, daß beide Seiten, die Israelis und die Palästinenser, sich für die Opfer dieses Konflikts halten. Und beide Seiten bestehen darauf, daß sie die eigentlichen und einzigen Opfer sind. Und ich habe den Eindruck, daß beide Seiten die Opferrolle inzwischen geradezu genießen, daß sie entschlossen sind, Opfer bleiben zu wollen – um jeden Preis.

Ich sehe es genauso. Es gibt Menschen, die Glück im Leiden finden. Je mehr sie leiden, um so mehr genießen sie es. Jede Nation hat ein paar Leidensseiten in ihrem Geschichtsbuch. Gut, die Juden haben mehr gelitten als die Amerikaner, die Amerikaner weniger als die Italiener. Hier schlagen beide Seiten, die Israelis und die Palästinenser, aus ihrem Leiden politisches Kapital. Auf meiner Seite nenne ich das die »palästinensische Symphonie«: »Sie haben uns unser Land genommen, sie haben uns vertrieben, wir müssen in Flüchtlingslagern leben ...« Und manchmal macht derjenige, der diese Melodie spielt, ein gutes Geschäft auf Kosten derjenigen, die immer noch leiden. Und dasselbe gilt für die israelische Seite ...

... wenn auch die Mittel und die Melodie anders sind ...

... ja, aber das Prinzip ist dasselbe. Ich mag mit dieser Viktimologie nicht leben. Man kann nicht ewig Opfer bleiben. Man muß versuchen, diesen Status hinter sich zu lassen. Manchmal ist es schön, sich zu beklagen, es erleichtert einem die Seele. Aber dann muß man sich wieder fragen: Will ich so weitermachen, oder will ich mich daraus befreien? Ein neues Leben anfangen? Ich will nicht, daß meine Söhne mit dem Gefühl, Opfer zu sein, groß werden, es erben. Es ist frustrierend, es ist schrecklich. Ich habe so gelebt, und ich will nicht, daß die kommenden Generationen auf beiden Seiten weiter darunter leiden.

Haben Sie jemals an eine militärische Lösung des Konflikts geglaubt?

Nein, nie.

Auch nicht vor 1967?

Auch damals nicht. Glücklicher- oder unglücklicherweise habe ich immer zuviel gelesen. Für mich war Israel schon vor 1967 kein Spielzeug, keine Attrappe. Deswegen hat mich die Niederlage der Araber im Sechs-Tage-Krieg nicht überrascht. Ich habe hier in Bethlehem Radio Kairo gehört. Sie sagten, Tel Aviv läge bereits in Trümmern, und ich wußte, es stimmt nicht. Wir haben Israel immer mit Worten, mit Emotionen bekämpft, wir haben nicht im 20. Jahrhundert gelebt, sondern irgendwo in 1001 Nacht, und nun zahlen wir den Preis dafür.

Die Europäer, die Amerikaner, die in den Nahen Osten kommen, fragen: »Was können wir tun, wie können wir euch helfen?« Ich sage dann: Ich brauche nicht eure Dekken, ich brauche nicht euer Milchpulver, ich brauche nicht eure Wohltätigkeit. Ihr müßt eure Krankenschwestern nicht in unsere Flüchtlingslager schicken. Ich habe es satt. Ich habe in einem Flüchtlingslager gelebt, ich weiß, was das heißt, ein Flüchtling zu sein. Ich will von euch keine milden Gaben. Ich brauche etwas anderes: Würde. Jawohl, Würde! Ich, Jamil Hamad. Ich bin Palästinenser von Geburt, Jordanier durch den Paß, Israeli durch die Besatzung; und am Flughafen in Frankfurt, Zürich oder Heathrow gelte ich als potentieller Terrorist.

Also, wer oder was bin ich eigentlich? Palästinenser, Jordanier, Israeli, Terrorist?

Arafat hat eine neue Adresse
Interview mit Jamil Hamad, 1997

*F*ünfzehn Jahre später hat sich in Jamil Hamads Leben vieles geändert, wenn auch nicht zum Besseren. Bethlehem gehört jetzt zur »Zone A«, die von der palästinensischen Autonomiebehörde verwaltet wird. Innerhalb der Stadt kann er sich frei bewegen, ohne israelischen Soldaten zu begegnen, doch für eine Fahrt nach Jerusalem braucht er eine Genehmigung. Die muß er über die palästinensische Behörde bei den Israelis beantragen. Statt mit einem bürokratischen Apparat hat er es mit zweien zu tun. Mal bekommt er eine Erlaubnis für einen Monat, mal nur für eine Woche, mal darf er seinen Wagen benutzen, mal muß er ihn auf der palästinensischen Seite der »Grenze« stehen lassen und auf der israelischen ein Taxi nehmen. Und wenn er von Bethlehem nach Ramallah fahren will, von einer palästinensischen Enklave zur anderen, dann kann es passieren, daß er einen zwei Stunden langen Umweg durch die Wüste machen muß, weil der schnelle und direkte Weg über Jerusalem für die Bewohner der »Autonomie« gerade gesperrt ist. Dafür kann er jeden Tag die »Stimme Palästinas« hören und bekommt demnächst ein palästinensisches Kennzeichen für seinen BMW. Seit über dreißig Jahren ist sein Leben eine Strapaze, der Alltag ein Hindernisrennen.

»Zuerst war ich frustriert, dann wütend, später pessimistisch, schließlich hoffnungslos. Fast alle Leute, die so tun, als wollten sie diesen Konflikt lösen, sind Lügner und Heuchler. Es dient ihren persönlichen Interessen, daß der Konflikt weitergeht. Der Konflikt ist eine Firma mit vielen Aktionären geworden, wie Ford oder General Motors. Und wenn diese Leute von Frieden reden, dann meinen sie: Wer hat seinen Anteil an dem Unternehmen ausbauen können? Wer hat sich gegen wen durchgesetzt?«

Das sei nicht der Frieden, den er sich erhofft habe. Das Ganze sei auch ein »kultureller Konflikt« zwischen zwei völlig verschiedenen Weltanschauungen. »Die Israelis sind überzeugt, daß alle Araber potentielle Terroristen sind, egal um wen es sich handelt, und die Araber und die Palästinenser glauben wirklich, die Juden sitzen in einem verdunkelten Zimmer und denken sich Verschwörungen aus. Wenn ein israelisches Auto ein palästinensisches Auto anfährt, dann war der Fahrer nicht ein Idiot, nein, die zionistische Bewegung hat eine Verschwörung ausgeheckt. Wir glauben das wirklich; es ist ein Teil unserer Lebensphilosophie. Und wenn ich meinen palästinensischen Brüdern sage, die Zahl der dummen Israelis wird täglich größer, dann glauben sie, ich will die Israelis verteidigen und bin Teil der Verschwörung ...« Eben habe Scheich Yassin verbreiten lassen, die neueste Clinton-Affäre sei eine »zionistische Verschwörung«, Israel habe den US-Präsidenten in eine Sexfalle gelockt, um ihn zu diskreditieren. »Das ist kein Witz, so denken viele. Unser Bewußtsein basiert nicht auf Tatsachen, sondern auf Phantasien, Wünschen und Emotionen.«

Wie alle Araber würden auch die Palästinenser vor allem feurige Reden lieben. »Befreiung Palästinas! Heiliger Krieg! Treibt die Juden ins Meer! Tolle Ideen! – Wenn mich so etwas überzeugen würde, wäre ich bereit, drei alte jüdische

Damen ins Meer zu jagen. Aber es überzeugt mich nicht. Zu sagen, wir führen eine Schlacht, um Palästina zu befreien, und deswegen bringen wir hier zwei und dort drei Zivilisten um, das ist Unsinn. Wir geben uns die größte Mühe, die ganze Welt gegen uns aufzubringen. Die Israelis schaffen es ab und zu, uns gelingt es ständig. Was bringt es, eine Bombe in einem Bus, in einem Café zu zünden? Wenn unsere Helden kämpfen wollen, dann sollen sie gegen die israelischen Soldaten antreten. Ich kann ihnen zeigen, wo die Armeelager sind. Aber es ist keine Heldentat, gegen ein kleines Mädchen in einer Fußgängerzone zu kämpfen. Wir sind stolz, weil wir die Israelis damit schocken. Und was dann? Die Rechnung habe ich zu bezahlen. Und ich habe keine Lust mehr, die Rechnung für solche Dummheiten zu bezahlen. Es ist genug! Wenn die Palästinenser das nicht begreifen, dann sollen sie damit aufhören, sich über ihre Lage zu beklagen, und einen Fonds gründen, um den Bau ihrer eigenen Klagemauer zu finanzieren.«

Oslo sei ein »zeremonieller Frieden« gewesen, ein »unfairer Deal«. Statt das Leben der Palästinenser zu normalisieren, ihnen Freiheit, Demokratie und einen besseren Lebensstandard zu geben, habe das Abkommen »nur auf einen anderen Leidensweg geführt«. Die Israelis verhängen noch immer Sanktionen über die Palästinenser, und die Autonomiebehörde weiß nicht, was sie dagegen machen soll.

»Arafat hat dreißig Jahre mit den Oberhäuptern der arabischen Staaten zu tun gehabt: Präsident Mubarak, Colonel Gaddhafi, Präsident Assad, König Hussein, König Fahd, alles Ein-Mann-Regime. Und als er dann anfing, mit Israel zu verhandeln, dachte er, Israel ist auch so ein Ein-Mann-Regime; und er könnte mit Rabin oder Netanjahu so reden, wie er mit Präsident Assad oder König Hussein geredet hat. Er hat nicht gewußt, daß es eine Regierungskoalition, eine Opposition, ein Parlament, eine öffentliche Meinung gibt, daß Israel anders funktioniert. Und seine dummen Berater haben es ihm nicht gesagt.«

Die Palästinenser können sich nicht vorstellen, wie in Israel Politik gemacht wird: daß es auf die Öffentlichkeit ankommt, daß man Verbündete und Medien braucht, wenn man an die Macht kommen oder die Regierung stürzen möchte. »In der arabischen Welt reicht dafür ein Oberst; der fährt mit ein paar Panzern zur nächsten Radiostation und stürzt die Regierung. So geht es bei uns.«

Deswegen gebe es in der arabischen Welt ein historisches Problem: »Wir haben die Demokratie nicht erfunden, und wir halten nicht viel von so teuren Importen. Wir entscheiden uns für die billigere Ware, die Diktatur. Aber ohne Demokratie können wir das Leben der Menschen nicht verbessern und unser Land nicht entwickeln.«

Eine demokratische Ordnung aufzubauen wäre auch die einzige Chance, das Mißtrauen der Israelis gegen einen palästinensischen Staat abzubauen. »Arafat hat vom ersten Tag an versagt. Journalisten, die ihn kritisierten, wurden verhaftet; ebenso Professoren, die in ihren Vorlesungen über die Korruption in der Autonomiebehörde sprachen. Ich habe lange genug unter der Besatzung gelitten, ich will nicht, daß auch unter der palästinensischen Verwaltung die Menschenrechte mißachtet werden.«

Was hat das Oslo-Abkommen also gebracht?

»Oslo war ein Ergebnis israelischer Erschöpfung und palästinensischer Verzweiflung; die Israelis waren müde und die Palästinenser hoffnungslos.« So kam ein Abkommen zustande, das den Konflikt nicht beendet, sondern nur auf eine andere Ebene verlagert hat. »Arafat hat eine neue Adresse. Er wohnt jetzt in Gaza und ist der Chef der Autonomiebehörde. Aber das Leben der Menschen in Gaza und in der West Bank ist nur noch schwieriger, noch mühsamer geworden. Wir haben gekämpft, um die Besatzung loszuwerden; zweitausend Palästinenser sind gestorben, Tausende wurden verletzt und verstümmelt, fast in jeder Familie gab es Opfer. Wir haben einen hohen Preis bezahlt, damit die palästinensische Verwaltung an die Stelle der israelischen Besatzung treten konnte. Und alles, was wir bis jetzt bekommen haben, sind Versprechungen, die Arafat nicht erfüllen kann …«

Die Palästinenser hätten sich ein Beispiel an den frühen Zionisten nehmen sollen. »Die haben mit wenig angefangen und daraus mehr und mehr gemacht. Wir dagegen wollten alles auf einmal, ganz Palästina vom Jordan bis zum Mittelmeer. Dreißig Jahre wurden wir mit solchen Parolen gefüttert. Jetzt sollen wir froh sein, wenn wir Gaza und ein paar Teile der West Bank bekommen.«

Die Juden hätten ihren Staat von unten, Schritt für Schritt, aufgebaut, die Palästinenser seien genau umgekehrt vorgegangen: »Wir haben nicht mit den Fundamenten, sondern mit dem Dach angefangen. Jetzt haben wir einen Präsidenten, eine Regierung und ein Dutzend verschiedene Polizei- und Geheimdienste; nur mit der Müllabfuhr klappt es nicht. Die Menschen haben keine Arbeit; die Studenten wissen nicht, was sie nach dem Ende ihres Studiums machen sollen; und wenn die Geberländer kein Geld mehr überweisen, kann Arafat nicht einmal seine Telefonrechnung bezahlen.« Wobei die Palästinenser noch immer auf die Dienste von »Bezeq«, Israels Telekom, angewiesen seien.

Die Palästinenser »klammern sich an ihre alten Träume«. Arafat habe nichts getan, um den Menschen zu erklären, worauf es jetzt ankomme, warum die Ziele von gestern nicht mehr gelten. »Die PLO hat ihre Hausaufgaben nicht gemacht. Diejenigen, die den Laden übernommen haben, waren nicht darauf vorbereitet, die Autonomie zu managen.«

Und die Israelis?

»Die möchten uns jetzt einfach loswerden, am liebsten keinen Palästinenser mehr treffen. Sie bauen Umgehungsstraßen und sperren sich in ihren Siedlungen ein. Aber das geht nicht. Man kann nicht Frieden mit jemandem machen, den man nicht sehen will. Sogar ein Ehepaar, das sich nach dreißig Jahren trennt, hat eine gemeinsame Geschichte und eine gemeinsame Verantwortung für das Haus, für die Haustiere und für die Kinder ...«

»Schalom achschaw!« (Frieden jetzt!) hat zu einer Kundgebung gegen die Politik Netanjahus aufgerufen. Seit genau zwanzig Jahren bemühen sich die Aktivisten der Friedensbewegung, die israelische Politik zu beeinflussen, mit mäßigem Erfolg. »Es gibt keinen ›Frieden jetzt!‹« sagt Jamil Hamad. »Es gibt nur einen ›Frieden gestern!‹ und einen ›Frieden morgen!‹ Den einen haben wir versäumt, den anderen werden wir auch noch verpassen.«

»Wer kämpft, ist noch nicht tot«

*J*eder Mensch, hat Andy Warhol gesagt, sollte einmal in seinem Leben fünfzehn Minuten berühmt sein. In einem Land wie Israel kann auch eine Minute schon reichen. Ein Mini-Bericht im Zweiten Programm des israelischen Fernsehens machte Schoschana (»die Rose«) Blechmann zur Heroine der militanten Rechten. Sie hatte ein Lied auf Baruch Goldstein komponiert, das mit den beiden Wörtern anfängt, mit dem auch die Gebete zum Allmächtigen anfangen: »Baruch ata ...«, gelobt seist Du ..., »Doktor Goldstein«, denn der Arzt aus Kirjat Arba, der 29 Palästinenser beim Gebet getötet hat, sei »kein Mörder, sondern ein Heiliger und ein Kämpfer gewesen, wie damals David gegen Goliath«.

Schoschana Blechmann, 1929 in Montevideo geboren, sitzt im Tnuva-Café am Ben Gurion Boulevard in Tel Aviv und hat zum Frühstück gerade einen großen Thunfischsalat verputzt. Sie wischt den Teller mit einem Stück Brot aus, kaut den letzten Bissen hinunter und bestellt einen Milchkaffee zum Nachspülen. Wenn sie spricht, beugt sie sich vor und legt ganz ungeniert ihren Megabusen auf die Tischplatte, während ihre Füße über dem Boden schweben. Wenn Adam, Hoss und Little Joe nicht nur ihren »Pa«, sondern auch eine »Ma« gehabt hätten, dann hätte diese wahrscheinlich auch »Rose« geheißen und wie Schoschana ausgesehen: kompakt, aber kräftig; und niemand auf der Ponderosa hätte es gewagt, sich mit ihr anzulegen.

Schoschanas Mutter war aus Bessarabien nach Südamerika ausgewandert, der Vater aus Transsylvanien. Zu Hause wurde Jiddisch gesprochen, »ein schrecklicher Dialekt«; schon als Kind hatte sie davon geträumt, »nur in Israel zu sein«. 1963 zog sie, inzwischen mit einem Mann namens Merel verheiratet, in das Land ihrer Träume, lernte Hebräisch und arbeitete als Musiklehrerin an verschiedenen Schulen. Doch erst mit ihrer Pensionierung im Jahre 1994 wurde die »Revolutionärin von Geburt«, was sie schon immer sein wollte: »eine heiße Partisanke«.

»Ich wollte schon lange einen Revolver haben«, sagt sie in einem Tonfall, als ginge es um einen Wagen mit Automatik-Getriebe, doch »die Idioten« im Innenministerium wollten ihr keinen Waffenschein geben. »Die sagten mir: Du erfüllst nicht unsere Kriterien. Und da sagte ich: Ich werde euch zeigen, was meine Kriterien sind.«

Von ihren Ersparnissen kaufte sie sich für 45000 Dollar ein kleines Haus in Eli, einer isolierten Siedlung nördlich von Jerusalem, zwischen Ramallah und Nablus. Und bekam gleich einen Waffenschein, denn wer in »Judäa und Samaria« lebt, muß sich im Notfall verteidigen können. Schoschana besorgte sich »eine kleine Smith and Wesson«, lernte schießen und fühlt sich seitdem »viel sicherer«, vor allem, wenn sie einmal in der Woche von Eli nach Tel Aviv fährt, wo sie ihre alte Wohnung im Zentrum behalten hat. Sie bleibt ein, zwei Tage in der Stadt und fährt wieder zurück nach Eli, wo ihr Boxerhund Rex und ihr Sohn Ruven dann schon auf sie warten. »Das ist ein Abenteuer, ich fahre hin und her, es wird mir nie langweilig!« Außerdem »ist die

Lebensqualität in Eli viel besser ... wie in der Schweiz«. Es ist »eine ganz andere Welt«, und auch »die Menschen sind anders, rennen nicht so hektisch herum wie in Tel Aviv«.

Allerdings, Schoschanas Vorbilder sind keine Müßiggänger, sondern Helden wie Ze'ev Jabotinsky, in den zwanziger und dreißiger Jahren Führer der rechten Zionisten und Lehrmeister von Menachem Begin, und Josef Trumpeldor, der 1920 bei der Verteidigung einer jüdischen Siedlung gegen arabische Angreifer fiel. Seine letzten Worte waren: »Es tut gut, für unser Land zu sterben.«

Für die Israelis, wie sie heute sind, hat sie dagegen nur Spott und Verachtung übrig. »Schau dir diese Juden an! In ihrem eigenen Land benehmen sie sich wie in der Diaspora. Sie bitten auf den Knien um Frieden, und dafür bekommen sie einen Tritt in den Hintern. Frieden bekommt man nicht auf den Knien. Das ist kein Volk hier, das sind Schafe.«

Was den Juden vor allem fehle, sei »Würde und Selbstachtung«. Kein Volk würde es hinnehmen, »daß man vor seinen Augen seine Fahne verbrennt«, und nichts dagegen unternehmen. »Mein Volk ist das kämpfende jüdische Volk, nicht die Juden, die auf den Knien herumrutschen. Ohne Kampf gibt es kein Leben. Das ganze Leben ist ein Kampf, von der Geburt bis zum Tod. Wer nicht kämpft, der lebt nicht.« Im Spanischen gebe es ein kluges Sprichwort: »Wer kämpft, ist noch nicht tot.«

Die Israelis hätten »kein Sitzfleisch und keinen Verstand«, sie würden nur »dem Vergnügen hinterher rennen und die Araber die Arbeit machen« lassen. »Das ist nicht gut, wer sich die Hände nicht mit Erde beschmutzt, dem gehört sie auch nicht. Das verstehen diese Idioten nicht.« Außerdem seien sie »krank«, »Masochisten«; sie liebten es, »zu jammern und zu weinen«, ohne etwas zu unternehmen. »Die vielen Idioten lassen die wenigen Nichtidioten in diesem Land nicht zum Zug kommen!« Es sei niemand da, »mit dem man eine Revolution machen könnte«, und am schlimmsten seien die Leute von »Schalom achschaw!« (Frieden jetzt!), »schlimmer als die Araber«. Nein, sie würde die Araber nicht hassen, die wären in einer schrecklichen Lage: »Wer ein Freund von Israel sein will, den bringt die Hamas um, wer kein Freund von Israel sein will, den bringen wir um.«

So wie Baruch Goldstein, für den sie »Das Lied des Arztes« komponiert hat? »Er war ein guter Jude, ein Arzt und ein Heiliger. Er wußte, daß die Araber die Juden angreifen wollten, und er ist ihnen zuvorgekommen. Er hat getan, was wir tun müßten: einen Präventivschlag führen.«

Woher Goldstein gewußt habe, was die Araber vorhatten, kann Schoschana nicht sagen, sie habe es von Leuten gehört, die genau wüßten, daß »in den Gebieten Waffen versteckt werden, um ein Massaker gegen die Juden anzurichten«.

Aber das würden die israelischen Medien natürlich nicht berichten, statt dessen spekulierten sie darüber, »ob er eine schwere Kindheit« gehabt habe. »Ich identifiziere mich mit dem, was Dr. Goldstein getan hat. Die anderen reden nur, er hat gehandelt.«

War es wert, dafür zu sterben?

»Wer hat gesagt: Das Leben ist der Güter höchstes nicht? Schiller? Goethe? Trumpeldor?«

Egal, wer es war, Schoschana Blechmann bewundert und verehrt »Doktor Goldstein«, als habe der 29 Leben gerettet und nicht vernichtet, bevor er selbst getötet wurde. Sie selbst sei schon »zu alt«, um so etwas zu tun, aber wenn sie eines Tages erfahren würde, sie habe »Krebs und nur noch einen Monat zu leben«, dann, wer weiß … Sie legt ihren Megabusen auf den Tisch, beugt sich vor und sagt: »Den nötigen Willen dazu hätte ich schon. Wenn ich sterben muß, dann nicht wie ein Schaf.« Wenn es soweit ist, möchte sie »in den Spiegel schauen und sagen: Schoschana, alle Achtung, du hast getan, was du für richtig gehalten hast!«

Vor kurzem habe ein linker Knesset-Abgeordneter vor ihr gewarnt, sie als »eine Gefahr« bezeichnet, das habe ihr gut gefallen. Daraufhin hätten Vater und Mutter von Baruch Goldstein bei ihr angerufen und sich bei ihr für das Lied bedankt. »Sie können stolz auf Ihren Sohn sein«, habe sie den Eltern gesagt.

»Mir geht es gut, ich bin glücklich, es fehlt mir nichts. Ich mache, was ich will; das ist mein Luxus.«

Schoschana steht jeden Tag um sechs Uhr auf, um mit Rex spazierenzugehen. Sie gibt privaten Musikunterricht, pflanzt Tomaten in ihrem Garten und liest Krimis auf spanisch. Ihren »Smith and Wesson«-Revolver packt die »heiße Partisanke« einmal im Monat aus, wenn sie auf einem Schießstand in Tel Aviv den Gebrauch der Waffe übt. Nie würde sie aus Eli wegziehen, selbst wenn die Siedlung unter palästinensische Souveränität käme. »Ich bleibe, hier habe ich einen Grund zu kämpfen.«

Zum nächsten Purimfest, das mit dem vierten Todestag von Baruch Goldstein zusammenfällt, bereitet sie im »Moadon«, dem Kulturklub von Eli, einen »Tutti-frutti-Liederabend in allen Sprachen« vor. Dabei wird auch das »Lied des Arztes« vorgetragen: »Gelobt seist du, Doktor Baruch Goldstein, der du den Namen Gottes in der Machpela geheiligt hast …«

Joint-venture:
Dick und Doof im Heiligen Land

*E*in paar Minuten bevor die Küstenlinie von Israel aus dem Dunst auftaucht, werden die Flugreisenden gebeten, das Rauchen einzustellen, die Gurte zu schließen und die Sitzlehnen zur Landung senkrecht zu stellen. Verbunden mit dieser Aufforderung ist ein Hinweis des Piloten auf die Sehenswürdigkeit, »die wir gleich überfliegen werden«: Tel Aviv auf der linken, Jaffa auf der rechten Seite der Maschine. In El-Al-Flugzeugen wird dazu das Lied »Hewenu schalom alejchem« gespielt, »Wir bringen euch Frieden«; christliche Pilger bekommen vor Rührung feuchte Augen, Israelis wissen, jetzt wird es ernst, unten warten die Angehörigen und die Zöllner, um die Heimkehrer auszurauben.

Der Anflug auf den Ben-Gurion-Flughafen bei Tel Aviv ist nicht so aufregend wie der auf Hongkong und verlangt vom Piloten nicht so viel Wagemut wie eine Landung in Timbuktu; dennoch haben die Reisenden keine Ahnung, in was für einer Gefahr sie schweben. Sieben Kilometer vor Beginn der Landebahn, kaum zwei Minuten Flugzeit, steht ein Berg in der Landschaft und den Flugzeugen im Weg: 85 Meter hoch, auf einer Fläche von ca. 700 000 Quadratmetern. (Das Fürstentum Monaco ist mit 1,5 Quadratkilometern gerade mal doppelt so groß.)

Die Hirija, 1951 eröffnet, ist die größte Müllhalde im ganzen Nahen Osten. Hier werden täglich 3000 Tonnen unsortierter Abfall aus dem Großraum Tel Aviv abgeladen. Auf halbem Weg zwischen der Stadt und dem Flughafen gelegen und umgeben von idyllischen Orangenhainen, verbreitet die Halde im Sommer einen ätzenden Gestank, dessen Reichweite von der Windrichtung abhängt. Im Winter, wenn es sintflutartig regnet, rutschen größere Teile des Müllbergs in den nahegelegenen Ajalon-Fluß ab, was wiederum zu Überschwemmungen führt und das Grundwasser kontaminiert. Und das ganze Jahr über kreisen Tausende von Vögeln auf der Suche nach Eßbarem über der Hirija und gefährden die anfliegenden und abfliegenden Maschinen. Es sei »ein Wunder«, sagte ein El-Al-Pilot Ende Januar 1998 im israelischen Fernsehen, daß noch kein Flugzeug abgestürzt wäre, mit einem solchen Unfall müsse aber täglich gerechnet werden.

Das Problem ist weder neu noch unbekannt. Im Juni 1993 beschloß die Regierung, die Hirija zum 1. Januar 1996 zu schließen. Da aber keine alternative Mülldeponie gefunden wurde, blieb trotz der Entscheidung alles beim alten. Im Juni 1997 wurde wieder ein Beschluß gefaßt, die Hirija zum 1. Januar 1998 zu schließen. Mitte Dezember 1997, also drei Minuten vor Ultimo, begannen die Verantwortlichen darüber nachzudenken, wohin der Müll – 3000 Tonnen täglich – geschafft werden könnte. Am 29. Dezember 1997 trafen sich die sechs zuständigen Minister zu einer dringlichen Krisensitzung unter dem Vorsitz von Ministerpräsident Netanjahu. Der Umweltminister schlug vor, eine zentrale Mülldeponie im Negev einzurichten; der Verteidigungsminister war dagegen, weil unweit der dafür vorgesehenen Stelle die Armee eine Basis unterhält. Die Vögel würden den Flugbetrieb gefährden – eine Überlegung, die für den zivilen Flugbetrieb auf Ben Gurion offenbar nicht galt. So mußte die Schließung der Hirjia »um einige Wochen« hinausgeschoben werden.

Derweil machte sich der Umweltminister auf die Suche nach einer »Interimslösung«; er fand Dudaim bei Beer Schewa, wogegen die Einwohner der Stadt Sturm und vor das Oberste Gericht liefen, da sie nicht als Abfallgrube des Landes dienen wollten. Mitte Januar 1998 ordnete der Transportminister die Schließung des Ben-Gurion-Flughafens zwischen 13 und 15 Uhr täglich an und erklärte, er würde nicht zögern, den Airport ganz zu schließen, falls der Müllbetrieb auf der Hirjia nicht eingestellt werde. Um die Mittagszeit, so der Minister, würden besonders viele Vögel über der Deponie kreisen. Tatsächlich starten und landen mittags nur wenige Flugzeuge; Ben Gurions »rush hour« spielt sich morgens und abends ab.

Drei Tage später gab der interministerielle Ausschuß unter dem Vorsitz des Ministerpräsidenten bekannt, die Hirjia würde nunmehr »definitiv und unwiderruflich« geschlossen werden. Daraufhin revidierte der Transportminister seine Entscheidung, den Flughafen täglich zwei Stunden stillzulegen. Der Umweltminister hatte dem Verkehrsminister verbindlich versprochen, innerhalb von sechs Wochen den ganzen Müll auf andere Deponien zu verteilen. Außerdem hatte er inzwischen einen idealen Ort für die zentrale Müllagerung gefunden: Mischor Rotem im Negev. Der einzige Nachteil dabei war nur, daß es ein Jahr oder auch länger dauern würde, diese neue Deponie einzurichten. Derweil, so der Minister, sollte der Müll nach Dudaim gefahren werden, nachdem das Oberste Gericht die Beschwerden der Einwohner verworfen hatte.

Im Februar 1998 war die Hirija noch immer in Betrieb, kreisten immer noch Tausende von Vögeln über dem 85 Meter hohen Berg aus Abfällen, hofften die Piloten der an- und abfliegenden Maschinen, es werde alles gutgehen. Eine Sprecherin des Umweltministeriums erklärte auf Anfrage, man werde den Betrieb der Deponie »im Laufe der kommenden Monate nach und nach reduzieren und vor Anfang des nächsten Winters hoffentlich ganz einstellen«.

Man wird sehen. Die Frage ist nicht: Wohin mit dem Müll?, sondern: Wie kann eine Regierung, die nicht in der Lage ist, mit einem so banalen Problem fertig zu werden, den Nahost-Konflikt lösen? Wobei das eine mit dem anderen zusammenhängt. Es gehört zu den Ritualen der israelischen Politik, sich mit einem Problem erst dann zu beschäftigen, wenn der Alarm bereits ausgelöst wurde. So wie die Einwohner Jerusalems jedes Jahr aufs neue vom Ausbruch des Winters überrascht werden, lassen sich auch die Politiker immer wieder von Situationen überraschen, über die vorsorglich nachzudenken eigentlich ihre Aufgabe wäre.

So kommt ein Stück kultureller Identität zum Ausdruck, die in der jüdischen Folklore entzückend, in der Realität des Lebens aber eine Anleitung für Katastrophen ist. Ein Beispiel gefällig? Ein armer Jude, der seine Miete seit Monaten nicht mehr bezahlt hat, wird zum Hausbesitzer gerufen: »Wenn du meinem Hund das Sprechen beibringst, erlasse ich dir die Miete, und du kannst in der Wohnung bleiben. Wenn du es nicht schaffst, schmeiß' ich dich raus. Du hast drei Monate Zeit.« Der Jude nickt, geht nach Hause und erzählt alles seiner Frau. Die schreit: »Wir sind verloren, kein Mensch kann einem Hund das Sprechen beibringen!« Der arme Jude bleibt ganz ruhig. »Wer kann schon sagen, was morgen wird? Vielleicht stirbt der Hund, vielleicht stirbt der Hausbesitzer, und wer weiß, vielleicht lernt der Hund sogar sprechen. Drei Monate sind eine lange Zeit!«

So wird in Israel Politik gemacht, im kleinen auf der Müllhalde und im großen auf der internationalen Bühne. »Ihije tow«, es wird schon gutgehen, sagt ein Israeli, während er sich beim Tanken eine Zigarette anzündet; es wird schon gutgehen, sagt auch Benjamin Netanjahu, wenn er mit leeren Händen nach Washington reist und mit einem triumphierenden Grinsen heimkehrt, weil die Affäre um Monica Lewinsky ihm einen Offenbarungseid erspart hat. Zwanzig Jahre lang, vom Sechs-Tage-Krieg bis zum Ausbruch der Intifada Ende 1987, hat man sich in Israel, von wenigen Ausnahmen abgesehen, keine Gedanken über die Folgen der Besatzung gemacht und statt dessen stolz verkündet, eine liberalere Besatzungsmacht habe es in der Geschichte der Menschheit nicht gegeben. Eine Weile mag das sogar gestimmt haben, nur beschlossen die Palästinenser eines Tages, daß sie nicht liberal okkupiert sein möchten, sondern gar nicht. Und darauf waren die Israelis nicht vorbereitet. Sogar nach dem Abschluß des Oslo-Abkommens waren sich die israelischen Politiker nicht im klaren, was auf sie zukommen würde. Anfang 1994, erinnert sich der Schriftsteller Amos Elon, habe der damalige Außenminister Schimon Peres in einem privaten Gespräch den Nahost-Konflikt für beendet erklärt: Arafat werde seinen Staat in Gaza bekommen, und den Palästinensern in der West Bank werde man die Möglichkeit geben, sich für die jordanische, die israelische oder die palästinensische Staatsangehörigkeit zu entscheiden, und die West Bank gemeinsam verwalten. Auf die Frage von Elon, ob die Palästinenser einer

solchen Lösung zustimmen würden, antwortete Peres:
»Haben sie eine Wahl?«

Es wird schon gutgehen. Oder auch nicht.

Es herrscht in Israel kein Mangel an originellen Ideen, und es gibt genug Leute, die unkonventionell denken und handeln. Die Firma »Tnuva« hat einen Werbespot für ihre H-Milch an Bord der sowjetischen Raumfähre »Mir« hergestellt. Kommandant Wassily Ziblijew schwebt schwerelos in der Raumstation, einen Karton mit Tnuva-Milchtüten im Arm. Damit schaffte Tnuva den Eintrag in das »Guinness Buch der Rekorde«, für den ersten Werbespot, der im Weltall produziert wurde. Jerusalemer Wissenschaftler haben erstmals eine Medizin erfunden, mit der Kleptomanen von der Klausucht geheilt werden können. El Al bietet »Flights to nowhere« an, Party-Flüge mit Gourmet-Speisen und Unterhaltung an Bord, zum Preis von hundert Dollar pro Person. Ein wenig teurer sind Kreuzfahrten in die Antarktis, die ein privates Reisebüro veranstaltet: 4446,– Dollar pro Person, inklusive Hafengebühr und koscherer Verpflegung. Wer heute einen »Supersol«- oder »Hyperkol«-Markt betritt und sich noch erinnern kann, wie ein gewöhnlicher »Makolet« (Lebensmittelladen) vor zehn Jahren ausgesehen hat, der ist sofort von der Machbarkeit der Zeitreisen überzeugt. In der Entwicklung und Herstellung von Software rangieren israelische Firmen gleich nach den Amerikanern – und in einigen Bereichen sind sie die Nummer eins. Nur in der Politik herrscht Tumbheit, gepaart mit sinnloser Umtriebigkeit, wie sie unter Halbstarken üblich ist, die mit ihren Mopeds im Kreis herumfahren und Vollgas im Leerlauf geben.

»Wenn es Arafat schwerfällt, Terroristen an Israel zu übergeben, dann sollte es Israel schwerfallen, Territorien an die Palästinenser abzugeben«, sagt Transportminister Jitzhak Levy und klopft sich selbst auf die Schulter ob des genialen Wortspiels, das ihm ganz aus eigener Kraft eingefallen ist.

Ende 1997, Anfang 1998 war das halbe israelische Kabinett wochenlang damit beschäftigt, Landkarten zu entwerfen und zu diskutieren, wie die West Bank geteilt werden sollte. Arik Scharon wollte fast 70 Prozent unter israelischer Kontrolle behalten, Jitzhak Mordechai »nur« etwa 50 Prozent. »Die israelische Regierung führt Verhandlungen mit sich selbst«, witzelte die palästinensische Erziehungsministerin Hanan Aschrawi über die autistische Vorstellung.

Dann verlangte Netanjahu, die Palästinenser sollten alle 33 Paragraphen ihrer Nationalcharta einzeln widerrufen und eine neue Nationalcharta verabschieden, obwohl die Palästinensische Nationalversammlung im April 1996 in einer mit großer Mehrheit angenommenen Resolution 28 von 33 Paragraphen der Charta widerrufen hatte, die mit dem Abkommen von Oslo unvereinbar waren – mit Wissen und Zustimmung der Peres-Regierung. »Sogar wenn die Mitglieder der Palästinensischen Nationalversammlung die Likud-Hymne im Chor singen würden, wäre das für Netanjahu nicht genug«, vermutete zu Recht Arafats Berater Achmad Tibi.

Die Sache wäre weniger verfahren, wenn Israel die 1967 eroberten Gebiete annektiert hätte. Schließlich hatten die Araber den Sechs-Tage-Krieg provoziert und den Jom-Kippur-Krieg vom Zaun gebrochen. Aber nach den Regeln der arabischen Logik haben die Verlierer das Recht, die Rückkehr zum Status quo ante zu verlangen, wie Kinder, die nach einer verlorenen Reversi-Runde »gültet nicht!« schreien.

Freilich – die eroberten Gebiete zu annektieren hätte bedeutet, eine Entscheidung zu treffen, um die sich Israel bis heute drückt: von drei möglichen Optionen – Judenstaat, Demokratie und Groß-Israel – eine aufzugeben.

Judenstaat und Demokratie schließen Groß-Israel aus; Judenstaat und Groß-Israel lassen Demokratie nicht zu; Demokratie und Groß-Israel heißt: bye, bye, Judenstaat. So wurden die eroberten Gebiete nicht formal, dafür schleichend annektiert, wobei Israel sich an die Fiktion klammerte, der Tausch »Land gegen Frieden« sei immer noch eine mögliche Option.

Inzwischen steht fest, daß es kaum noch etwas zu tauschen gibt. Arafat kontrolliert 84 Prozent des Gaza-Streifens und unterhält auf etwa 300 Quadratkilometern einen Mini-Staat mit begrenzter Souveränität. Die West Bank dagegen sieht wie ein Fleckerlteppich aus. Sie ist in drei Zonen eingeteilt: A, B und C. Zone A sind die Städte Jenin, Tulkarem, Kalkilja, Ramallah/El-Bire, Nablus, Bethlehem und der größere Teil von Hebron, die von der Palästinensischen Autonomiebehörde verwaltet werden. Zone B wird auch von der PA verwaltet, allerdings ist in diesen Gebieten Israel für die Sicherheit verantwortlich. In der Zone C hat allein Israel das Sagen. Ein noch komplizierteres Arrangement ist kaum vorstellbar.

Dabei steht die quantitative Komponente des Nahost-Konflikts in keinem Verhältnis zur historischen Dimension des Dramas. Israel ist so groß wie das Bundesland Hessen, die West Bank doppelt so groß wie das Saarland und der Gaza-Streifen etwa so groß wie das Land Bremen ohne Bremerhaven. In Israel leben sechs Millionen Menschen, so viele wie in der Schweiz, in Gaza und der West Bank so viele wie in West-Berlin: zweieinhalb Millionen. Und wenn das ganze Stück nicht im Heiligen Land spielen würde, wo man mit Gott zum Ortstarif sprechen kann, würde es so viel Aufmerksamkeit auf sich ziehen wie der Kampf um Ost-Timor. Der Nahost-Konflikt ist ein Klacks auf der Landkarte der Weltgeschichte, doch haben sich die teilnehmenden Parteien darauf verständigt, auf einer Provinzbühne eine Supershow hinzulegen, sozusagen »Aida« in Bad Segeberg.

»Die Weisen von Zion« sind ein Stück antisemitischer Propaganda, aber die Dummen von Zion gibt es wirklich. Es muß in Israel ein interministerielles Komitee geben – ähnlich dem, das sich mit der Hirija beschäftigt –, dessen Mitglieder regelmäßig zusammenkommen, um zu überlegen, was Israel unternehmen könnte, um den Zorn der Araber und den Widerspruch der halben Welt zu provozieren. »Laßt uns einen Tunnel unter dem Tempelberg bauen, die Araber werden ausrasten!« Gesagt, getan! Ein paar Dutzend Tote sind der Preis für den sinnlosen Kraftakt. Beim nächsten Treffen bleibt das Komitee overground. »Laßt uns mitten in Ost-Jerusalem ein jüdisches Wohnviertel bauen, es wird uns nix kosten, dafür ist Krawall garantiert.«

Ein amerikanischer Jude, der sein Vermögen mit Krankenhäusern und Bingo-Sälen gemacht hat, kauft ganz legal ein Grundstück am Rand der Altstadt und bekommt eine Lizenz zum Bau von 132 Wohnungen. Der Mann wird von israelischen Zeitungen als »Philantrop« beschrieben, dabei ist er ein Zocker, der mit dem Leben anderer spielt. Er könnte auch, da sein Herz für Israel schlägt, in Ofakim, Dimona und Kirjat Schmona Wohnungen bauen oder Arbeitsplätze schaffen, aber dann würde er sich nicht weltweit in den Nachrichten wiederfinden. Und so wird aus dem Noname Irving Moskowitz aus Miami ein Held, der von Florida aus per Fernbedienung Politik im Nahen Osten spielt und von Jerusalems Bürgermeister Ehud Olmert hofiert wird. »Was ist denn los?« wundert er sich in einem Interview über Kritik an seinen Aktivitäten. »Mir das Recht zu verweigern, auf meinem Eigentum zu bauen, nur weil die Araber dagegen sind und ich Jude bin, ist doch reiner Rassismus!«

Ab und zu blicken die Dummen von Zion auch über die Grenzen des Landes hinaus. »Unsere Beziehungen mit Jordanien sind grade ganz gut. Laßt uns König Hussein in die Pfanne hauen!« Und schon wird ein Anschlag auf einen Hamas-Mann in Amman organisiert, der danebengeht und den König in seinem eigenen Haus bloßstellt. Eine Spitzenleistung der Dummen von Zion, die es wert wäre, in das »Guinness Buch der Rekorde« eingetragen zu werden, gleich nach dem Weltraumspot von Tnuva.

Wo sich das jüdische Genie dermaßen produktiv entfaltet, wollen die Palästinenser nicht zurückstehen. Da sie sich aber erst seit kurzem selbstverwirklichen können, haben sie noch kein Komitee, sondern agieren und agitieren spontan, aus dem Bauch heraus.

Arafat läßt es sich nicht nehmen, den bekannten Juden- und Israelfreund Louis Farrakhan wie einen Staatsgast in Gaza zu empfangen und ihn »unseren Bruder« zu titulieren. Der von Arafat ernannte Jerusalemer PLO-Mufti Ikrama Sabri klärt die Gläubigen in einer Predigt auf, wer Amerika regiert, nämlich »zionistische Juden«, und kündigt an, Allah werde »das weiße Haus schwarz anmalen«, das heißt: verbrennen. »Israel, als der Staat der Juden, sollte von der Landkarte verschwinden«, sagt Scheich Achmad Yassin, der Gründer von Hamas.

Sind solche Äußerungen schon dazu angetan, das Vertrauen der Israelis in gutnachbarliche Beziehungen mit den Palästinensern zu stärken, so sind es die symbolischen Aktionen palästinensischer Jugendlicher und Intellektueller noch mehr. Um gegen den Bau einer israelischen Siedlung bei Bethlehem zu protestieren, ließen sich junge Palästinenser an Kreuze fesseln, nachdem schon Arafat erklärt hatte, auch Jesus sei ein Palästinenser gewesen. Derlei Aktionen stehen bei den Aktivisten hoch im Kurs. An der An-Najah-Universität in Nablus wird unter begeistertem Gebrüll der Studenten das Pappmodell einer israelischen Siedlung demoliert; an der Universität von Bethlehem wird eine israelische Fahne verbrannt, auf die ein Hakenkreuz gemalt wurde, und in Gaza wird eine Puppe angezündet, die Netanjahu darstellen soll; in Jenin wird das Pappmodell einer Scud-Rakete wie eine Monstranz durch die Stadt getragen, die Demonstranten rufen »Tod für Israel!« und bitten Saddam, Tel Aviv zu pulverisieren. Arafat schickt seinen Minister für öffentliche Arbeiten mit einer Solidaritätsadresse nach Bagdad, der stellvertretende Gouverneur von Bethlehem erklärt auf einer Kundgebung, die Palästinenser stünden hinter Saddam, weil der geplante Angriff auf den Irak eine »Verschwörung im Namen des internationalen Zionismus« wäre. »Wenn es eine Gerechtigkeit in der Welt gäbe, würden die amerikanischen Cruise missiles Tel Aviv wegpusten und nicht Bagdad«, sagt der palästinensische Minister für Kommunikation, Imad Faluji.

Die Palästinenser sind Meister der PR und der positiven Selbstdarstellung. Und weil sie wissen, wie wichtig Menschenrechte sind, gehen sie auch dann auf die Straße, wenn es nicht um sie selber geht. Die Palestinian Writers Association, die Vereinigung palästinensicher Schriftsteller, veranstaltete am 19. Januar 1998 einen Marsch durch Gaza, um ihre Solidarität mit dem französischen Schriftsteller Roger Garaudy zu demonstrieren. Dem zum Islam konvertierten Garaudy steht in Frankreich ein Prozeß bevor, weil er in einem Buch über die »Mythen israelischer Politik« den Holocaust geleugnet hat. »Wir verurteilen das Verfahren gegen Roger Garaudy, und wir rufen alle, die an Menschenrechte und freie Meinungsäußerung glauben, auf, ihn zu unterstützen«, verkündete Imad Faluji, Minister für Kommunikation und vermutlich auch Ehrenmitglied der Palestinian Writers Association.

Die Solidaraktion für den französischen Wahl-Moslem, Antisemiten und Holocaust-Leugner Garaudy wäre freilich noch überzeugender geraten, wenn die PWA auch gegen die unfaire Behandlung palästinensischer Intellektueller durch palästinensische Behörden ihre Stimme erhoben hätte. Zum Beispiel gegen die Verhaftung eines Redakteurs, der einen Bericht über Arafat auf Seite acht statt auf Seite eins plaziert hatte, oder die Einkerkerung eines Professors, der seinen Studenten über Korruption in der Autonomiebehörde etwas erzählen wollte. Doch in solchen Fällen blieb die PWA stumm, um sich für die wirklich relevanten Anlässe zu schonen.

Das eigentliche Problem beim Nahost-Konflikt ist, daß es sich um eine Mogelpackung handelt, in der nicht das drin ist, was drauf steht. Überhaupt wird in Gottes Hinterhof noch mehr geschwindelt und gelogen als in anderen Teilen der Welt. Da wird in seltsamer Eintracht Jerusalem als »die Wiege der drei großen monotheistischen Religionen« bezeichnet. »Was für ein Unsinn!« pflegte der 1994 verstorbene Religionsphilosoph Jeschajahu Leibowitz auf diese Behauptung zu antworten. »Weder das Judentum noch der Islam sind in Jerusalem entstanden, allenfalls das Christentum könnte Jerusalem als seine Wiege beanspruchen, aber das Christentum ist nur sehr bedingt eine monotheistische Religion.«

Viele andere Ansprüche und Argumente sind von ähnlicher Solidität. Jüdische Neueinwanderer, die vor einem Jahr noch in Brooklyn gewohnt haben, geben Palästinensern, die seit Generationen im Lande leben, den Rat, nach Saudi-Arabien umzuziehen. Im Gegenzug behaupten Palästinenser, Palästina sei schon vor Beginn der zionistischen Kolonisation ein dichtbesiedeltes und hochentwickeltes Land gewesen, als gäbe es aus dieser Zeit weder Reiseberichte noch andere Dokumente. Und sie vergessen zu erwähnen, daß dieselben Notabeln, die ihr Land an Juden verkauft hatten, hinterher am lautesten gegen die »zionistische Landnahme« protestierten. Juden wiederum, die mit der Bibel in der Hand ihre territorialen Ansprüche begründen, können es nicht verstehen, daß die Palästinenser nach Akko, Ramle und Tiberias zurück möchten, von wo sie erst vor fünfzig Jahren vertrieben wurden.

Doch ginge der Streit nur um die Frage, wem das Land gehört, wer es besitzen, bebauen und verschandeln darf, wäre der Streit längst gelöst – durch territoriale Teilung, Entschädigung der Flüchtlinge und einen Wiederaufbauplan, der einen Bruchteil des Geldes kosten würde, das für die Versorgung der inzwischen drei Flüchtlingsgenerationen ausgegeben wird. Was wie ein Streit um eine attraktive Immobilie aussieht, ist ein Konflikt zwischen zwei Stämmen um die Frage, wessen *Rechte* begründeter sind, unabhängig vom Markt- und Nutzwert des Grundstücks. Deswegen sagen Juden, die in New York, Frankfurt und Wien leben: »Wir dürfen Hebron nicht aufgeben«; deswegen geben Enkel von Palästinensern, die vor fünfzig Jahren aus Yafo vertrieben wurden, Jaffa als ihren eigentlichen Geburtsort an. Kein Stamm ist in der Lage, den anderen in den Weltraum zu befördern (weswegen Arafat immer wieder die Formel benutzt: »We are not asking for the moon ...«). Er ist aber in der Lage, dem anderen die Früchte seines Sieges zu vermiesen.

Das Ganze funktioniert wie ein Streit zwischen Dick und Doof: »Was ich nicht haben kann, das soll auch dir keinen Spaß machen.« Die Palästinenser schicken lebende Bomben in israelische Städte. Die Israelis revanchieren sich, indem sie die Palästinenser demütigen und quälen, sie aussperren und einsperren, mit ihnen um jeden Quadratmeter feilschen und isolierte Reservate einrichten, die sie »Zone A« nennen.

Daß ein Stamm nach zweitausend Jahren Abwesenheit wieder Eigentumsrechte geltend macht, ist in der Tat ein ziemlich einmaliger Vorgang. Würde er Schule machen, wären in der ganzen Welt nur noch Möbelwagen und Flüchtlingsströme unterwegs. Viele Israelis hören es nicht gern, aber ohne den Holocaust würden sie beziehungsweise deren Kinder noch immer in Breslau, Prag und Czernowitz sitzen und jedes Jahr zu Pessach »Nächstes Jahr in Jerusalem ...« beten.

Der biblische Anspruch und die Sehnsucht nach Zion wären als Grundlage für eine völkerrechtliche Entscheidung nicht genug gewesen. Hier greifen die Palästinenser zu einem Argument, das man ihnen weder verübeln noch widerlegen kann. »Warum sollen wir die Rechnung für den Holocaust bezahlen? Was haben wir damit zu tun?«

In der Tat, würde es in der Welt gerecht zugehen, wäre der Judenstaat nicht in Palästina, sondern in Deutschland errichtet worden, hätten die Deutschen Schleswig-Holstein oder halb Bayern räumen und das Gebiet den Juden überlassen müssen. Es wäre auch einfacher gewesen, Hunderttausende von Überlebenden und »displaced persons« vor Ort zu rehabilitieren, statt sie von Europa nach Palästina zu schleppen. Auch für die Deutschen wäre eine solche Regelung von Vorteil gewesen: Sie hätten sich schnell wieder »gut« gemacht und müßten sich heute nicht mit Holocaust-Mahnmalen herumschlagen.

Weil es aber in der Geschichte nicht gerecht zugeht, reicht der Schatten des Dritten Reiches bis in den Nahen Osten. Die Israelis versuchen den Palästinensern nachzuweisen, daß sie doch was mit den Nazis zu tun hatten: nämlich über einen Mufti, Amin al-Husseini, der mit Hitler sympathisierte und Freiwillige an die Front schickte. Und dieselben Palästinenser, die sich darüber aufregen, daß die Israelis den Holocaust für politische Zwecke mißbrauchen, erklären sich zu den eigentlichen Opfern der Nazis. Erinnerung ist eben nicht das Geheimnis der Erlösung, sondern der direkte Weg ins ewige Fegefeuer.

Doch es muß nicht immer der historische »Supergau« sein, kleinere Katastrophen tun's auch. 1929 wurde die jüdische Gemeinde von Hebron in einem Pogrom vernichtet. 67 Jahre später, 1996, sagt der aschkenasische Oberrabbiner Israel Lau, würde man die Juden, die heute in Hebron leben, evakuieren, so wäre das »eine Belohnung für das Pogrom von 1929 und ein Präzedenzfall für andere Siedlungen«. So ließe sich auch die Rückkehr an andere berühmte Pogromorte, von Kischinew bis Kielce, rechtfertigen.

Was lehrt uns das? Gar nichts. Konflikte sind nicht dazu da, daß man sie löst, sondern daß man sich mit ihnen arrangiert. Die Israelis und die Palästinenser haben sich längst miteinander arrangiert, ihren »way of life« gefunden. Der Nahost-Konflikt ist ihr Joint-venture. Wenn die Palästinenser eines Tages aufwachten und plötzlich feststellen müßten, daß die Israelis weg sind, einfach auf und davon – die Helden der palästinensischen Revolution wüßten nicht, was sie fortan mit ihrem Leben anfangen sollten. Im umgekehrten Fall wären auch die Israelis um den Sinn des Überlebens gebracht. Die Juden wurden immer nur herumgeschoben und geprügelt, verfolgt und dezimiert – nun haben sie zum erstenmal einen Gegner, dem sie überlegen sind, der sie zwar bedroht, aber nicht existentiell gefährdet. Das tut gut nach den vielen Niederlagen und Demütigungen der letzten zweitausend Jahre. So leben Israelis wie Palästinenser ihren Bedarf an Heldentum aus und verwandeln das Land kongenial in ein Irrenhaus inmitten eines Abenteuerspielplatzes, auf dem mit scharfer Munition geschossen wird. Und zwischendurch treffen sie sich zu Konferenzen in Athen, Kopenhagen und Arnoldshain, um in einer zivilisierten Umgebung gemeinsam über Wege zum Frieden nachzudenken.

So kann und so wird es noch eine Weile weitergehen. Bis eines Tages Clinton, Jelzin und Netanjahu, die wichtigsten Führer der Welt, zum Allmächtigen bestellt werden. »Ich mag mir das Jammerspiel da unten nicht mehr mit ansehen«, wird Gott sagen, »ich werde die Welt vernichten. Geht heim und verkündet meine Botschaft!«

Clinton rast sofort ins nächste TV-Studio und hält eine Rede. »Meine lieben Amerikaner, ich habe eine gute und eine schlechte Nachricht. Es gibt einen Gott, und er wird die Welt vernichten.« Jelzin ruft die Duma zu einer Sondersitzung zusammen. »Ich habe zwei schlechte Nachrichten. Gott lebt, und er wird die Welt zerstören.« Netanjahu ruft gleich seine Frau Sarah an. »Surele!« schreit er in sein Handy. »Es gibt zwei gute Nachrichten: Ich habe Gott getroffen, und er hat mir versprochen, es wird keinen Palästinenserstaat geben!«

Im Osten nichts Neues

Alle haben recht

Zum Rabbi von Plotzk, der als ein sehr weiser Mann gilt, kommt ein alter Jude und beschwert sich über seine Frau. Sie hält den Haushalt nicht in Ordnung, weiß mit Geld nicht umzugehen, und was die ehelichen Pflichten angeht, kann sich der Mann an das letzte Mal nicht mal erinnern. »Ich will mich scheiden lassen«, sagt der Mann, »ich kann so nicht weiterleben.«

»Du hast vollkommen recht«, sagt der Rabbi von Plotzk. »Mach, was für dich gut ist!«

Zwei Stunden später kommt die Frau des alten Juden zu dem Rabbi und beschwert sich über ihren Mann. Er kann seine Familie nicht ernähren, statt zu arbeiten, spielt er den ganzen Tag Karten, und was die ehelichen Pflichten angeht, kann sie sich an das letzte Mal nicht mal erinnern. »Ich will mich scheiden lassen«, sagt die Frau, »ich kann so nicht weiterleben.«

»Du hast vollkommen recht«, sagt der Rabbi von Plotzk. »Mach, was für dich gut ist!«

Nachdem die Frau gegangen ist, hält es die Frau des Rabbiners nicht mehr auf ihrem Platz aus. Sie hat beide Gespräche mit angehört. »Du kannst doch nicht beiden recht geben! Wenn der Mann im Recht ist, dann kann es die Frau nicht sein. Und wenn die Frau im Recht ist, dann kann es der Mann nicht sein. Das versteht doch jedes Kind, nur du, der große Rabbi von Plotzk, verstehst es nicht!«

Der Rabbi von Plotzk denkt kurz nach. »Du hast vollkommen recht, gute Frau, du hast vollkommen recht.«

Alles paletti!

Der Rabbi von Poltawa in Rußland hat gehört, daß der König von Spanien für seine älteste Tochter einen Mann sucht. Poltawa ist eine sehr arme Gemeinde. Es mangelt an allem, und Hilfe ist nirgends in Sicht. Da kommt die Kunde aus fernen Landen wie eine Verheißung.

»Das ist die Gelegenheit, auf die wir gewartet haben«, sagt sich der Rabbi und ruft Jankel, seinen begabtesten Schüler in seine Stube. »Jankel, du bist der Beste in der Jeschiwa, du kennst den Talmud und die Thora, eines Tages wirst du mein Nachfolger werden. Vorher müssen wir aber etwas für Poltawa tun. Wir brauchen eine neue Thora-Rolle, wir brauchen Geld, um den Bedürftigen zu helfen, und ich habe seit über einem Jahr kein Gehalt bekommen.«

»Was kann ich tun, Rabbi?« antwortet Jankel, »sagt es mir!«

»Du wirst die Tochter des Königs von Spanien heiraten, sie wird zu uns nach Poltawa ziehen, und alle unsere Sorgen werden sich in Luft auflösen!« Der Rabbi streicht sich zufrieden über den Bart.

Jankel weiß nicht, was er sagen soll. Es dauert eine Weile, bis er die Sprache wiedergefunden hat. »Rabbi, mit allem Respekt, das geht nicht, sie ist doch keine Jüdin …«

»Das macht nichts«, poltert der Rabbi, »wir werden sie konvertieren!«

»Aber, Rabbi, sie kann doch nicht Jiddisch. Wie soll ich mit ihr reden?«

»Das macht nichts«, ruft der Rabbi, »ich werde sie persönlich unterrichten!«

»Aber, Rabbi, was kann ich ihr denn bieten außer Armut?«

»Das macht nichts«, schreit der Rabbi, »reich ist sie selbst. Was sie braucht, sind geistige Werte!«

»Aber, Rabbi, was werden meine Eltern sagen?«

»Das laß meine Sorge sein, ich werde mit ihnen reden.«

Schließlich gibt sich Jankel geschlagen. »In Gottes Namen, Rabbi, wenn es denn sein muß und wenn es für unsere Gemeinde gut ist ...«

»Gelobt sei der Herr!« jubelt der Rabbi, »das halbe Geschäft ist geschafft!«

Gute Reise!

Schlomo sitzt im Zug, schaut aus dem Fenster und bricht auf jeder Station in lautes Jammern aus. »Ojwej, oj Gewalt, wie ist mir?«

Der Personenzug hält oft, und jedesmal wird Schlomos Gejammer lauter und lauter. Schließlich fragt ihn einer der Mitreisenden, was er denn habe. »Ich sitze im falschen Zug«, klagt Schlomo, »und mit jeder Station sitz’ ich falscher und falscher.«

Ein Frosch und ein Skorpion treffen sich am Fluß. Der Skorpion möchte ans andere Ufer, kann aber nicht schwimmen. »Sei so nett, nimm mich huckepack und setz mich über«, sagt er zum Frosch, »das ist doch für dich eine Kleinigkeit.«

»Für wie dumm hältst du mich?« antwortet der Frosch. »Du wirst mich stechen, und ich werde absaufen.«

»Warum sollte ich es tun?« sagt der Skorpion. »Dann würde ich auch untergehen, ich kann doch nicht schwimmen.«

Das leuchtet dem Frosch ein. »Also gut, ich bring dich rüber.«

Mitten im Fluß spürt der Frosch plötzlich einen Stich im Nacken. »Wahnsinniger, was hast du getan?« schreit er mit letzter Kraft. »Jetzt gehen wir beide unter!«

»Ich kann nicht anders«, zischt der Skorpion, »so bin ich eben, und außerdem sind wir im Nahen Osten.«

Anhang

Ich danke:
Stefan für den Titel dieses Buches;

Amos, Avi, Azmi, David, Esther, Gadi, Gila, Jamil, Joram, Jossi, Jürgen, Katharina, Menachem, Nathan, Robert, Sari, Simone, Sylke und Zippi für die Hilfe bei den Recherchen;

Rajda für die besten Katajeb westlich von Amman;

den Firmen Barak, Bezek, Federal Express und Telekom, die Tag und Nacht für mich da waren;

sowie Al Bundy, Harald Schmidt und Jerry Seinfeld für die tägliche Vergewisserung, daß es ein Leben unabhängig vom Nahost-Konflikt gibt.

Glossar

Halacha: (Gang, Regel, Norm): Richtlinien für den Lebenswandel; Satzungen der mündlich und schriftlich überlieferten (Religions)Gesetze.

Hanukka: Achttägiges Fest zur Erinnerung an die Neueinweihung des Tempels nach dem Sieg der Makkabäer über die Griechen (Mitte 2. Jh. v.u.Z.).

Hanukkia: Achtarmiger Leuchter (mit einem neunten Arm in der Mitte, der als Anzünder dient); während des Hanukka–Festes wird täglich ein Licht angezündet.

Jeschiwa: Talmud-Hochschule

Jom-Kippur: Versöhnungsfest, höchster Feiertag der Juden

Kippa: Gebetskäppchen

Machpela: Höhle der Patriarchen in Hebron, wo Abraham, Isaak, Jakob und deren Frauen begraben liegen – Juden und Moslems gleichermaßen heilig.

Matza (-en): Ungesäuertes Brot, wie es zu Pessach vorgeschrieben ist.

Menora: Siebenarmiger Leuchter

Mikwe: Rituelles Tauchbad, das zur Befolgung der Reinheitsgebote vorgeschrieben ist.

Pessach: Fest zur Erinnerung an den Auszug Israels aus Ägypten (frühes 13. Jh. v.u.Z.), begangen zum ersten Vollmond im Frühling.

Purim: Freudenfest zur Erinnerung an die Rettung der persischen Juden zur Zeit von König Xerxes durch Königin Esther; wird wie Karneval gefeiert

Talmud (Lernen, Lehre): Im Lauf der Jahrhunderte aus mündlicher Überlieferung entstandene Textsammlung; wichtigstes Werk des Judentums nach der Bibel.

Thora: Die Fünf Bücher Mose

Zeittafel

1862   Der Philosoph Moses Hess veröffentlicht »Rom und Jerusalem – die letzte Nationalitätenfrage«.

1882   Unter dem Eindruck eines großen Pogroms in Rußland publiziert der Arzt und Journalist Leon Pinsker »Autoemanzipation – Ein Mahnruf an seine Stammesgenossen von einem russischen Juden«. Beginn der zionistischen Einwanderung nach Palästina. Mit der ersten »Alija« (wörtlich: »Aufstieg«) kommen etwa 24000 Juden, vor allem aus Rußland.

1896   Theodor Herzl publiziert »Der Judenstaat«.

1897   Unter dem Vorsitz Herzls findet in Basel der erste Zionistenkongreß statt. Die Delegierten verabschieden das »Basler Programm«, das mit den Worten beginnt: »Der Zionismus erstrebt für das jüdische Volk die Schaffung einer öffentlich-rechtlich gesicherten Heimstätte in Palästina.«

1916   England und Frankreich schließen das Sykes-Picot-Abkommen (so benannt nach den beiden Unterhändlern), das die Aufteilung des Nahen Ostens in Einflußzonen regelt.

1917   Im Namen der britischen Regierung gibt Außenminister Lord Arthur Balfour eine Erklärung zugunsten eines jüdischen »Nationalheims« in Palästina ab. Die »Balfour-Declaration« lautet: »Seiner Majestät Regierung betrachtet mit Wohlwollen die Errichtung einer nationalen Heimstätte für das jüdische Volk in Palästina und wird die größten Anstrengungen machen, um die Erreichung dieses Zieles zu erleichtern, wobei nichts unternommen werden soll, was den bürgerlichen und religiösen Rechten bestehender nichtjüdischer Gemeinschaften oder der staatsbürgerlichen Rechtsstellung der Juden anderer Länder Abbruch tun könnte.«

1917/18 England erobert Palästina und beendet damit die 400jährige Herrschaft des Osmanischen Reiches.

1920 Auf der Konferenz von San Remo erhält Frankreich das Mandat über Syrien und den Libanon, England über Palästina beiderseits des Jordans. Ein Jahr später wird Transjordanien, das Gebiet östlich des Jordans, abgeteilt und von den Briten der Herrschaft von Emir Abdallah unterstellt.

1929 Pogrom in Hebron; die jahrhundertealte jüdische Gemeinde wird vernichtet.

1933 Beginn der Judenverfolgung durch die Nationalsozialisten.

1936–39 Arabischer Aufstand gegen britische Kolonialherrschaft und jüdische Besiedlung Palästinas.

1937 Eine von Lord Peel geführte Untersuchungskommission schlägt die Teilung Palästinas (d.h. des nach der Teilung von 1921 verbliebenen Gebietes westlich des Jordans) in einen jüdischen und einen arabischen Staat vor. Ein Landkorridor von Jaffa nach Jerusalem sollte unter britischer Kontrolle bleiben.

1939 Beginn des Zweiten Weltkrieges. England veröffentlicht ein »Weißbuch«, das den Arabern Palästinas die Unabhängigkeit in Aussicht stellt und die jüdische Einwanderung einschränkt. In den folgenden Jahren bringen zionistische Organisationen illegal Tausende von jüdischen Flüchtlingen aus Europa nach Palästina.

1945 Ende des Zweiten Weltkrieges. Gründung der »Arabischen Liga«.

1946 Ende des britischen Mandats über Transjordanien, das unter König Abdallah zur unabhängigen Monarchie wird. (Er wird 1951 in Jerusalem von arabischen Extremisten ermordet.)

1947 (29. 11.) Die Vereinten Nationen beschließen die Teilung Palästinas in einen jüdischen und einen arabischen Staat.

1948   (14. 5.) David Ben Gurion verkündet Israels Unabhängigkeit. Das britische Mandat in Palästina endet.
(15. 5.) Die »Arabische Liga«, die den UN-Teilungsplan
abgelehnt hat, schickt Truppen in den Kampf gegen den
soeben gegründeten jüdischen Staat.

1949   (21. 1.) Erste Wahlen zur Knesset. Zwischen Februar und
Juli werden Waffenstillstandsabkommen zwischen Israel
auf der einen und Ägypten, Libanon, Jordanien und Syrien auf der anderen Seite abgeschlossen.

1956   (26. 10.) Als Reaktion auf die Sperrung des Golfs von
Akaba für israelische Schiffe durch Ägypten besetzt Israel
die Sinai-Halbinsel. Unter dem Druck der Vereinigten
Staaten und der Vereinten Nationen zieht Israel seine
Armee im März 1957 zurück. Eine UN-Truppe wird ent-
lang der ägyptisch-israelischen Grenze stationiert.

1967   (5. 6.) Ausbruch des Sechs-Tage-Krieges. Ägypten, Syrien,
Irak, Jordanien und Saudi-Arabien setzen im Mai 1967
ihre Armeen in Richtung Israel in Bewegung, die UN zie-
hen ihre »Friedenstruppe« aus dem Sinai ab. Ägyptens
Präsident Nasser erklärt: »Unser Ziel ist die Zerstörung
Israels.« Israel holt zu einem Präventivschlag aus und er-
obert die Sinai-Halbinsel und Gaza, die West Bank samt
Ost-Jerusalem und die Golan-Höhen.

1973   (6. 10.) Ausbruch des Jom-Kippur-Krieges. Ägypten und
Syrien greifen Israel am »Versöhnungstag«, dem höchsten
jüdischen Feiertag, an. Jordanien hält sich zurück. Völlig
unvorbereitet, hat Israel Mühe, den Angriff zu stoppen.
Der Krieg endet am 24. Oktober mit einem Waffenstillstand.

1977   (19./20. 11.) Ägyptens Präsident Anwar as-Sadat besucht
Israel und hält eine Rede vor der Knesset: »No more
wars!« Es ist der erste Besuch eines arabischen Staats-
oberhaupts in Israel.

1978   (17. 9.) Ägypten und Israel unterzeichnen das Abkommen
von Camp David. Es sieht den Rückzug Israels vom Sinai
und eine Autonomie-Regelung für die West Bank und

Gaza vor. Während Ägypten und Israel das Abkommen einhalten, wird es von den Palästinensern boykottiert.

1979 (26. 3.) Ägypten und Israel unterzeichnen in Washington einen Friedensvertrag.

1981 (6. 10.) Ägyptens Präsident Sadat wird während einer Militärparade zum achten Jahrestag des »Oktober-Krieges« ermordet.

1982 (25. 4.) Israel hat den Rückzug von der Sinai-Halbinsel abgeschlossen.

1982 (6. 6.) Die israelische Armee marschiert im Libanon ein und stößt bis Beirut vor. Die PLO wird gezwungen, Beirut zu verlassen. Am 16. 9. massakrieren christliche Phalangisten Hunderte palästinensischer Flüchtlinge im Lager Sabra-Schatilla, ohne daß die israelische Armee interveniert. Am 25. 9. demonstrieren 400 000 Israelis in Tel Aviv gegen den Krieg. Im Juni 1985 verlassen die letzten israelischen Truppen den Libanon. Eine »Sicherheitszone« im Süden des Libanon bleibt unter Kontrolle der vorwiegend christlichen South Lebanese Army, die von Israel unterhalten wird.

1987 (9./10. 12.) Beginn der »Intifada«, des Massenaufstands der Palästinenser gegen die Besatzung.

1991 (17. 1.) Beginn des Golf-Kriegs. Bis zum 28. Februar schlagen 39 irakische Scud-Raketen in Israel ein. 120 Israelis kommen ums Leben, die meisten an Herzversagen und Angst. Zum erstenmal in seiner Geschichte schlägt Israel bei einem Angriff nicht zurück.

1993 (13. 9.) Israel und die PLO unterzeichnen in Washington das Abkommen von Oslo. Es sieht eine stufenweise Einführung der Autonomie in den besetzten Gebieten vor. Im Sommer 1994 zieht Arafat in Gaza ein.

1995 (4. 11.) Ministerpräsident Jitzhak Rabin wird nach einer Friedenskundgebung in Tel Aviv von einem rechtsextremen jüdischen Fanatiker ermordet.

1996 (29. 5.) Benjamin (»Bibi«) Netanjahu wird mit knapper Mehrheit zum Ministerpräsidenten Israels gewählt. Es ist die erste Direktwahl des Regierungschefs durch das Volk.

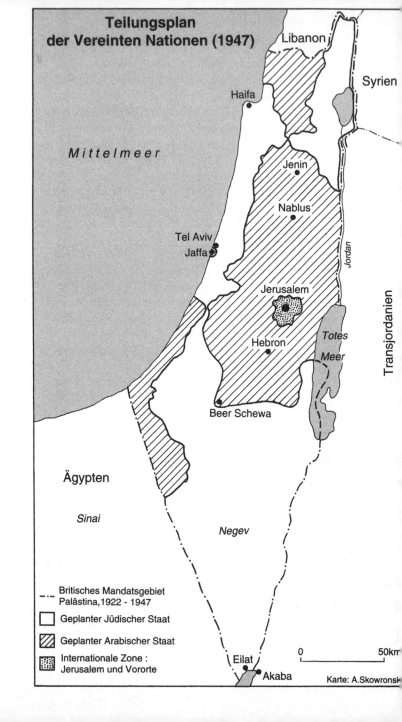

Teilungsplan
der Vereinten Nationen (1947)

Libanon

Syrien

Haifa

Mittelmeer

Jenin

Nablus

Tel Aviv

Jaffa

Jordan

Jerusalem

Transjordanien

Hebron

Totes
Meer

Beer Schewa

Ägypten

Sinai

Negev

Britisches Mandatsgebiet
Palästina, 1922 - 1947

Geplanter Jüdischer Staat

Geplanter Arabischer Staat

Internationale Zone :
Jerusalem und Vororte

0   50km

Eilat

Akaba

Karte: A.Skowronsk

Nach dem Unabhängigkeitskrieg (1948/49)

LIBANON

SYRIEN

Mittelmeer

Haifa

Jenin

Natanja

Tel Aviv
Jaffa

West Bank

Jordan

Amman

Jerusalem

Gaza

Hebron

Totes Meer

Rafah

TRANSJORDANIEN

ÄGYPTEN

Sinai

Negev

Israel am 1.Juni 1948

Zwischen Juni und November 1948 eroberte Gebiete

Zwischen November 1948 und Januar 1949 eroberte Gebiete

Israel 1949 - 1967

0   50km

Eilat
Akaba

Karte: A.Skowronski

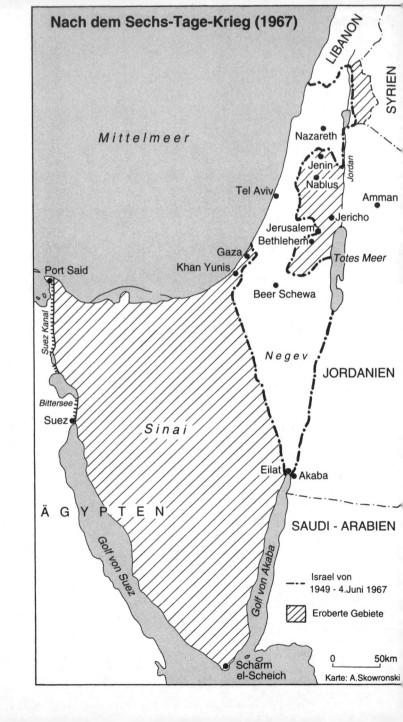

Nach dem Sechs-Tage-Krieg (1967)

LIBANON

SYRIEN

Mittelmeer

Nazareth

Jenin

Jordan

Nablus

Tel Aviv

Amman

Jericho

Jerusalem

Bethlehem

Gaza

Totes Meer

Khan Yunis

Beer Schewa

N e g e v

Port Said

JORDANIEN

Suez Kanal

Bittersee

Suez

S i n a i

Eilat ● Akaba

Ä G Y P T E N

SAUDI - ARABIEN

Golf von Suez

Golf von Akaba

Israel von
1949 - 4.Juni 1967

Eroberte Gebiete

0   50km

Schärm
el-Scheich

Karte: A.Skowronski

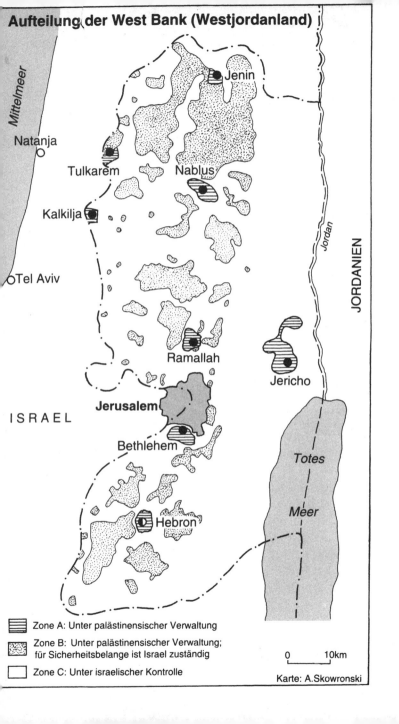

Aufteilung der West Bank (Westjordanland)

Mittelmeer

Natanja

Jenin

Tulkarem

Nablus

Kalkilja

Tel Aviv

Jordan

JORDANIEN

Ramallah

Jericho

Jerusalem

ISRAEL

Bethlehem

Totes

Meer

Hebron

Zone A: Unter palästinensischer Verwaltung

Zone B: Unter palästinensischer Verwaltung;
für Sicherheitsbelange ist Israel zuständig

Zone C: Unter israelischer Kontrolle

0   10km

Karte: A.Skowronski

Der Gaza-Streifen

Mittelmeer

Éretz*

Sederot

Jabaliya

Gaza

Netzarim

Deir el-Balam

Kfar Darom

Neve Dekalim

ISRAEL

Gusch
Khatif**

Khan Yunis

Rafah

Autonomes Gebiet der Palästinenser

Israelische Gebiete

* mit drei Siedlungen
** mit zwölf Siedlungen

Sinai

Kerem
Shalom

ÄGYPTEN

0   10km

Karte: A. Skowronski